KB103348

은퇴 후 7개월
— 7개 도시 이야기 —

박경식

29년을 다닌 직장에서 퇴직하고 제주에서 석 달을 살고, 동남아 일곱 개 도시를 돌며 일곱 달 살이를 했다. 퇴직을 앞둔 복잡한 심경을 첫 책, <사표를 날렸다. 글을 적는다>에 재미있게 담았으나 예상대로 많이 팔리진 않았다. 이에 굴하지 않고 두 번째 책, <재주도 좋아. 제주로 은퇴하다니>를 출간했다. 이번에는 세 번째 책인 <은퇴 후 7개월 7개 도시 이야기>로 돌아왔다. 지구 곳곳을 돌아보겠다는 야무진 꿈을 가진 지구여행가 깍두기 씨는 쉬지 않고 글을 쓰고 계속해서 책을 낼 계획이다. 지구 여행기는 네이버 블로그 <지구여행가 깍두기>에서 볼 수 있다.

은퇴 후 7개월

7개 도시 이야기

박경식 지음

목 차

서먹할 곳으로 떠날 준비

사표를 종이비행기처럼 쏭 하고 날리고 바로 제주로 갔다. 성산포, 서귀포, 제주시에서 한 달씩 세 달을 살면서 걸어서 제주를 한 바퀴 다 돌고 서울로 온 지 여드레가 되었다. 오늘 낯선 곳으로 다시 떠난다. 길을 나서려면 먼저 마음을 먹어야 하고 그에 걸맞은 준비도 해야 한다. 마음이야 이미 오래전에 굳혔으니 문제가 되지 않으나 떠날 준비는 은근히 신경이 많이 쓰인다. 국내 여행이라면 대충 짐 싸서 가면 그만이지만 해외에서 반 년을 넘게 머물 계획을 하고 떠나는 것이니 패키지여행 며칠 가는 것에 비해 챙겨야 하는 일들이 많다.

건강보험을 정지시켰다. 해외에서는 건강보험 적용이 안되는데 보험료만 빠져나가니 당연히 정지를 해야 한다. 건강보험공단 지사를 방문하니 비행기를 예약한 티켓을 보여달라고 한다. 건강보험을 정지시키고 해외여행자 보험을 가입하려고 알아보다가 생각하지 못한 문제에 부딪혔다. 6개월 이상 해외에 체류를 하는 경우에는 해외여행자 보험에 가입할 수는 없고, 다른 상품을 선택해야 하는데 보험료가 한 사람에 수백만 원에 달한다. 고민 끝에 보험 없이 다녀오기로 한다. 핸드폰도 정지시켰다. 3개월 이상 정지는 일반 대리점에서는 할 수 없고 고객센터나 직영 대리점으로 가야 한다고 한다. 핸드폰을 정지하면 문자로 본인인증을 받을 수 없다. 혹시 해외에서 금융거래를 위해 필요할 수도 있으니 문자 인증은 가능하게 조치를 했다. 해외에서 문자인증을 받으려면 해외 유심을 빼고 국내 유심을 넣은 뒤 로밍을 받아야 한다. 유심을 빼는 도구도 챙기는 것이 좋다.

치과에 갔다. 혹시라도 여행 중에 치통이 생기면 안 되니 스케일링을 받으면서 이상이 없는지 확인을 했다. 아내는 다니는 병원에 가서 처방을 받아야 하는 약들을 챙겼다. 동남아는 처방 없이 살 수 있는 약들이 많다. 글로벌 제약사에서 만든 약을 복용하고 있다면 현지 약국에서도 살 수 있다. 요즘은 예전처럼 달러나 현지 화폐를 가득 들고 출국하지 않는다고 한다. 필요한 돈은 현지 ATM 기계에서 인출해서 사용하면 된다. 그중 여러모로 사용이 편리한 트레블 월렛 카드를 발급받았다. 이 카드가 있으면 현지에서 돈도 찾을 수 있고, 택시도 타고, 마트에서 계산도 되고, 차량 호출이나 배달 앱에서 자동 결제도 된다고 한다. 여행 기간 중에 큰 도움이 되겠다. 반드시 준비해야 하는 필수품이다. 태국 여행을 한다면 QR로 결제가 가능한 방법이 있는데 이것도 준비해서 간다면 유용할 것 같다. Grab 앱도 다운받았다. 우리로 보면 카카오택시와 배달의 민족이 결합된 것이다.

형제들과 식사를 했다. 퇴직하고 처음 만나는 것이니 퇴직 인사 겸 지구 여행을 떠나는 송별회 자리이기도 했다. 동생네가 사는 동탄에서 만났다. 서울 강남에서 2층 버스를 타고 가니 한 시간 정도 걸렸다. 강원도 문막에 사는 누님도 차가 안 막혀 비슷하게 걸렸단다. 한정식으로 점심을 먹고, 카페로 가서 커피를 마시고, 빵도 먹고, 수다도 떨었다. 조카가 가져온 내 책에 사인도 해주고, 입이 아파 더 이상 서로 대화를 나누기 힘들어지자 자리를 파했다. 집에 오니 오늘 식사한 1/n 비용이 카톡으로 날라왔다. 우리 형제들은 이렇게 모인다. 절대 집에서 식사하지 않고, 쓴 비용은 칼 같이 균등 배분이다. 사람 사이 관계는 조심조심 얼음판 위를 걷듯이 해야 오래간다.

두 번째 책 출간을 마무리했다. 사표를 날리고 감행한 제주 세 달 살이 책이다. 원고를 구두를 닦는 것처럼 교정을 했어야 했는데 그러지 못해 아쉽다. 나는 질보다 양이 우선이라는 믿음을 가지고 있다. 한 방에 이루어지는 것은 없다. 하다 보면 이루어진다. 여행이 끝나면 무조건 책을 낼 계획이다. 누가 아는가? 백 년 정도 지나서 내 책이 갑자기 주목을 받을지. 미래를 빤히 예측할 수 있다면 사는 재미는 없을 것이다. 지금 우리가 할 수 있는 것은 씨를 뿌리는 것이다. 씨를 뿌리겠다고 작정을 하면, 이 작정이 씨앗이 되어 옥토 같은 마음에 자리를 잡을 것이고, 싹이 날 것이고, 큰 나무로 자랄 것이다.

혼자 집에 남아서 직장을 다닐 딸을 생각하다가 집 이곳저곳을 수리했다. 직장 다니기도 힘들 텐데 만약 아파트도 아닌 집에 하자가 생기면 감당하기 어려울 듯해서 베란다 방수 공사도 하고, 화단도 없앴다. 화단에는 내가 가꾼 예쁜 장미와 여러 꽃나무가 있었는데, 크기는 작아도 은근 손이 많이 가는 곳이었다. 바늘 들어갈 만한 공간만 있어도 생명은 자리를 잡는다. 어떻게 알고 오는지 작은 화단에 참 많은 생명들이 찾아온다. 딸이 화단을 정리하고 가꾸기는 어려우니 슬프지만 싹 없앴다. 화단이 없어지고 깔끔한 시멘트 바닥이 생겼다. 어쩌겠는가? 꽃보다 사람이 먼저인 것을.

지구 여행을 떠날 준비가 이렇게 마무리되었다. 계획을 세울 때가 가장 행복한 한 것 같다. 막상 떠나려 하니 참 많은 생각이 든다. 집을 다시 꼼꼼하게 둘러보고, 여권을 한 번 더 쓰다듬고, 현관문을 잠근다. 딸이 저녁에 퇴근해서 아무도 없는 집에 들어오는 모습이 떠오른다. 다 컸지만 유난히 엄마를 따르는 아이인데. 이것 또한 어쩌겠는가? 아버지가 은퇴를 해서 엄마와 둘이 사이좋게 해외 여행을 가는 것은 이별 중에 그야말로 행복한 이별이다. 무에 큰일이겠는가? 애써 마음을 다잡아 본다.

드디어 가는구나. 직장 생활 29년 내내 꿈꾸던 일을 실행하는구나. 한 번도 가보지 않은 그 곳은 무지 서먹할 텐데. 아내가 자기 캐리어를 끌고 내 뒤를 졸졸 쫓아온다. 부디, 둘이 예쁘게 다녀왔으면 좋겠다. 나는 일부러 짐짓 자신만만하게 아내를 돌아보며 호기롭게 말을 건넨다.

"자, 지구 한 모퉁이를 휘 둘러보러 갑시다. 아따, 오늘 떠나기 좋은 날씨구먼!"

코타 키나발루
Kota Kinabalu

괴나리 봇짐

요즘에 비행기를 타고 해외로 간다면, 내가 감으로 대충 추측하는 것이기는 하지만 열에 여섯은 인터넷으로 미리 좌석을 지정하고 티켓은 핸드폰에 담아서 온다. 열에 둘은 공항에 있는 기계로 셀프 체크인을 하고, 열 명 중에 겨우 두 명 정도만 카운터에서 티켓을 발권하는 것 같다. 이처럼 사람들 대부분이 스스로 티켓을 발권하는 추세라면 공항은 파리만 날리는 한산한 파장 분위기여야 옳다.

천만의 말씀 만만에 콩떡이다. 공항 카운터는 여전히 사람들로 인산인해를 이룬다. 왜? 짐을 부쳐야 하니까. 짐을 부치는 풍경은 그야말로 코미디다. 김포에만 공항이 있었던 그때나 지금이나 세월에 굴하지 않은 짐 부치는 두 가지 신기한 기술이 있다. 첫 째는 엉덩이로 가방을 깔고 앉은 자세로 자크를 닫는 막무가내로 욱여넣는 기술이고, 두 번째는 중량 한도를 초과한 자기 짐을 일행의 캐리어에 옮겨 담는 중량을 분산하는 기술이다. 중량 초과에 직면해서 이런 기술을 쓸 때는 조심해야 한다. 다급한 상황에 처하게 되면 대개가 생각이란 것이 실종되기는 하지만, 막 가방에 올라타서 지퍼를 열었다 닫았다 하는 동안에 본인은 모르겠지만 안 그래도 긴 줄에 짜증이 잔뜩

난 사람들이 일제히 쏘아대는 다연발 눈총에 치명상을 입을 수도 있다.

영어사전이나 국어사전을 보다 보면 신기한 현상을 발견한다. 무슨 말이냐? 나라와 문화가 다른데 언어의 의미는 같다는 것이다. 우리말 '짐'은 물건이라는 의미와 부담이라는 파생된 의미를 가지고 있다. '짐을 지고 있다'는 말에서는 사람이 짐을 지고 있는 사실적 모습과 수고하고 애처롭게 느껴지는 정서적인 면까지 동시에 읽어 낼 수 있다. 영어도 마찬가지다. 'Baggage'도 수화물이란 뜻 말고 마음의 앙금이라는 표현으로 쓸 수 있다고 한다. 왜 그럴까? 옛날에 짐은 사람이 직접 지거나 동물에게 지우는 것이 고작이었고, 이런 방식으로는 거리나 무게가 중요할 수밖에 없었다. 짐은 동양이든 서양이든 어쨌든 큰 골치였고 마음이 쓰이는 것이었다.

이번 해외 살이 여섯 달 짐이 제주 세 달 살이 보다 적다. 이를 악물고 짐을 줄였다. 더운 나라로 가는 것이니 무게가 나가는 두터운 옷이 없는 것도 한몫했지만, 목숨과 미풍양속에 심각하게 영향을 주지 않는 범위에서 과감하게 짐을 줄이는 작업을 단행했다. 오래 살 요량으로 입에 달고 사는 비타민 A부터 저 멀리 비타민 K까지도 현지 조달 전략으로 변경했고, 이틀에 한 번 세탁기를 돌린다는 전제로 심지어 속옷까지도 세 벌이 넘지 않게 했다.

* 여행을 마치고 보니 짐은 더 줄일 수 있겠다는 생각이 든다. 지구촌이라는 말은 지구 어느 대도시에서나 내가 원하는 물품을 구할 수 있다는 말이기도 하다.

짐을 다 부치고 세관을 통과했다. 면세점에는 눈길 한 번 주지 않고 게이트 앞에 단정하게 앉아 있다. 짐이 없으니 이리 홀가분한 것을. 니체라는 독일 철학자 양반이 '인간은 짐을 지는 것을 당연한 숙명으로 여기는 낙타이다' 라고 한 말이 떠오른다. 비행기가 이륙을 한다. 코타 키나발루 행 연두색 진에어 LJ061편이 육중한 몸뚱이로 부지런히 날아간다. 좌석이 59번까지 있고, 한 줄에 여섯 명, 빈자리가 없으니 350명이 탔겠네. 모든 승객이 짐을 20kg씩 욕심껏 가져왔다면, 비행기에 실린 승객들 짐만 거의 7톤이다. 비행기, 생각한 것 보다 참 대단하다.

지구의 붉은색 계열들이 모두 모여 예쁜 색깔 잔치를 벌이고 있는 밤하늘을 날아서 코타 키나발루 공항에 도착했다. 열대의 열기가 와락 반긴다. 언제 봤다고? 떨어져라, 덥다. 비행기는 똥 싸듯 짐을 배출하고, 납작한 트럭은 분뇨차인 양 그것들을 흡입해서는 컨베이어 벨트가 돌아가는 곳에 쏟아붓는다. 최대한 선량한 표정으로 반듯하게 서서 여권에 도장 하나를 받아낸 승객들은 낙타인 듯 보부상인 듯 허위허위 짐을 찾으러 간다. 한국인들이 보유한 전매특허인 뛰듯 걷는 모양새로 말이다.

"짐을 말이야, 차에도 안 싣고, 비행기에도 안 싣고, 머리에 이거나 등에 지고 가라고 했다면 사람들이 이렇게 많이 가져왔을까?"

우리 짐을 찾느라 눈에서 레이저 빔을 쏘고 있는 최고 존엄에게 물을까 하다가 날은 덥고, 밤은 늦었고, 숙소로 가는 길도 모르는데 기름에서 막 건져낸 호떡을 한 입 베어 물어 입천장이 홀랑 까지는 것 같은 화를 자초할 듯하여 꾹 참았다.

둘이 여섯 달을 살겠다고 왔는데, 달랑 괴나리봇짐 같은 수화물 하나를 들고는 딩가딩가 걸어나간다. 무거운 짐 때문에 걸음이 버겁고 어깨가 아프다면 짐을 줄이면 될 일이다. 쉬운데 행하기는 어렵다. 공항 밖으로 나오니 별천지구나. 시간은 밤 열한 시가 되었다. 이 야밤에 핸드폰 유심도 사야 하고, 돈도 찾아야 하고, 택시도 불러야 한다. 와우, 지금부터 지구여행이 시작되는 것인가?

탄중 아루 해변, 실망 그리고 반성

탄중 아루 해변은 코타 키나발루에서 일몰을 보는 장소로 널리 알려진 곳이다. 일몰이야 지금 묵고 있는 숙소에서 슬리퍼 신은 걸음으로 십여 분만 가면 있는 또 다른 명소인 워터프런트에서도 볼 수 있어 굳이 해 질 녘에 오지 않았다. 태양이 쩽쩽하게 건재한 오전에 숙소에서 한 시간을 넘게 걸어서 도착했는데 기대했던 탄중 아루 해변이 나를 어리둥절하게 만든다.

"어라, 그리 이름이 드높은 탄중 아루 해변이 진정 이러한 모습이란 말인가?"

제주에서 세 달을 살았던 우리는 그래도 탄중 아루 면전이라 에둘러 제주를 칭찬하는 걸로 실망을 드러낸다. 옆집 칭찬하기 전략이다.

"그러고 보면 제주가 참 아름다운 곳이야. 그지?"

탄중(Tanjung)은 곶이라는 뜻이고, 아루(Aru)는 카수아리나(casuarina) 나무를 뜻하는 말레이어다. 즉, 아루 나무가 있는 곳이라는 말이다. 말레이어는 뒤에 있는 단어가 앞에 있는 단어를 수식한다. '좋은 사람'을 말레이어로 하면 '사람 좋은'이 되는 식이다. 코타(Kota)는 도시고, 키나발루(Kinabalu)는 동남아에서 제일 높은 산이다. 코타 키나발루는 키나발루의 도시라는 뜻이다. 탄중 아루 해변은 크게 세 덩어리로 나뉘는데, 첫 번째와 두 번째 해변은 개방되어 있어서 로컬 사람들이나 관광객이 즐겨 찾는다. 세 번째 구역은 샹그릴라 리조트가 있는 곳인데 투숙객 전용인 만큼 비싸고 멋지다.

한 시간을 걸어서 탄중 아루 해변까지 왔는데, 볼 풍경은 없고 해변은 지저분하고 게다가 가게는 고사하고 노점조차 없다. 아침 공복에 배는 고프고 갈증도 나기에 우리는 샹그릴라 리조트까지 해변을 따라 더 걸어가기로 한다. 해변에는 놀러 온 몇몇 가족들이 음식도 해 먹고 물놀이를 하면서 하하 호호 웃으며 논다. 해변에서 싱글리라 리조트로 이어지는 곳에 철문이 굳게 잠겨 있어 들어갈 수가 없다. 어쩔 수 없이 한참을 돌아서 리조트 안으로 들어갔다.

"와, 별 천지다."

세상 깨끗하고, 고급스럽다. 마주치는 사람들 열에 아홉은 동포인 대한민국 사람들이다. 탄중 아루 해변은 썩은 내가 진동을 했는데 이곳은 냄새는 고사하고 뽀송뽀송한 느낌이다. 건조기에서 막 나온 빨래 같다.

우리가 돈이 없는 것도 아니고, 어차피 이 리조트에 있는 사람들 대부분이 한국인이고, 그렇다고 우리가 무슨 나쁜 짓을 할 것도 아닌데, 왠지 주눅이 든다. 무지하게 으리으리하게 잘 사는 부잣집에 갔을 때 느끼는 요상한 불편함이다. 물이나 커피를 파는 곳을 찾다가 실패하고 화장실만 사용하고 그랩으로 차를 불러 숙소로 간다.

"와, 우리 동네다."

숙소 근처에 도착하니 마음이 편안하다. 우리 둘은 허름하지만 사람 냄새가 물씬 나는 식당에서 24링깃을 내고 점심을 먹는다. 우리 돈으로 7천원 정도다. 3링깃짜리 코코넛 한 통을 시켰는데 코코넛 자르는 사람이 없어서 오늘은 먹을 수 없다고 한다. 코코넛 워터가 마시고 싶었는데 참으로 애석하다.

맥도널드 이층 테라스에 앉아 와이파이도 사용하고 식후 커피도 마신다. 낯선 도시에 자리를 잡은 지 사흘이 되었다. 열대 도시 오후는 따갑다. 그나마 다행인 건 습도가 높지 않아 그늘에 있으면 시원하다. 도로 건너 대형 쇼핑몰이 보인다. 쇼핑몰 한 쪽에 큰 그늘이 생겼고, 많은 사람들이 그 그늘에 모여 있다. 누군가를 기다리는 사람도 있고, 다른 도시에서 왔는지 짐 여러 꾸러미를 들고 서성이는 사람도 있다. 집인 듯 아예 박스를 깔고 누워있는 사람도 있네. 건물이 만든 고작 그늘일 뿐인데 참 쓸모가 많다는 생각이 든다.

희한한 일이다. 천정에는 실링 팬이 돌아가고 있고, 최고 존엄은 내 앞에서 핸드폰을 들여다보고 있고, 나는 길 건너 그늘 풍경을 보고 있는데 갑자기, 문득, 탄중 아루 해변에게 미안한 생각이 드는 것이다.

같은 바다, 같은 해변인데 샹그릴라 쪽 해변은 돈으로 광나게 닦아서 예쁜 것이고, 나머지 해변은 하루 몇 푼으로 먹고사는 사람들이 바삐 사느라 그리 지저분한 것이었는데, 내 기대에 미치지 못한다 하여 함부로 했구나. 나는 재빨리 반성을 한다.

"바른 여행자는 과연 어떤 모습이어야 할까?"

나를 옆집 아저씨와 비교하면 얼굴을 붉으락푸르락하며 화를 내면서도 정작 나는 여기저기 비교를 해댄다. 세상을 평가하고 비교하기 위해서 여행을 다니는 것인가? 살면서 어쩔 수 없이 가지게 되는 잣대, 내공이 아직 그리 높지 않아 그 잣대를 아예 버릴 순 없고 지팡이로나 사용할까?

해 질 녘이 되자 비가 후두둑 떨어진다. 비 내리는 날에는 당연히 일몰이 없을 줄 생각했는데 행여나 하는 마음에 나오길 잘한 것 같다. 서쪽 하늘에는 비가 내리지 않는 모양이다. 구경 온 사람들 서운하지 않게 멋진 장면을 연출해 주네. 오늘은 편의점에 들러 과자 몇 개를 사야겠다. 새우깡 맛이 나는 과자가 있다던데 왠지 맥주 한잔과 잘 어울릴 것 같다. 반성하는 의미로 시원한 맥주나 마셔야지.

은퇴 후 7개월, 7개 도시 이야기

걱정이란 놈 멱살을 잡고

티끌 같은 걱정도 없는 삶.

우리가 참으로 갈망하는 경지가 아닌가. 깊은 산속, 동양화에 등장하는 그림 같은 곳. 폭포가 있고, 큰 나무 아래에서 도인 둘이 마주 앉아 바둑을 두는 무릉도원 같은 곳에서 살면 진정 걱정이 없을까? 나는 그런 줄 알았다. 회사를 그만두고 푸른 물결이 넘실대는 제주에서 살면, 석양이 황홀하다 못해 말문을 막아버리는 코타 키나발루에서 살면, 머릿속은 청량한 개울물처럼 깨끗해질 줄 알았다. 오산이었다. 걱정이란 놈은 생각한 것보다 훨씬 생명이 강했다. 잘라도 돋아나는 군대 연병장 잡초 같다고 할까? 죽여도 자꾸만 살아나는 영화 속 좀비 같다고 할까? 걱정은 때와 장소를 가리지 않고 출몰한다. 쉽게 얕잡아 볼 녀석이 절대 아니다.

바람이 불면 숲에 사는 이런저런 모양을 한 나무들과 풀들은 서로 몸을 비벼대며 요란한 소리를 낸다. 이 소리를 인간 세계에서는 갈등이라고 불러도 되겠다. 갈등은 인간들이 서로 부딪히며 만들어내는 고통이다. 갈등은 걱정을 낳는다. 갈등이 있는 곳에는 늘 걱정이 있다. 이건 변하지 않는 진리다. 갈등이

농축되어 있는 곳이 직장이니 직장을 그만두면 걱정이 확 줄기는 한다. 하지만 방심은 금물이다. 걱정은 물과 같아서 바늘이 들어갈 만한 틈만 있으면 스며들어 마음을 흥건하게 적신다.

따가운 열대 햇살에 땀을 흘리며 코타 키나발루 이곳저곳을 기웃거리며 눈물 날 만큼 멋진 풍경을 보고 있으면 걱정은 슬그머니 자취를 감춘다. 걱정이라는 놈은 사람이 희열을 느끼는 순간에는 자기도 달리 뭘 할 수 없다는 걸 아는 것이다. 그러다가 세상이 조용해지면 어김없이 찾아온다. 걱정은 바쁠 땐 코빼기도 안 보이다가 마음이 한가할 때면 불쑥 들이닥치는 불청객이기도 하다.

사는 일이 다 그렇듯이 우여곡절은 있었지만 무사히 근 30년 직장을 다니고 은퇴를 했겠다. 사랑하는 최고 존엄과 둘이 손잡고 놀러 다니겠다. 일 안 해도 될 정도로 적당히 돈도 있겠다. 걱정이란 게 생길 여지가 없는 상황이다. 그런데도 불구하고 놈은 불쑥불쑥 대가리를 들이민다. 아들과 딸은 건강하겠지? 직장 잘 다니고 있겠지? 남산 밑에 있는 허름한 집은 문제가 없겠지? 다음 여행지 숙소는 인터넷에 있는 사진과 같겠지? 배가 며칠 전부터 살살 아픈데 큰 문제는 아니겠지? 다들 은퇴하고 부업도 하고 그런다는데 이러고 놀다가 쪽박 차는 건 아니겠지? 내일은 어디로 놀러가지? 걱정도 팔자인가? 여전히 나는 새로운 걱정을 끊임없이 만들어 낸다. 걱정 공장 공장장인가?

"야! 안 되겠다. 오늘은 나하고 담판을 짓자."

은퇴자에, 코타 키나발루 숙소에 TV도 안 나오고, 낮에는 더워서 돌아다니지도 못하니 아주 시간이 철철 넘친다. 노니 뭐 한다고 이번 기회에 걱정이란 녀석과 결판을 내 볼 생각이다.

사실 걱정만큼 심하게 오해를 하고 있는 것도 없다. 걱정이 나쁜 것인가? 다시 생각해 볼 부분이다. 건강을 걱정하지 않았으면 병들었을 것이고, 돈을 걱정하지 않았으면 길거리에 나앉았을 것이고, 인간관계를 걱정하지 않았다면 어느 산에서 자연인으로 살고 있지 않을까? 걱정이란 무엇인가? 다름 아닌 삶에서 마주치는 여러 문제들에 대한 생각이다. 이상하게 들리겠지만 걱정이 없다면 행복도 없다. 걱정은 행복을 향한 사다리인 것이다. 다리가 후들거리지만 사다리를 딛어야 올라가든 건너가든 도달할 수 있는 것이다.

걱정을 없앨 수 있다는 건 정도가 심각한 착각이다. 오히려 진지하게 걱정에 임해야 한다. 철학은 걱정을 공부하는 것이고, 종교는 걱정을 절대자에게 위탁하는 것이며, 명상은 스스로 걱정을 해결하려는 행위다. 걱정거리를 종이에 써보자. 쓸 수 있는 걱정은 이미 해결의 실마리를 안고 있는 것이다. 쓴 걱정을 앞에 놓고 고민해 보자. 어떤 일이 벌어질지, 그러면 나는 어찌 해야 하는지. 내가 할 수 있는 범위에서 방법을 찾지 못하면 그건 기우다. 기우는 하늘이 무너질지도 모른다는 쓸데없는 쓰레기다. 걱정은 제대로 하고, 기우는 가려내서 버리고, 이리 살아야 하지 않을까?

티끌 같은 기우도 없는 삶.

이렇게 살고 싶다. 삶에서 마주치는 갈등과 그 갈등이 낳은 걱정이라면 멱살을 잡든 허리춤을 부여잡든 한바탕 씨름을 해볼 요량이다. 피한다고 피해지지 않을 것이라면 끝을 봐야 하지 않겠는가? 달리 방법이 없는 것이다. 쓸데없는 쓰레기 같은 기우는 다르다. 기우는 내 에너지를 써가며 싸울 대상이 아니다. 쓰레기는 버리면 그만인 것이다.

"아니, 말처럼 그건 쉽냐고?"

뭐 이리 묻는다면 할 말은 없다. 사는 게 다 어려운 일인 것을 나보고 어쩌라고?

* 여행을 모두 끝내고 남산 아래 허름한 집에서 글을 정리하고 있는 지금 돌이켜보니 그때, 코타 키나발루에서 석양을 보며 가졌던 여러 걱정들 중에 단 한 가지도 실제로 일어나지 않았다. 여행 중에 일어난 일들은 하나 같이 예상하지 못한 것들이었고, 그것들은 어찌어찌 해결이 되었다. 그러니까 걱정이란 것은 실상 99.9% 기우일 확률이 높다. 걱정할 시간에 밥을

먹든지 잠을 자는 것이 백 번 옳다.

사끼 섬을 가다가 얼떨결에 마누칸 섬까지

오늘 아침은 참으로 코믹했다. 섬 여행을 가겠다고 삼십 분 일찍 밥을 먹으러 나갔는데 단골 식당이 문을 안 열었다. 동네를 한 바퀴 산책하고 다시 갔는데도 여전히 닫혔다. 길 건너 다른 단골 식당으로 갔다. 여기도 마찬가지다. 어느새 우리가 밥 먹는 시간보다 늦어졌다.

"뭐지? 왜, 도시 전체가 늦잠을 자는 것이지?"

우리 둘은 배는 고프고 다리는 아프고 이해는 안 되고, 드디어 맥도날드 햄버거로 아침을 때워야 하나 하며 서로 얼굴을 보는 순간에 문 연 식당 한 곳이 눈에 들어왔고 겨우 허기를 채웠다. 알고 보니 오늘부터 라마단이 시작된다고 한다. 라마단 기간에 무슬림들은 아침부터 저녁까지 굶기 때문에 덩달아 식당들도 오후나 저녁나절이 되어야 문을 연다고 한다. 식당 주인이 무슬림이 아닌 곳은 다행히 문을 여는데 그런 식당 찾기가 쉽지 않다. 대형 쇼핑몰에 있는 식당에 가야 할 운명인가 보다. 와, 라마단이 이렇구나. 굶어 죽을 뻔했네.

코타 키나발루에 있는 제셀턴 포인트는 배를 타고 인근 섬으로 갈 수 있는 선착장이다. 지금은 코타 키나발루라고 부르지

만 영국에서 독립을 하기 전까지는 제셀턴(Jesselton) 이었다
고 한다. 오늘 우리는 사피 섬으로 놀러 간다. 이곳에 오면 호
객이 장난이 아니다. 가격 흥정도 심하고, 한국 사람들이 몇
번 창구에 있는 여행사는 친절하고 몇 번 창구 여행사는 바가
지를 씌운다는 글을 블로그에 올리는 탓에 좋은 평가를 받은
창구는 한국 사람들로 문전성시를 이루기도 한다. 나는 이런
거 딱 질색이라 파리를 날리고 있는 듯한 제일 한가해 보이는
15번 창구에서 티켓을 산다.

"해양 액티비티 안 하세요?"

대부분 섬에 가면 스노클링이나 공기가 들어오는 헬멧을 쓰고
바다속을 걷는 씨 워킹(sea walking)같은 액티비티를 한다고
한다. 티켓을 파는 아가씨가 우리에게 그런 거 해야 한다고 강
력하게 주문을 한다. 나이 먹고 그런 거 하는 거 아니라고 잘
라 말하고 왕복 보트 티켓만 샀다. 둘이 70링깃이다.

사피 섬으로 가기 전에 마누칸 섬에 들러 손님들을 내려놓는
데 다 내리고 우리 둘만 남았다. 얼굴이 햇빛에 한 삼십 년은
그을린 듯한 선장이 막 뭐라고 말을 한다.

"우리는 사피 섬으로 가요. 유 노우?"

선장이 뭐라고 말하는지 제대로 듣지도 않고 우리는 우리 목적
지만 읊어댄다. 소통이 불가능한 상황이다. 아주 새파란 바다

위에 햇빛은 작살처럼 꽂히는데 선장과 우리 둘은 뒤뚱거리는 배에서 한참을 떠든 후에 겨우 서로 소통이 되었다. 선장이 우리에게 소리치듯 한 말은 이런 뜻이었다.

"마누칸 섬도 좋은 곳이다. 이곳을 구경하다가 두 시간 후에 선착장으로 오면 사피 섬으로 데려다 주겠다. 공짜로 마누칸 섬을 구경할 기회다. 해양 액티비티도 신청하지 않았으니 지금 사피 섬에 가면 지루할 것이다."

선장이 하는 말을 반만 믿고 분명 무슨 꿍꿍이가 있을 것이라는 의심을 품은 채 졸지에 마누칸 섬을 둘러보게 되었다. 멋진 섬이다. 평화롭다. 코코넛이 먹고 싶어 식당에 갔는데 코타 키나발루 시내보다 세 배나 비싸네. 게다가 어디서 이런 작고 앙큼한 코코넛을 구해왔는지 빨대를 꽂아 한 모금 쭉 당기니 금세 없어진다. 둘은 킥킥 웃으며 바다를 본다. 하얀 백사장에 기우뚱 서 있는 야자수 너머로 옥빛 물결이 바람에 흔들린다. 깊게 숨을 들이쉬며 자유를 호흡한다.

걱정과는 달리 선장은 어김없이 제 시간에 와서 사피 섬으로 우리를 데려간다. 섬으로 이동하는 보트에서 바라보는 바다 풍경이 참 좋다. 보트가 초원을 달리는 치타처럼 속도를 내며 치닫는다. 사피 섬은 마누칸 섬과는 다른 분위기다. 사람이 더 많아 생기가 느껴진다. 잔잔한 파도 소리에, 열대의 풀벌레가 울어대고, 보트 엔진 소리와 떠드는 사람들 소리가 어우러져 하나가 된다. 잠이 살며시 오는 것 같기도 하고 공중에 떠 있는 것 같기도 한 나른한 아름다움이 몰려온다.

어제는 허탕을 친 하루였는데 오늘은 원 플러스 원 행사에 당첨된 하루다. 삶은 뭐가 튀어나올지 모르는 구불구불한 골목길을 걸어가는 것이다. 선장이 마누칸 섬에 우리를 내려놓을 때만 해도 마음 속으로는 불만이었는데, 선장 말이 맞았다. 사피 섬에만 있었다면 분명히 지루했겠다. 로마에 가면 로마법을 따르고, 현지에 오면 현지 사람 의견을 들어야겠다. 괜스레 의심부터 하지 말고. 그 환경에 맞는 시스템이 있겠지. 야자수 그늘 아래 드러누워 상념에 젖는다.

배가 제셀턴 포인트로 출발해야 하는 시간이 이미 지났는데도 중국인 가족이 물놀이를 하고 있다. 승객들은 하염없이 기다리고, 선장은 어서 타라고 고래고래 소리를 지른다. 성미 급한 내가 냅다 뛰어가서 해결을 하고 나서야 드디어 배가 출발한다. 승객들이 달려갔다 오느라 숨을 헐떡거리고 있는 나를 보고 일제히 환호를 하며 박수를 친다. 나는 정중히 두 손을 들어 화답을 하고 속으로 기분 좋게 외친다.

'하하. 뭐 이 정도 가지고.'

뜨거운 태양 아래에서 배구경기 관람하기

오늘은 어떤 경기가 펼쳐질까? 설레는 마음으로 배구 경기가 열리는 경기장으로 간다. 가는 길은 유혹이 많아 순탄치 않다. 시장 몇 곳을 지나야 하는데 과일과 야채를 파는 곳은 쉽게 지나가지만 해물을 구워서 파는 시장은 힘들다. 오후 다섯 시 적당히 공복인 상태에서 맛있는 연기가 피어나는 곳을 지나가는 건 여간 곤욕이 아니다. 그나마 한 가지 다행인 점은 이슬람을 국교로 하는 곳이기에 술이 없다는 것이다. 만약에 테이블마다 맥주와 위스키가 도열해 있다면 지나치기가 더블로 어려울 것이다.

이미 경기가 시작되었네. 먼저 이곳 배구 경기장을 소개하자면, 배구 경기가 열리는 곳은 수산시장 주차장이다. 낮에는 차들이 주차해 있는데 오후에 시장이 파하면 배구장으로 바뀐다. 배구장 옆은 보트들이 쉴 새 없이 오가는 선착장이다. 이곳에서 배를 타면 코타 키나발루에서 가장 큰 섬인 가야 섬 한 쪽에 옹기종기 모여있는 수상가옥으로 갈 수 있다. 선착장에 낚싯배 한 척이 들어온다. 낚시꾼이 잡은 고기를 득의양양하게 바닥에 내려놓는데 크기가 엄청나다. 배구 경기를 하는 곳이 배구 전용 코트가 아니고 여러 사람들이 뒤섞여 살아가는 터전

은퇴 후 7개월, 7개 도시 이야기

이라서 분주하고 정신없어 보이지만 정작 배구 경기는 방해를 받지 않고 제대로 열린다.

배구 경기 수준은 의외로 높다. 서브 리시브에 이은 토스와 강력한 스파이크로 이어지는 공격은 물론 절묘하게 상대를 속여 공을 코트에 꽂는 페인팅도 적절하게 구사한다. 코트 뒤 멀리서 구경을 하고 있는데, 시멘트 코트에 한번 튕긴 공이 마치 대포알처럼 나를 향해 돌진한다.

"어, 어, 어……"

사람들은 감탄사 같은 탄성을 내며 일제히 바라본다. 탁월한 운동감각을 보유한 나는 재빠르게 발로 공을 막는다. 사람들이 놀란다. 내가 두 손으로 얼굴을 가리며 허둥지둥할 줄 알았나 보다. 나는 아무렇지도 않은 척 시크한 표정을 짓는다. 발이 쇳덩이에 맞은 듯 얼얼하다. 와, 대단한 파워다.

뜨거운 태양 아래, 수상가옥으로 가는 선착장 옆에서 벌어지는 배구 경기를 서너 번 관전했다. 경기를 볼 때마다 느낀 것인데 선수 구성이 매번 다르다. 아마도 리그전을 하는 것 같다. 이 더운 날씨에 시멘트 바닥에서 배구를 한다. 게다가 선수들 절반은 맨발이고 나머지 절반은 비치 샌들(flip-flop)을 신었다. 배구 코트 선도 아주 희미해서 내 눈으로는 식별도 힘들다. 제대로 된 건 배구공과 배구 네트밖에 없다.

보기에는 엉성해도 자세히 보면 나름 구색을 다 갖춘 배구 경기다. 일단 모든 경기에서 가장 중요한 관중이 외치는 환호는 우리 프로 배구 경기 못지않다. 내가 이 배구장을 발견하게 된 것도 멀리서 들렸던 관중의 함성 덕분이었다.

"저 소리 안 들려? 저쪽에 무슨 일이 있나 본데?'

길을 걷다가 들리는 함성을 쫓아왔더니 이곳에 배구장이 있었다. 선수들은 경기에만 집중한다. 스파이크를 한 공이 시멘트 바닥에 부딪혀 튕겨 오르더니 바다에 빠져버렸다. 그래도 선수들은 전혀 개의치 않고 바로 경기를 이어간다. 즉각 다른 공이 코트에 전달되고, 바다에 빠진 공은 경기 진행을 돕는 스태프가 건져낸다. 어떤 사람이 아주 큰 뜰채를 들고 배구 코트 후미에 서 있길래 나는 어부인 줄 알았는데 바로 그가 배구공을 건지는 사람이었다. 자연 생태계처럼 환경에 알맞은 시스템이 돌아가는 현장이었다. 심판도 있고, 자세히 보니 점수판도 있었다.

배구 코트 뒤는 바다다. 그 바다 앞에 있는 손바닥 만한 공간에서 서쪽으로 넘어가는 햇살을 받으며 꼬마 둘이 배구 연습을 한다. 서로 토스를 주고받는 모습이 사뭇 진지하다. 지금은 어려서 경기에 참여할 수 없지만, 조금 더 나이를 먹으면 저 꼬마들도 당당히 수산시장 주차장에서 펼쳐지는 배구 경기에서 선수로 멋진 활약을 펼치겠지. 멋진 스파이크로 득점을 하자 함성이 울린다. 꼬마들은 하던 토스 연습을 멈추고 코트를 바라본다.

나는 바닷가 마을에서 살았다. 지금은 모두 철거되어 공장으로 바뀌었지만 나는 그 바닷가에서 신문지로 글로브를 접어서 야구를 했다. 야구방망이는 나무를 대패로 대충 둥글게 깎은 것이었고, 야구공이 아니라 바람이 적당히 빠진 테니스공을 썼다. 투수도 있고, 포수도 있었다. 제대로 된 장비는 포수 글로브 하나였다.

이역만리 떨어진 다른 나라 어느 수산시장 주차장에서 열리는 배구경기를 보다가 문득 내 유년 시절을 떠올리게 될 줄이야. 정말이지 까맣게 잊었던 기억이었는데, 낡은 비디오가 재생되듯 그 시절 흑백 기억을 소환한다. 여행은 참으로 희한하다.

코타 키나발루

꽃길은 본적이 있고?

만약 그대가 세계 3대 석양 명소인 코타 키나발루 석양을 보고 싶다면, 석양을 보는 장소가 샹그릴라 리조트 선셋 바(bar)이든 탄중 아루 해변이든 워터프런트 식당가이든 멋진 석양을 보기 위해서는 제일 먼저 마음을 먹어야 하고, 만약 회사를 다니고 있다면 눈치를 보면서 어렵게 휴가를 내야 하고, 비행기 티켓을 끊어야 하고, 호텔을 예약해야 하고, 비행기 좁은 좌석에서 다섯 시간을 보내야 하고, 밤늦은 시간에 낯선 공항에 도착해서 열대의 후덥지근한 열기를 경험해야 한다.

그다음은 말도 안 되는 일이 벌어진다. 석양을 보기 위해서는 마지막 관문이 남아있는데 그건 바로 당신이 온전히 운에 기대야 한다는 것이다. 당신이 기대했던 숨이 막히는 멋진 석양을 볼 수도 있지만, 맹숭맹숭 식은 설렁탕 같은 석양이 떡하니 나타날 수 있고, 아예 석양을 못 볼 수도 있다. 잘 알겠지만, 석양은 날씨가 만드는 솜사탕이다. 고생해서 왔는데 고작 날씨 운에 맡겨야 하다니 억울하겠지만 사실인 걸 어쩌겠는가?

우리에게는 체리 피킹(Cherry Picking) 심리가 있다. 맛있는, 내가 원하는, 다른 건 필요 없고, 오직 체리만 딱 골라서 먹고 싶은 얄미운 심보다. 이런 심리가 습관이 되면 과정을 없앤다. 과정이란 무엇인가? 과정은 결과를 낳는 어머니다.

"현대인들이 가상 공간에 중독되어 있어. SNS 없이는 살 지를 못해!"

유튜브나 페이스북이나 인스타 같은 매체를 두고 중독성이 강한 나쁜 것이라는 말들이 많다. 이런 주장을 하는 사람들은 SNS 대신에 명상을 하거나 자연을 가까이하는 활동을 자주 할 것을 권한다. 맞는 말일 수도 있는데 문제는 다른 곳에 있다. SNS 해악을 주장하는 사람들이 주로 SNS로 자기 의견을 피력한다는 것이다. SNS가 참으로 나쁜 것이라고 치자. 이런 글을 SNS에서 발견했고, 공감해서 더 이상 SNS를 안 하기로 결심했다고 치자. 이 일은 어떻게 일어날 수 있는가? 쓰레기 같은 유튜브나 페이스북이나 인스타 속을 뒤지는 과정이 있어야 한다. 과정은 이런 것이다. 과정은 그나마 쓸만한 물건을 찾기 위해 쓰레기 더미를 뒤지는 고단한 일이다. 뒤져서 뭐 하나라도 나오면 다행이겠지만 허탕 칠 확률도 높다. 코타 키나발루 석양처럼 말이다.

"아유. 매일매일 그저 행복만 하시고요, 꽃길만 걸으세요."

행복이 뭔지는 잘 모르겠는데 입만 열면 행복 타령이다. 아스팔트도 아니고 꽃으로 수놓은 길만 걸으라고 한다. 도대체 꽃으로 만든 길은 본 적이 있고?

"안다! 좋은 게 좋은 것이니 그냥 하는 말이라는 거."

과정은 없고 덜렁 결과만 바라는 말들이 넘쳐나면 그 말에 갇히게 된다. 한숨이 늘고 자신을 책망하는 일이 빈번해진다. 언어라는 것이 힘이 좋아서 말 하는 대로 세상을 보게 한다. 행복하라고 했으니 내가 행복한지 돌아보게 되고, 꽃길만 걸으라고 했으니 지금 내가 걷고 있는 길이 어떤 길인지 확인해야 한다. 자신을 돌아보니 행복하지도 않고, 흙길에 있네. 어쩌겠는가? 자신에게 실망할 수밖에 없다.

나는 다이어트 전문가다. 체중이 한때 100kg에 육박했었다. 그 엄청난 무게를 74kg로 줄여서 수년째 유지하고 있다. 여권을 만기나 분실이 아닌 이유로 두 번 바꿨는데 둘 다 '여권 사진과 용모가 일치하지 않음'이 이유였다. 한 번은 살이 빠져서, 또 한 번은 은퇴하고 지구여행을 한다고 머리를 삭발해서다. 다이어트를 바른 방법으로 성공한 사람들은 안다. 살 중에 뱃살이 가장 늦게 빠진다. 다이어트 과정에서 제일 큰 곤욕은 운동이나 식사조절이 아니다. 보기도 망측한 배불뚝이 몸매를 매일 봐야 한다는 것이다. 살을 열심히 빼고 있는데 몸매는 최악으로 느껴지는 과정을 거치는 것이 다이어트다. 다이어트를 하고 있는데 배만 볼록하다면 힘을 내시라. 그 볼록한 배가 곧 평평해지면 성공인 것이다. 거의 다왔다.

"잠 충분히 자고 교과서에만 충실했어요. 우리 애들은 마음고생 한 번 안 시켰어요. 평생 한 번도 안 싸우고 행복하게 살았어요."

나는 이런 쓸데없는 말을 싫어한다. 사기꾼들이 말하기 딱 좋은 언어에 현혹되지 마시라. 물론 있을 수는 있겠지. 태어나 보니 삼성 현대 엘지 그룹을 창업한 사람이 조상인 경우도 있으니까. 머리 똑똑하게, 성격 좋게, 돈 많게 태어날 수도 있지만 그건 정말 예외 중에 예외다.

부모들은 책을 읽으라는 말을 입에 달고 산다. 왜 책을 읽어야 하나? 자랑 중에 가장 그럴듯한 자랑이 책 자주 읽고, 책 많고, 책이 가득한 서재가 있다는 것이다. 책이 뭐라고. 책은 좋은 것이다는 결과만 봐서 그렇다. 이 세상에 위험한 책이 얼마나 많은 줄 아는가? 예부터 책은 목숨을 앞당긴다고 했다. 80년대 학번은 안다. 대학 가면 데모하지 말라고 부모들이 신신당부했다. 그럼 하지 말라는 데모를 왜 했게? 다 책을 읽어서 그런 것이다. 나만 기억하는지 몰라도 야한 빨간 책(?)도 책이다. 독실한 기독교 집안에서 자란 아이가 반야심경을 읽고 있으면 뭐라고 말하겠는가? 독서는 쓰레기 더미를 뒤지는 과정에 지나지 않는다. 지금 우리가 SNS 속을 헤엄치고 있는 것처럼.

코타 키나발루에서 석양을 감상하는 장소인 워터프론트에 출근을 하듯 매일 저녁에 간다. 멋진 석양에 탄성을 지르는 사람도 많지만, 실망과 분노를 드러내는 사람도 적지 않다.

"이게 무슨 세계 3대 석양이냐고? 겨우 이거 보러 온 거야?"

충분히 이해한다. 다른 건 필요 없고, 오직 체리만 먹고 싶었을
테니까.

은퇴 후 7개월, 7개 도시 이야기

말을 알아듣지 못하니 참으로 좋구나

탄중 리팟 해변은 코타 키나발루 시내에 있는 해변 가운데 바다를 구경하기 가장 좋은 곳이다. 아, 물론 비싼 리조트에서 보는 바다를 제외하고 말이다. 탄중 리팟 해변에는 나무들이 빼곡하게 있어 그늘이 많기도 하고, 해변에 식당과 화장실도 있고, 조깅코스도 있다. 바다 말고도 사바 주 청사 건물도 구경할 수 있고, 가까운 곳에 블루모스크도 있다.

탄중 리팟 해변에도 명당 자리가 있는데, 바로 맥도널드다. 커피 한 잔과 간단한 먹거리를 앞에 놓고 맥도널드 테라스에 앉아서 바다를 본다. 열대 바다는 뭐니 뭐니 해도 구름이 압권이다. 뜨거운 태양은 대지와 바다에 있는 습기를 빨아올려 뭉게구름을 만든다. 뭉게구름이 무게를 못 이기면 비가 된다. 아주 짧게 비가 내리면, 태양이 다시 빨아올려 구름으로 만든다. 이렇게 무한 반복이 되다 보니 멋진 구름이 쉴 새 없이 만들어지는 것이다.

여느 날과 마찬가지로 맥도널드 테라스에 앉아 바다 바라보기 삼매경에 빠져 있다. 옆 테이블이 무지 소란하다. 화장실에 가면서 그들이 뭘 하는지 슬쩍 보니 책상에 맥도널드 업무 매뉴

얼이 있고, 서로 열띤 토론을 한다. 아마도 맥도널드 스태프들이 회의를 하는가 보다. 나는 다시 바다를 본다. 그들이 만들어 내는 소음이 내 몰입을 전혀 방해하지 않는다. 조금 전에 옆 테이블에서 중국어로 크게 떠드는 소리가 들렸을 때와는 전혀 다르다.

'아이 정말, 무슨 돈 이야기를 저리 시끄럽게 하는 거야.'

그때는 내 마음이 요동을 쳤다. 무슨 차이가 있는 거지?

사람이 세상을 살아가려면 판단이라는 행위가 반드시 필요하다. 위험, 옳고 그름, 가능과 불가능, 현재 상황, 미래 문제와 같이 삶과 직결되는 사안에 대해 결정을 내려야 살 수 있다. 우리는 판단하는 연습을 교육이라는 명분으로 오랜 시간 훈련을 받았다. 판단을 잘하는 사람은 현자나 지식인이란 타이틀을 부여해 존경한다. 이건 엄연한 사실이다. 그만큼 판단은 중요한 사안이다. 문제는 판단을 하기 위해서는 뇌가 집중을 해야 하고, 많은 에너지를 사용해야 한다는 것이다. 뇌가 설렁설렁 부업 삼아 판단하는 건 불가능하다. 판단하는 행위는 자기 에너지를 고갈시키는 고통스러운 것이다.

인간은 파도나 새나 바람이 만드는 소리를 판단하지 못한다. 왜? 인간은 자연의 소리를 이해하지 못하기 때문이다. 때로는 이런 소음을 백색 소음이라 부르며, 마음의 안정을 찾는 수단으로 삼기도 한다. 이런 소음이 어떻게 마음을 잔잔하게 할까? 그건 판단 작용이 멈췄기 때문일 것이다. 당연히 뇌가 쓰는 에너지의 양도 줄어들겠지. 그러면 편안한 상태가 되는 것이다. 멍 때리기가 효과가 있는 것도 같은 원리이며, 사람들이 길을 걸을 때 헤드폰을 끼고 음악을 듣는 것도 마찬가지다. 내가 남산 둘레길을 대낮에 걷지 않았던 이유도 마찬가지였다. 대낮에 걸으면 남산 둘레길을 걷는 그 많은 사람들이 떠드는 인생사를 억지로 다 들어야 하고 나도 모르게 판단을 내려야 했다.

여전히 옆 테이블에서는 시끄러운 대화가 이어진다. 회의 안건이 사뭇 진지한가 보다. 아닌가? 가끔씩 웃기도 하네. 한마디도 알아듣지 못하는 내 귀에는 새 소리나 바람 소리나 파도 소리처럼 들린다. 옆 테이블에 들리는 소리에 내 에너지가 전혀 소모되지 않는다.

아, 말을 알아듣지 못하는 것이 이리 유익하구나. 말은 무조건 알아들어야 하고 말을 알아듣지 못하는 건 창피한 것이라 생각했다. 외국어를 기를 쓰고 공부한 것도 같은 이유였다. 코타 키나발루 탄중 리팟 해변 맥도널드 테라스에서 말을 알아듣지 못하는 유익이 참으로 크다는 깨달음을 얻었다.

언어는 말하는 사람의 마음을 온전히 담아낼 수 있을까? 만약 그렇다면, 음식물 쓰레기처럼 넘쳐나는 오해는 도대체 어디에서 비롯된 것일까? 언어는 글쓰기와 마찬가지로 오탈자 투성이다. 문맥도 엉터리일 수 있다. 척 하고 알아들을 수 없는 것이 언어다. 그런데도 우리는 불완전한 언어에 의지해서 살아간다. 이래저래 삶이 고단한 이유가 여기에 있는 것이다.

길도, 음식도, 문화도, 날씨까지도 낯설다. 게다가 말도 서툴다. 낯선 환경에서는 슬그머니 꼬리를 내리는 게 인간 본성인 것 같다. 자기 동네에서나 큰소리를 치지, 남의 동네에서는 조용히 사는 게 동서고금의 바른 이치다. 나는 꼬리 내린 강아지처럼 코타 키나발루에서 조심조심 하루를 보낸다. 범 무서운 줄 모르는 하룻강아지 기백으로 세상 모든 걸 일일이 참견해야 속이 시원했던, 천방지축 좌충우돌 이리 치받고 저리 대들며 살았던 네모나게 각진 나는 어느새 순한 양이 되어 코타 키나발루 탄중 리팟 해변에서 조용히 바다를 바라보고 있다. 마음이 평화로워지는 비법은 말이 낯선 곳에 자신을 가져다 놓는 것이다.

오직 혼자서 가시라

남들은 감히 꾸지도 못하는 꿈을 가슴에 품고 있다면, 이 한 가지는 반드시 명심해야 한다. 그대가 꾸고 있는 그 아름답고 웅장한 꿈을 타인에게 절대로 발설하지 말라는 것이다. 실수로라도 그 꿈에 대해 언급을 했다면,

"와우, 정말 대단한 계획이야."

이런 대답은 결단코 듣지 못할 것이니 눈곱만큼도 기대하지 마시라. 기대는 오히려 실망을 낳을 것이니, 이런 말들이 그대 귀에 냅다 꽂힐 것이다.

"돈은 있냐? 와이프는 허락했고? 애들은 어쩔 건데? 그게 가능해? 어디로 갈 건데? 거기서 뭐 하려고? 위험할 텐데."

내가 은퇴를 하고 지구 여행을 떠난다고 했을 때 사람들이 보인 반응이었다. 사람들이 이런 반응을 보이는 건 악의가 있거나 질투를 해서가 아니다. 오히려 진심으로 걱정을 해서 하는 말일 수도 있다. 오랫동안 꿈을 키워온 사람과 뜬금없이 그 꿈을 전해 들은 사람이 어찌 생각이 같을 수가 있겠는가? 만약 이런 상황에서 계속해서 자기 꿈을 타인에게 납득시키려 든다

면 둘 사이 관계에 금이 갈 수도 있다.

삶을 한 번 되돌아보자. 잘 사는 삶은 어떤 것이었나? 순탄하고 편안한 삶 아니었던가. 우리는 남들하고 비슷하게 살되, 그들보다 조금만 앞서면 된다는 의식으로 삶을 바라보았다. 무더운 여름에 시장에서 장사하는 사람들이나 추운 겨울에 건설 현장에서 일하는 사람들을 보면서, 저런 삶을 살지 않기 위해서라도 공부를 열심히 해야 한다는 말을 어릴 때 부모나 선생으로부터 들은 적이 있지 않은가?

비교 우위에 있는 삶, 이것이 우리가 삶을 대하는 방식이다. 온전히 자기 삶에 집중하지 않고, 타인과 비교해 차별화되면 그것을 잘 사는 것으로 인식한다. 타인을 기준점에 세워놓고 자기 삶을 평가한다. 안타깝게도, 이런 인식으로는 자기 삶을 주도하는 것은 불가능하다. 기껏해야 밟으면 꿈틀하는 반응이 전부다. 뜨거운 것에 놀래서 손을 화들짝 떼는 반응은 장갑을 끼고라도 그것을 잡으려는 주도(主導)와는 다르다.

반응은 속도가 생명이다. 느린 반응은 버스 지나간 뒤에 손을 드는 것처럼 무용지물이니 반응은 이유 여하를 막론하고 빠를수록 좋은 것이다. 옳고, 그르고, 왜 해야 하는지, 어떻게 해야 하는지는 중요하지도 않고, 그런 것을 따질 시간도 없다.

"저기 축구 골대 찍고, 선착순 열 명!"

우리는 이 말을 들으면 무작정 발이 안 보이게 후다닥 뛰어가서 남을 제쳐야 하는 시대를 살았다. 이런 짓을 왜 하는지? 왜 열 명인데? 무슨 효과가 있는데? 질문은 시간 낭비였다. 열 명 안에 들어서 남들이 뛰는 것을 보면서 안도하면 그만이었다.

이것이 우리가 받은 교육 시스템이었다. 이 시스템은 뺑뺑이 우등생들을 기계로 찍어내듯 양산을 했다. 당연히 사회 우등생인 그들은 어른이 되어 우리나라 곳곳에 진출해 자리를 잡았고 그들이 모델이 되어 이런 교육 시스템은 더욱 발전하고 있다. 반응을 빨리 보이지 않거나, 주저하거나, 질문을 하면, 반항을 한다는 지적을 받아야 했다. 세상은 점점 빠른 반응이라는 한 색깔로 물들었다. 회사에서 회의를 하면 알 수 있다. 엉뚱하더라도 자기 생각을 말하는 사람이 있고, 남이 낸 의견에 문제점만 날름 지적하는 사람이 있다. 빠른 반응이 중요한 세상에서 '생각'은 반역이니 금물이다.

"그걸 뭐 하러 해?"

누군가 꿈을 꾸고 있으면 이렇게 빈정대는 반응을 보이다가, 엉뚱해 보였던 꿈이 실현이 되고, 나아가 사람들이 인정하는 대세가 되면 재빨리 반응을 다르게 한다.

"야, 대단하다."

뜨거울 때 뜨겁다, 차가울 때 차갑다는 가벼운 반응을 보이는 사람들이 많다. 사소한 것 하나라도 자기 손으로 일군 적이 없는 사람도 많다. 타인이 가지고 있는 문제를 지적하는 것이 이미 습관이 되어버린 사람들도 많다. 그런 시대를 산 것이니 그들 잘못은 아니다. 심장이 파르르 떨리는 꿈을 이런 사람들에게 털어놓는다는 건 실로 무모한 일이다. 그렇지 않은가? 바다를 생각조차 해본 적 없는 이들에게 바다를 항해하는 배를 만들겠다는 꿈을 말하는 것이 무슨 소용이 있단 말인가? 삼십 년 동안 한 직장만 다니다가 정년보다 이른 나이에 은퇴를 했다. 아내와 생전 처음 해외 한 달 살기를 하러 이곳 코타 키나발루에 왔다. 자정이 다 된 시간에 낯선 공항에 도착하니 후텁지근한 공기가 우리를 반겼다. 어색한 숙소에서 첫 밤을 보내는데, 감동이 밀려왔다. 우리는 새벽에 일어나서 들뜬 마음으로 동네를 산책했다. 새벽 공기는 맑고 시원했다. 시장에 들러 코코넛을 사서 마셨다. 꿈을 이루다. 이 말은 애매하다. 이루고, 이루지 못하는 경계가 모호하기 때문이다.

"자, 꿈이 50.1% 이루어졌으니 성공입니다."

꿈이 이루어졌는지, 성공했는지 판단하는 심판은 없다. 꿈을 꾸기도 힘겨운데, 그걸 또 성공시켜야 하니 얼마나 고단한가 말이다. 꿈은 실행하면 된다. 그다음은 모르겠고, 관심도 없다.

"나는 은퇴를 했고, 지구 여행을 하는 꿈을 실행했다."

은퇴 후 7개월, 7개 도시 이야기

멋진 은퇴를 꿈꾸고 있다면 잘 준비해서 실행하시라. 자기 꿈을 싼값에 남에게 인정받으려 애쓰지 마시라. 짝사랑처럼 가슴에 곱게 간직하시라. 행복은 도달하고, 이루고, 찾는 것이 아니라, 느끼는 것이다. 내 삶을 주도한다는 것은, 혹독한 겨울 벌판에 홀로 서 있는 것일 수 있다. 타인이 말로 건네는 위로를 정중하게 사양하시라. 모든 오해는 말로 생기고, 알아듣게 말하는 것만큼 어려운 것도 없다. 내 꿈을 말로 설명하는 건 곤욕일 수 있다는 말이다. 평생 품은 꿈은 눈물 나는 풍경을 볼 때처럼 말문을 막아버리는 감탄이다. 이 느낌을 다 분해해서 타인이 알아들을 수 있게 말 하는 것이 무슨 의미가 있는가? 분해를 하는 순간 느낌은 다 사라지는 것을. 아잔이 울리면 우리는 해변으로 간다. 일몰이 시작되기 때문이다. 아내와 나는 하루도 빼지 않고 코타 키나발루에서 석양을 본다. 황홀한 석양을 보면서 내가 쓸 수 있는 언어는 고작 탄성이 전부다. 언어로 모든 것을 설명할 수 있다고 생각하는 건 착각이다. 꿈이 있다면, 땅에 떨어지지 않게 그대 가슴에 단단하게 품으시라. 그리고 오직 혼자서 가시라.

오, 크리스티나 여사여

나는 크리스티나 여사를 이메일로 처음 만났다. 그녀가 메일을 보냈을 때 잠시 주눅이 들었다. 에어비앤비로 처음 해외에 있는 한 달짜리 숙소를 구하는 것이라 긴장을 한 탓도 있었지만 문제는 영어였다. 그녀는 유창한 영어로 내 항공편과 언제 도착하는지, 몇 시에 체크인이 가능한지를 물었다. 답장을 보내야 하는데 영어 단어 생각하랴, 문법 체크하랴, 정신이 없었다. 영어를 알고 있는 것과 실제로 쓰는 건 확실히 다르더라. 에어비앤비에 자동번역 기능이 있다는 걸 그땐 몰랐다. 한국어로 인천 공항 몇 시 출발, 코타 키나발루 몇 시 도착, 몇 시에 숙소 체크인, 그때 뵙겠음. 이렇게 한글로 쓰면 자동으로 번역되어 전달되는 것을 영어 몇 문장 쓰느라 요즘 말로 개고생을 했다.

크리스티나 여사를 실물로 영접한 건 코타 키나발루에 도착한 날 밤 11시 30분 숙소 근처 피자헛 앞이었다. 그녀 때문에 공항에서부터 분주했다. 공항에 도착해서 짐을 찾아서 나가는데 왓츠 앱으로 계속 전화를 한다. 전화를 받으면 무슨 이유에서인지 전화가 끊긴다. 그냥 메신저로 주소만 알려주면 될 것을 내 마음만 급해지게 연결이 되지도 않는 전화를 계속 해댄다.

은퇴 후 7개월, 7개 도시 이야기

피자헛에서 만나서 내가 영어보다는 중국어가 편하다고 했더니 자기 동포 대하듯 중국어를 마구 날린다. 그녀는 이곳에서 태어난 중국계 말레이인이다. 내가 수영장과 헬스장은 어디에 있느냐고 묻자, 12시가 넘은 야밤에 자기 차로 데려가서 수영장과 헬스장 위치를 기어코 알려준다. 그녀와 헤어지고 다시 숙소로 오니 새벽 한 시가 되었다. 참으로 다이내믹한 코타 키나발루 첫 날 심야 만남이었다.

세 번째 만남은 에어비앤비 메신저를 통해서였다. 숙소 에어컨이 고장이 났다. 에어컨이 작동을 하기는 하는데 찬바람이 나오지 않는 것이다. 내가 에어컨이 수상하다고 했더니, 험상궂은 남자 둘을 보내 에어컨을 고쳐주었다. 며칠 후 에어컨이 다시 고장이 났다. 집도 가까운데 와서 고치면 될 것을 메신저로 리모컨이 문제라고만 한다. 땀을 비 오듯 쏟으며 두어 시간 동안 메신저 대화를 나누자 에어컨이 그제사 찬 바람을 토해낸다. 내가 대화를 마무리하면서 일갈을 했다.

"다시 에어컨이 고장나면 내가 한 대 사버리겠다."

무슨 에어컨 리모컨이 이리도 예민하단 말인가. 버튼 하나 잘못 누르면 에어컨 작동이 멈춘다. 리모컨을 노려보며 아무리 연구를 해도 도무지 작동 원리를 알 수가 없다.

"도착 첫 날 그 야심한 시각에 수영장과 헬스장을 데려가지 말고 차라리 리모컨 사용법을 알려줬어야지.”

참으로 이상한 크리스티나 여사다.

다시 사흘이 지났다. 이번에는 그녀가 전화를 했다. 무슨 일이
래? 먼저 연락을 하다니. 첫 마디는, 에어컨 잘 되냐, 였다. 잘
되니까 연락을 안 했겠지, 속으로 이리 생각하는데 용건을 말
한다. 빈 방이 하나 있는데 그쪽으로 이사 갈 생각 없냐, 그게
원래 너희가 예약한 방이었다, 이런 내용이었다. 심심하던 차
에 집 구경이나 하자고 승낙을 했지만 왜 이런 제안을 하는지
이해가 안 되었다. 무슨 꿍꿍일까. 혹시 에어컨 때문에 미안해
서? 설마. 결론은 시간 낭비였고, 우리는 이사를 안 하기로 했
다. 이곳에 도착한 첫날에, 내가 예약한 방이 아니다, 했더니

　　　　　　　　　은퇴 후 7개월, 7개 도시 이야기

그 방은 시끄럽고 너무 크고 여기가 좋다고 하더니 왜 다시 그 방으로 우리를 보낼 시도를 했을까? 뭔 속셈이 있었겠지. 참으로 깜찍한 장사꾼 크리스티나 여사 같으니라고.

크리스티나 여사와 마주칠 일은 더 없겠다고 생각한 어느 날이었다. 에어컨 쌩쌩 돌아가겠다, 이사 안 간다고 거절을 했겠다, 세탁기 문제없겠다, 무슨 일이 있을라고? 딱 그때였다. 와이파이가 먹통이 되었다. 며칠을 참다가 메신저를 날렸다. 이번에는 친히 와서 와이파이를 한참 만지작거리더니 해결을 한다. 며칠 후 와이파이가 또 먹통이 되었다. 이번에는 새것으로 바꾼단다. 오후 1시 30분에 사람들을 데리고 온다더니 6시가 되어도 함흥차사다. 쿠알라 룸푸르에서 대학 다니는 딸 때문에 정신이 없다는, 학교에서 수업을 듣느라 바쁘다는, 자기 동생이 나와 동갑이라며 은근히 누나라는 것을 강조하는 집주인 크리스티나 여사여, 와이파이 여전히 먹통인데 언제 고쳐주나요? 우리 곧 코타 키나발루를 떠나요.

* 은퇴하고 첫 해외 한 달 살기에서 처음 만난 집주인이 크리스티나 여사였다. 일곱 달 동안 일곱 도시를 여행하면서 집주인 얼굴을 직접 만난 것도 처음이었고, 마치 친구처럼 연락을 자주 한 것도 처음이었다. 코타 키나발루 하면 떠오르는 기억은 두 가지다. 멋짐이 뿜뿜 뭍어나는 워터프런트 석양과 첫 집주인이었던 크리스티나 여사다. 잘 계시겠지.

쿠알라 룸푸르
Kuala Lumpur

쿠알라 룸푸르에서도 구슬을 잘 꿰어보자

코타 키나발루에서 한 달을 살면서 매일 워터프런트에서 석양을 구경했는데 단 하루도 같은 풍경을 본 적이 없다. 어떤 날은 뭉게구름이 마구 피어 있어서 분명 멋진 석양이 있을 것이라 기대를 하고 기다렸는데 허탕을 쳤다. 어떤 날은 포기하고 산책이나 가자는 마음으로 나갔다가 인심 쓰듯 옛다 좋은 거한번 보라는 식으로 연출하는 황홀한 풍경을 구경하기도 했다. 어떤 날은 물을 많이 잡은 밍밍한 라면 국물 같기도 했다가 또 어떤 날은 얼큰한 짬뽕 같기도 했다. 하루하루는 이러니저러니 다 다른 모습이었는데 그 날들을 모아 놓으니 참으로 아름다웠다. 아, 그러고 보니 성산포에서도 그랬던 것 같다. 매일 보는 일출이 다 달랐었네. 성산포를 떠올리면 코타 키나발루처럼 아름다운 붉은 추억만 생각난다. 지나간 것은 모두 아름답다고 착각하는 것인가?

우리 뇌는 이야기를 좋아하는 것 같다. 어떤 사실 하나가 있다고 치자. 달랑 이 사실 하나만 기억하기는 쉽지 않다. 만약 이 사실을 이야기 속에 삽입을 하면 영화 속 한 장면처럼 기억에 남는다. 성산포 일출이나 코타 키나발루 일몰도 그랬을 것 같다. 두세 번 정도만 봤다면 기억에 남지 않았을지도 모른다.

한 달 내내 봤으니 가능했을 것이다. 내가 본 하루하루는 영화 속 등장인물처럼 자기 배역을 찾았던 것이다. 어느 날은 감초 같은 조연이 되기도 하고, 어느 날은 주인공으로, 어느 날은 악당으로, 또 어느 날은 지나가는 행인 역을 했다. 그렇게 내 기억 속에 러닝타임 한 달짜리 영화가 만들어진 것이다.

꾸준함이 완성을 만든다. 매일 A4 용지 한 장씩 십 년 동안 글을 쓰면 어떻게 될까? 내용이야 당연히 박경리 선생이나 조정래 선생이 쓴 장편 소설을 뛰어넘지 못하겠지만 분량은 충분히 되지 않을까? 나 같은 평범한 사람이 그런 엄청난 글을 완성했다는 것은 작품성을 떠나서 이미 충분히 위대하고 아름답다.

"부산에서 해남까지 기다랗고 꼬불꼬불한 길을 어떻게 걸었어요?"

길을 걷는 사람들에게 물어보라. 시간 날 때마다 걷고 또 걷는 것뿐이다. 무슨 뾰족한 수가 있을 것 같지만 비결은 단순하다. 완성, 만족, 기쁨을 향해 가는 길에 높은 산 같은 거창한 장애물이 버티고 있을 거란 생각이야말로 착각이다. 통과하고 나서 두고두고 자랑삼아 떠벌릴 수 있는 그런 장애물은 없다. 뭐가 있는 줄 아는가? 재미없고, 왜 이러고 있는지 이해가 안 되는 끝도 없는 지루함이다. 차라리 웅장한 산이면 그걸 기어오르는 나도 덩달아 웅장할 텐데. 사람들은 지루한 것을 이기지 못한다. 지루한 것을 이겨내는 것은 꾸준함 밖에 없다.

코타 키나발루를 이륙한 비행기는 부리나케 쿠알라 룸푸르를 향해 날갯짓을 한다. 고추장 색깔 옷을 입은 승무원들이 음식이 담긴 카트를 밀고 온다. 설마 다 주는 거야? 아니구나, 저가 항공사 원조인 에어 아시아가 그러면 그렇지. 미리 돈 낸 사람만 주는구나. 나도 배고픈데. 내 옆에 여자 둘이 볶음밥을 먹는다. 씨, 서너 숟갈이면 다 먹을 손바닥 크기의 은박지 도시락을 하루 종일 먹네. 마치 비행기 안이 맛집 레스토랑인 줄 알고 아주 천천히 음미하며 먹는구나. 비행기야 마구 흔들려라, 흔들려라. 아, 오늘은 기류도 순하네. 통로 건너에 앉은 최고 존엄 옆자리 여자가 결국 참지 못하고 밥을 시킨다. 흐흐, 최고 존엄, 냄새가 좋지요? 침이 고이고 막 먹고 싶을 정도로 무지 고소하지요? 지루한 길을 걷다 보면 남들이 뭘 해도 부럽다. 나만 바보인가 싶기도 하다.

쿵. 비행기가 쿠알라 룸푸르 공항에 도착했다. 공항이 아주 크네. 무슨 대형 쇼핑몰 같은 분위기다. 어, 이마트 24 편의점도 있네. 숙소로 간다. 차로 1시간이나 걸리네. 와우, 완전 서울 정도 대도시다. 드디어 쿠알라 룸푸르 생활이 시작되었다.

비슷비슷하게 보이지만 자세히 보면 완전히 다른 서른 개의 하루가 구슬처럼 내 앞에 주어질 것이다. 그냥 두면 책상 아래 구석 언저리로 굴러가 없어질 테니 예쁘고 알록달록한 실로 하나하나 잘 꿰야겠다. 어느새 제주 세 달, 코타 키나발루 한 달을 마치고 쿠알라 룸푸르에서 다섯 달째 여행이 시작된다. 열 달, 예순 달이 되는 날이 오겠지. 그때 후회하지 않으려면 오늘 하루를 잘 꿰야 한다.

"밋밋한 하루여, 와라! 내가 예쁜 실로 잘 꿰어주마. 뭐 하노? 퍼뜩 안 오고?"

'길융파'라고 불리는 도시

내 별명 킹콩은 생김새에서 비롯되었다. 어릴 때 별명은 주로 생김새와 이름 때문에 생기는데, 생김새로 별명을 부를 때는 상대방을 잘 살피고 조심해야 한다. 자칫 잘못하다가는 큰일 난다. 어릴 때 나처럼 마음이 하해와 같이 넓어야지 그렇지 않으면 별명을 부르다가 한 대 맞고 쌍코피를 흘릴 수도 있다. 이러다 보니 별명은 이름을 변형해서 짓는 경우가 많다. 이름 때문에 고생한 친구들이 참 많았다. 개명이 쉬워지자 이름을 바꾸겠다고 법원으로 몰려간 사람들이 모두 그런 추억을 가진 사람들이었을 것이다.

1850년대 후반 말레이반도 열대 우림 또는 정글이라고도 불리는 곳에서 주석 광산이 발견되었다. 주석은 합금의 중요한 재료로 일상생활에 없어서는 안 되는 귀한 금속이다. 당연히 사람들이 몰려들기 시작했고, 그중에 중국인이 가장 많았다. 이곳은 말레이 역사에서 그리 두각을 나타내지 못했던 신생 도시나 마찬가지였다. 당시 말레이 반도에서 이름을 날리던 지역은 믈라카(Melaka), 우리가 페낭이라고 부르는 피낭(Pinang), 조호 바루(Johor Bahru) 등이었다. 1957년 영국으로부터 독립을 하면서 이곳이 서서히 두각을 나타내더니 급기야 말레이시아 연방의 수도가 되었다. 바로 쿠알라 룸푸르다.

우리나라에서는 말레이시아 수도 쿠알라 룸푸르를 여러 가지
이름으로 부른다. '콸라룸푸르', 이렇게 부르는 사람들이 있다.
일반인 말고도 기자들도 이렇게 부른다. 아시아 축구연맹
(AFC)이 이곳에 있어서인지 스포츠 뉴스에 가끔 콸라룸푸르
어쩌고저쩌고하는 기사가 나온다. '길융파'로 부르는 사람들
도 있는데, 길융파는 한자로 吉隆坡 라고 쓴다. 길융파는
Jilongpo(지롱포)라는 중국어를 우리 한자 발음으로 읽은 것이
다. 프랑스를 법국(法國)이라고 부르는 시절이 있었던 것처럼

말이다. 길융파는 공항 안내판에서도 볼 수 있다. 어떤 이는 '푸'를 '프'로 해서 '쿠알라룸프르'로 쓰기도 한다.

쿠알라 룸푸르에는 강이 두 개 흐른다. 바로 클락 강과 곰박 강이다. 아마도 이 강이 흙탕물이었나 보다. 흙탕물(Lumpur)이 합류(Kuala) 한다고 해서, 말레이어는 수식하는 말이 뒤에 가니까, Kuala Lumpur라고 부르게 되었다. 그러니 쿠알라 룸푸르로 부르는 게 맞다. Kuala와 Lumpur를 띄어 썼으니 한글도 띄어 써야 한다. 쿠알라, 쿠알라 하다 보니 나무에서 잠만 자는 코알라가 떠오르네. 아무런 관련이 없나? 말레이시아 앞에 인도네시아가 있고, 인도네시아 앞에 오스트레일리아가 있다. 빙하기 시대에는 해수면이 낮아서 말레이시아, 인도네시아, 오스트레일리아는 다 연결되어 있었다고 하던데 혹시라도 관련이 있지는 않을까? 낯선 도시에 와서 별 이상한 생각을 다하는구나.

"이름이 무슨 대수라고? 대충 불러도 된다."

나는 이 의견에 반대한다. 이름은 고유 명사이므로 최대한 정확하게 현지 발음대로 불러주는 게 옳다. 영어를 배우러 학원에 가면 영어 이름을 새로 지으라고 한다. 캐빈이나 마이클 뭐 이런 식으로. 나는 이런 것이 불만이었다. 내 이름이 버젓이 있는데 뭐 하는 것인지. 여행을 다니다 보면 내 이름을 물어볼 때가 많다. 나는 천천히 정확하게 내 이름 석자를 말해준다. 서울 시내에서 중국인을 만날 경우가 있는데 그들은 지명을 물을 때 습관처럼 중국어를 사용한다. 시청이라고 하지 않고 '쓰쩡푸'라고 한다. 듣기에 많이 거북하다. 속 좁은 생각일 수도 있는데 상대를 존중하지 않는 것 같은 느낌이다.

"아, 그 사람 누구더라? 왜, 그 사람 있잖아요? 얼굴 까맣고 목소리 큰."

어제오늘 알고 지낸 사이도 아닌데 누가 나를 이렇게 지칭하면 기분이 나쁜 것 같은 그런 느낌이 든다는 말이다.

"치, 내 이름 석 자도 모르다니."

두 달째 말레이시아 여행을 하고 있다고 누가 말레이시아 어쩌고 하면서 싫은 소리를 하면 대뜸 역정을 내고는 한다. 사람이란 서로 알게 되고 친해지면 어쩔 수 없이 편을 들 수밖에 없는 그런 존재인가 보다. 쿠알라 룸푸르는 오늘도 비가 엄청나게 내린다. 서너 시간이 지나면 언제 그랬냐는 듯이 태양이 고개를 내밀 것이다. 여행이란 다름 아닌 배우는 과정인 것 같다. 여행을 오지 않았으면 내가 언제 길융파니 콸라룸푸르니 하는 것을 알게 되었을까? 여행은 재미있는 일들만 생기는 즐거운 학교다.

* 새로운 도시를 갈 때마다 그 도시 이름을 현지 발음으로 어떻게 쓰고 읽는지 공부하는 건 여행자가 갖추어야 하는 바른 자세이다. 내가 여행하는 도시에 대해 제대로 안다는 건 이름을 불러주자 내게로 와서 꽃이 되는 그런 기쁨이다. 조호 바루, 방콕, 푸켓, 치앙마이, 세부에서도 도시 역사에 대해 공부를 했다. 아는 만큼 보이더라.

이만하면 풍족하지 아니한가?

새벽 네 시

나는 매일 꼭두새벽에 일어난다. 최고 존엄의 수면을 방해하지 않기 위해 까치발로 살금살금 침전을 나와 호텔 1층에 자리를 잡는다. 쿠알라 룸푸르에서는 호텔에서 한 달 살기를 한다. 호텔 1층 로비에서 글을 쓰기도 하고, 이런저런 생각을 하기도 하면서 하루를 계획한다. 사나흘에 한 번은 3층에 있는 세탁실에서 세탁기를 돌린다. 새벽이라 세탁기 앞에 줄 선 사람도 없어서 좋다. 내가 새벽에 돌아다니니까 새벽 순찰을 돌던 보안요원이 신기한 듯 수상한 듯 쳐다보다가 두 주가 지나니 원래 그런 사람이구나 하는 표정으로 대한다.

아침 여섯 시

운동하러 호텔 제일 꼭대기 층으로 간다. 29층에 수영장과 헬스장이 있는데 헬스장이 여섯 시에 문을 연다. 가슴, 하체, 등, 어깨 순으로 매일 바꿔가며 근력운동을 한다. 요즘은 배에 토실토실 살이 올라온 듯해서 매일 5km 달리기를 한다. 헬스장에서 보는 아침 풍경이 참으로 멋있다. 빌딩숲 위로 붉은 해가 떠오른다. 운동을 하다가 풍경이 숨막힐 듯 절정에 달하면 핸드폰을 들고 나가 사진을 찍는다. 도랑 치고 가재 잡고, 운동하면서 풍경보고, 콩닥콩닥 가슴이 뛰는 아침이다.

아침 일곱 시 반

아침식사를 한다. 호텔에서 지내지만 아침 식사는 숙박비에 포함되지 않았다. 먹고 싶을 때마다 돈을 내고 먹으면 되는데 우리는 주로 방에서 해결한다. 아침 식사 메뉴는 항상 같다. 전날 슈퍼에서 산 샐러드와 삶은 계란 두 개, 당근 하나, 사과 하나를 먹는다. 이렇게 먹는데 우리 돈으로 한 사람에 4천원 정도 든다. 돈을 절약하려는 것보다는 야채와 과일로 건강하게 먹기 위해서다. 나는 샐러드 뚜껑을 따고 드레싱을 붓고 젓가락을 준비한다. 최고 존엄은 삶은 계란을 까고 사과와 당근을 준비한다. 둘이 호텔 침대에 걸터앉아 먹는 아침 식사는 언제나 달다.

오전 아홉 시

스타벅스로 간다. 호텔 주변에 마땅한 카페도 없지만 있다고 해도 우리가 마시는 디카페인 커피를 찾기는 쉽지 않아 스타벅스를 자주 이용한다. 커피 두 잔과 도넛을 주문한다. 커피를 주문할 때마다 이름을 묻는다. 내 이름 석 자를 말해주고 싶지만 그걸 영어로 쓰려면 일일이 스펠링을 불러주어야 하고 불러 준다고 해도 바쁜 시간에 스타벅스 직원이 그걸 언제 쓰고 있겠는가? 내 별명인 '킹콩'을 이름 대신 말한다. 이름을 들은 직원이 환하게 웃으며 나를 쳐다본다. 닮았다고 생각할까?

오전 열 시

'오늘의 장소'로 이동한다. 쿠알라 룸푸르에서 가 볼 만한 곳을 정해 구경 겸 운동 겸 바람도 쐴 겸 길을 나선다. 오늘은 쵸킷(Chow Kit) 재래시장으로 간다. 코타 키나발루는 천지가 이런 시장이었는데 이곳에서는 큰맘 먹고 찾아가야 한다. 시장 초입에서 인자하게 생기신 할아버지가 코코넛을 판다. 시원하게 마시고 가격을 물었더니 쓰뿔루(sepuluh, 10)란다. 나는 쓰블라스(sebelas, 11)로 잘못 알아듣고 돈을 드리니 할아버지께서 친절하게 1부터 10까지 알려주신다. 소리내어 따라 읽었다.

오후 열두 시 반

점심 식사를 한다. 오늘은 탄수화물 없는 식단이다. Suria KLCC 2층에 있는 푸드 코트에서 샐러드 식당을 발견했다. 양파, 브로콜리, 두부, 닭가슴살, 생선, 계란을 담았다. 음식물이 지방으로 변하지 않고 잽싸게 소화되기를 바라는 마음으로 쇼핑몰을 한바퀴 돌고나서 전철을 타고 숙소로 온다. 숙소 근처에 있는 대형 슈퍼에 들러 내일 아침에 먹을 샐러드와 계란을 산다. 샐러드 한 개에 8링깃(2,400원), 무항생제 무성장호르몬 동물복지 인증 계란 열두 개짜리가 9.3링깃(2,800원)이다.

오후 세 시

숙소로 돌아와 슬리퍼로 갈아 신고 29층으로 향한다. 수영장이 빤히 보이는 곳에 자리를 잡고서 글을 쓴다. 졸리면 존다. 멍하니 해가 지는 하늘도 본다. 수영하는 사람은 절대 쳐다보지 않는다. 그들이 아무리 파격에 가까운 수영복을 입었든 나와는 아무 상관이 없는 일이다. 이곳은 나의 서재일 뿐이다. 해가 기울고 궁둥이가 지겨움을 토로하면 자리를 정리하고 방으로 간다.

밤 아홉 시

어두워지자 비가 세차게 내린다. 비소리를 들으면 술 생각이 간절해진다. 호텔 앞 슈퍼에 가서 맥주 두 캔과 우리가 애용하는 간식 프링글스 과자를 산다. 맥주 두 캔을 마시니 아홉 시가 되었다. 은퇴를 하고 떠난 해외 살이 여행에서 아무 탈없이 하루를 마쳤다. 비가 잦아드는가 보다. 창밖에서 다시 자동차 소음이 들리기 시작한다. 풍족한 하루를 접고 단잠을 청한다.

오, 반가운 믈라카(Melaka)

중국에서 주재원 생활을 할 때 여러모로 힘들었다. 나는 톈진에 있었는데 그때가 톈진에 있는 한국 기업들이 중국 남쪽으로 공장을 옮기던 시기였다. 그 영향으로 매출이 감소했고 스트레스를 받았다. 윗사람도 덩달아 실적이 저조하다며 채근을 해댔고, 마치 고립무원에 있는 것 같은 그런 상황이었다. 나는 독서로 중심을 잡았다. 그때 내가 빠져들었던 분야가 바로 세계사였다.

한창 세계 역사에 빠져 있을 때 가보고 싶었던 곳이 이스탄불(Istanbul)과 말라카(Malacca)였다. 천 년 로마제국의 마지막 보루였던 콘스탄티노플이 함락되어 이스탄불로 바뀐 웅장한 역사의 현장이 보고 싶었다. 아시아 역사 현장 중에서는 아시아 대륙과 오스트레일리아 사이에서 고대로부터 지금까지 문물 교류의 핵심 역할을 하고 있는 말라카 해협의 거점인 말라카가 궁금했고 언젠가는 꼭 가보리라 다짐을 했었다.

말라카는 영어식 발음이다. 이곳 말레이어로는 믈라카(Melaka)라고 한다고 한다. 쿠알라 룸푸르에서 버스로 하루만에 믈라카를 다녀올 수 있다고 해서 가기로 한다. 숙소에서 그랩으로 차를 불러 버스터미널인 TBS(Terminal Bersepadu Selatan)에 도착했다. 믈라카 행 티켓을 사고 1번 게이트에서 기다리고 있는데 버스가 출발하는 게이트가 변경이 되었다. 우리는 변경된 것도 모른채 태평하게 기다리고 있다가 방송으로 우리를 찾는 바람에 겨우 변경된 게이트로 가서 버스를 탄다. 우리 때문에 출발이 지연되었고, 당연히 승객들은 우리에게 째려보는 듯한 눈총을 보낸다. 버스는 쾌적하다. 차도 막히지 않고 시원하게 믈라카를 향해 달린다. 두 시간 거리를 가는 고속버스인데 차비가 맥주 한 캔보다 싸다. 말레이시아가 산유국이라고 하던데 그래서 싼 것인가?

믈라카에 도착했다. 한낮 태양은 쿠알라 룸푸르보다 더 뜨거운 듯하다. 쿠알라 룸푸르는 대도시 같은 분위기인데 이곳은 한눈에 봐도 오래된 도시 느낌이다. 바다와 연결된 수로를 따라 건물들이 늘어서 있고, 길은 골목으로 연결되어 있다. 이탈리아 베네치아 같기도 하고, 중국 쑤조우에 마카오를 섞은 분위기가 나기도 한다.

세계지도를 펼쳐보면 믈라카가 어떤 위치에 있는지 알 수 있다. 유럽에서 아시아로 갈 수 있는 루트 중에 가장 오래된 것은 흑해 주변을 지나는 육로다. 우리가 비단길로 알고 있는 바로 그 길이다. 그 길이 이슬람에 의해 막히게 되자 유럽인들은 바다로 가기로 한다. 유럽에서 출발해 아프리카를 돌아 인도에 도착하는 항로를 개척했다. 인도에서 배를 타고 중국으로 가려면 말레이시아와 인도네시아 사이에 있는 가늘고 긴 해협을 지나가야 한다. 그 해협 중간에 있는 도시가 바로 믈라카였다. 믈라카는 태평양과 인도양을 연결하는 핵심 도시였다.

다시 지도를 보면 말레이시아와 인도네시아가 길게 장벽처럼 바다를 막고 있고 그 아래에는 호주가 있다. 장벽 안쪽에 캄보디아, 베트남, 필리핀, 중국, 일본, 한국이 있다. 유럽인들은 아시아를 풍요가 넘치는 어장으로 생각했을 것이다. 그들이 자랑스럽게 말하는 대항해 시대는 다른 관점에서 보면 착취가 가장 활발했던 시기이기도 하다. 그 착취가 가장 빈번했던 곳이 바로 믈라카이기도 했다.

뜨거운 태양을 피해 시원한 카페에 앉아서 믈라카를 바라본다. 과거는 모두 사라지고 그 흔적인 건물만 남았다. 사람들이 과거 흔적 앞에서 사진을 찍는다. 이렇게 삶은 생명을 이어가는 것인가 보다. 세계사의 격랑에 있었던 오래된 도시에 오면 역사책 한 장(章)을 읽는 듯하다. 길거리와 골목을 걷는 것만으로도 그 도시가 살아온 세월을 느낄 수 있다.

삶을 미주알고주알 말로 설명한다는 것이 얼마나 부질없는 짓인가? 늙은 아버지의 주름 자글자글한 손과 얼굴을 보면 그 세월을 알 수 있는 것이 아닌가. 내가 믈라카를 오고 싶어했던 이유도 바로 이런 느낌이 필요했기 때문이었다. 기억 속 나의 아버지는 지금 나보다도 젊었다. 나보다 어린 아버지가 뭘 안다고 그리 바둥대며 살았을까? 내가 스물이던 해에 아버지가 돌아가셨다. 나는 힘 빠진 늙은 아버지의 온기를 경험하지 못했다. 늙은 도시에 오면 왠지 모르게 온기를 느낀다. 결핍되었던 냄새를 들이마신다. 아, 나는 늙은 도시가 좋다. 주름 같은 골목길은 아늑하다. 해가 진 저녁나절에 믈라카 강가에는 등불이 켜질 것이고, 강바람이 시원하게 불 것이고, 그 속으로 걸어 다니면 운치가 있을 것인데 당일치기 여행이라 참으로 아쉽다. 그래도 잠깐 얼굴이라도 본 것이 어딘가. 믈라카, 반가웠다.

쿠알라 룸푸르에 비는 내리고

비가 내린다. 아침에 해 뜨는 걸 보러 건물 꼭대기에 올라갔는데 하늘이 희멀건 것이 잔뜩 흐리더니 비가 내리는 구나. 말레이시아 생활이 두 달째인데 아침부터 비가 내리는 건 오늘이 처음이다. 보통은 밤에 한바탕 쏟아지던데. 어디 돌아다니지 말고 꼼짝 말고 숙소에 붙어있으라는 뜻인가 보다. 그리고 보니 두 달 동안 아무것도 안 하고 숙소에만 있었던 적이 없었네. 한국에서는 날이 안 좋으면 하루 종일 집에만 있었던 적도 많았는데 빨빨대며 참 많이도 돌아다녔구나. 여행이라서, 돈 들어간 거라서, 본전 생각이 나서 그랬던 것인가? 설마 그런 거야? 29층 수영장에 빗방울이 하염없이 떨어진다. 빗방울이 점점 굵어진다. 거짓말 조금 보태서 쿠알라 룸푸르에 주먹 만한 비가 내린다. 맞으면 아프겠네.

원래 이 시간이 되면 태양이 서서히 시동을 걸면서 대지를 달구기 시작하는데 비가 내리는 바람에 아직 식은 세상이다. 바람까지 부니 가을 날씨처럼 선선하다. 따뜻한 커피 생각이 난다. 어쭈, 천둥까지 치네. 은퇴를 하고 나니 사심 없이 세상을 보게 되었다. 사심이란 게 뭐 대단한 건 아니고, 내가 있어야 세상이 돌아간다고 생각한 거지. 착각이었어. 나 없어도 잘 돌아가네. 완전 물레방아야. 나는 그동안 세상 일에 참견하는 게 열심히 사는 것이라고 오해를 한 것 같기도 하다. 지난 일을 끄집어 내서 뭘 어쩌자는 게 아니라 그냥 그런 생각이 드네. 말레이시아 수도 쿠알라 룸푸르에서 이리 한가하게 비나 구경하고 있는 날이 오기는 오는구나.

우르릉 우르릉, 번쩍번쩍, 요란하면서도 시원하게 비가 쏟아진다. 이곳에 숙소를 정하고 나서 가장 마음에 들었던 곳이 헬스장이었다. 마천루 도시가 내려다보이는 헬스장에서 운동을 하면 기분이 아주 그만이다. 마치 고구마를 먹으며 마시는 탄산음료가 목을 넘어갈 때 느껴지는 것처럼 상쾌하다. 허기진 사람이 눈 앞에 놓인 김이 모락모락 나는 음식에 허겁지겁 달려들 듯이 헬스장에서 며칠 무리를 해서 천지사방 온몸이 쑤셨는데 마침 오늘 비가 오네.

비 안 왔으면 내 성격에 또 어디라도 갔겠지. 비 그칠 때까지 차분히 잘 쉬어 보자. 감기에 걸려야 술 안 마시고 집에 일찍 들어가 따뜻한 차라도 찾아서 마시는 게 현대인이다.

"넘어진 김에 쉬어 가자."

오십 년 넘게 살아 보니, 여러 좋은 말 가운데 이 말이 확률로 봐서 활용도가 가장 높은 것 같다. 넘어진 사실을 인정하고 받아들이면 그곳에서 기회가 싹튼다. 이런 걸 반전이라고 하나,

그래서 사는 것이 더 재미나는지도 모르지.

호텔 앞에 있는 스타벅스로 자리를 옮긴다. 호텔과 스타벅스가 있는 건물은 다행히 비를 맞지 않게 연결을 해 놓았다. 비가 약해지자 습기가 커피향처럼 진하게 퍼지기 시작한다. 해는 아직 얼굴을 내밀지 않고 있다. 은퇴하고 떠난 여행, 막 설레고 즐겁고 그런 것보다는 성장한다는 느낌이 들어서 좋다. 내가 인식하는 범위가 넓어진다고 할까? 직장을 다닐 때는 회사 중심으로 사고를 할 수밖에 없었다. 칫, 은퇴하고 나서 이제야 어른이 되는 거야. 그런 거야?

스타벅스 창을 타고 빗물이 흐른다. 물방울이 한 줄기 내려오다가 다른 줄기를 만나 굵어지더니 다시 다른 물방울을 흡수한다. 마치 살아있는 생명체처럼 빗물이 창을 기어다닌다. 물은 부드러운데 강하다는 생각이 문득 든다. 여행을 하면서 불 같은 내 성격도 많이 온순하게 변했다. 지리도 어둡고, 말도 서툴고, 게다가 사랑하는 아내를 잘 보필하면서 다녀야 하는 여행이 나를 부드럽게 만들고 있는 것 같다. 나는 가난하면서도 그리 총명하지 못해서 오직 내 노력 하나만으로 살아야 했다. 그러다 보니 온순하고, 부드럽고, 스스로를 닦달하지 않는 성격이 부러웠다. 은퇴한 지금 겨우 그 싹이 보이는 것 같다. 그나마 다행이다.

비가 그쳤다. 이곳은 비가 그치면 바로 해가 뜬다. 뒤끝 없는 깔끔한 날씨가 참 마음에 든다. 비 그친 기념으로 지하철을 타고 서점에 가기로 한다. Lalaport에 있는 BookXcess로 간다. 서점은 언제나 나의 나태를 지적한다. 서점에 들어서자 머리가 띵하다. 서점을 책이 아닌 공간으로 접근하다니, 이런 창의는 도대체 어디서 오는 것일까? BookXcess는 2006년 Andrew Yap과 Jacqueline Ng가 설립한 이래 줄곧 새로운 시도를 하고 있다. 책을 저렴한 가격에 판다는 원칙을 지키며, 24시간 서점을 오픈했고, 페낭점에는 말레이시아에서 가장 긴 책장을 가지고 있고, 책장을 미로처럼 만든 곳도 있다. 서점이 명소가 되고 지역 커뮤니티가 모이는 공간이 되는 것이 먼저라고 생각하는 듯하다. 나는 오늘 가드를 내리고 설렁설렁 방심하고 있다가 또 한 방 배웠다. 말레이시아는 독특한 창의가 풍성한 곳이다. 이 서점을 창업한 Andrew Yap과 Jacqueline Ng은 2009년 빅 배드 울프 북스(The Big Bad Wolf Books)를 론칭해 세계를 돌며 영어책을 저렴하게 제공하는 북 세일 사업도 함께 하고 있다. 두 사람은 부부다.

할랄(Halal), 어떻게 바라볼 것인가?

외국인들이 우리나라에 와서 여행을 하면서 이것저것 경험하는 TV 프로그램이 있다. 냄새나는 청국장에, 바삭바삭한 치킨에, 살아서 꿈틀대는 낙지까지 먹어보려고 노력하는 그들을 보면 흐뭇하다. 이 흐뭇함은 어디에서 오는 걸까? 그들 행동에서 우리를 존중하는 마음을 읽을 수 있기 때문이다. 세상에서 제일가는 꼴불견이 뭐냐? 배려는 눈곱만큼도 없이 맞는 말만 하는 것이다.

"아니, 내가 뭐 틀린 말 했냐고?"

눈 동그랗게 뜨면서 자기가 옳다고 우기는 모습을 보면 정말 재수가 없다. 집에 손님이 왔다. 이 손님이라는 작자가 집 이곳저곳을 다니며 지적질을 한다. 뭐 하나 대충 넘어가지 않고 하는 행동이 까탈스럽다. 뭐든 자기가 살고 있는 집하고 비교를 한다. 만약 이런 상황이라면 기분이 어떠하겠는가? 옛다, 이거나 먹어라. 꿀밤이라도 하나 주고 싶지 않은가. 밴댕이 속인 나만 그런가?

편을 나누자는 말은 아닌데, 이해를 돕기 위해서 일단 세상을 동양과 서양으로 나눠보자. 서양은 불모의 땅이고, 동양은 풍요의 땅이다. 진짜? 향신료는 동양에서만 먹던 것이었다. 세계인이 즐겨 마시는 커피도 마찬가지다. 어디 이것만인가? 이 세상 종교도 다 동양 산(産)이다. 유럽에 가면 온통 성당이고, 로마에 바티칸도 있고, 예수님 형상이 서양인처럼 생겨서 헷갈리나 본데 기독교는 서양인들이 미들 이스트(Middle East)라고 부르는 중동에서 탄생했다. 기독교, 유교, 불교, 이슬람교 모두 동양에서 만들어졌다.

서양은 동양이 가진 풍요를 동경했다. 동경은 부러워하는 마음이기도 하지만 싫어하는 마음도 같이 깃들어 있다. 사촌이 땅을 사면 부러워서 배가 아픈 것처럼 말이다. 풍요한 동양을 이

기는 방법은 가서 짓밟는 것과 트집잡아 깎아 내리는 것이다. 이것이 지금 이 세상을 움직이는 원리다. 상대에 대한 배려는 아무것도 없는 상태, 바로 혐오가 세상을 지배하는 시대를 살아가는 것이다.

이번에도 편을 나누자는 말은 진짜 아닌데, 가재는 게 편이라고도 하는데 우리는 동양인이면서 왜 같은 동양인 중동과 그들이 만든 이슬람에 대해서는 무지를 넘어 혐오하는 단계까지 이르렀는가? 서양에서 만발한 혐오를 배워서 그런 것일까? 혐오는 사랑이 피어난 자리에서 같이 태어난다. 사랑이 깊으면 혐오도 깊다. 우익을 사랑하면 좌익을 경멸한다. 기독교에 심취한 사람이 어찌 절에 가겠는가? 내 자식이 귀하니 남의 자식을 짓밟는 것이다. 이슬람을 믿는 무슬림들은 매일 정해진 시간에 메카 방향을 향해 기도를 한다. 음식도 먹을 수 있는 것만 먹는다. 복장도 유별나다.

"아, 몰라, 모른다고. 보면 그냥 재수 없고 싫다니까."

이것이 혐오다. 생각해 보시라. 기독교인들이 꼭두새벽에 기도하는 것이나, 스님들이 고기를 안 먹는 것이나, 유교에서 할아버지의 할아버지까지 제사를 지내는 것이나, 신부들이 검은 옷을 입고 다니는 것이나, 그게 그거 아닌가 말이다. 오십보백보다.

종교 이야기를 하는 건 옳지 않습니다. 이리 말한다면 다들 좋아하는 돈 이야기를 해보자. 이슬람을 믿는 무슬림 인구는 대략 25억 명이다. 시장 중에서도 어마어마하게 큰 시장이다. 장사를 하려면 고객에 대한 이해는 필수다. 고객이 왕이라고 하지 않았는가? 인구 1억도 안 되는 대한민국이 25억 무슬림 시장을 무시하고 어찌 성장을 할 수 있다는 말인가? 내가 지금이야 은퇴를 하고 마음 편하게 시간을 보내고 있지만 현직에 있을 때 나름 영업을 폭넓게 해본 사람이다. 영업은 상대에 대한 이해가 기본이다. 이유 불문하고 상대를 알아야 뭐 하나라도 팔 수 있는 것이다. 장사가 시원찮은 식당에 가 보라. 맛이 문제다. 청결이 문제다. 서비스가 형편없다고 말하는데 이런 문제는 결국 고객에 대한 이해가 부족하기 때문에 생기는 것이다.

무슬림 고객들을 이 시각에서 이해를 해보자. 고객이 돼지고기를 안 먹는다고 한다. 돼지고기를 가공한 곳에서 만든 제품도 안 쓴다고 한다. 다른 고기는 먹지만 그 고기도 생명이기에 이슬람 율법에 따라 생명을 뺏는 것이 미안하니 기도하고 죽인 고기만 먹는다고 한다. 고객이 그렇다고 하고, 우리에게 달리 피해를 주지도 않는다. 이것이 무에 어려운가? 무지와 혐오는 개뿔.

우리나라 백화점에도 무슬림들이 기도하는 공간을 만들자. 호텔도 객실 천정에 메카 방향을 알려주는 화살표를 표시하자. 그들이 한국에 와서 맘 편히 밥 먹게 할랄 인증서도 붙이자. 이러면 그들은 우리를 어찌 생각할 것인가? 자기들을 존중해 준 다며 코리안들 마음이 바다처럼 넓다고 칭찬을 하겠지.

말레이시아는 수십 년 전부터 정부가 할랄 인증을 주도해서 25억 무슬림 시장을 이끌고 있다. 할랄이 돈이 되니 우리나라 에서도 관심이 생기는 모양이다. 좋은 현상이다. 하지만 우리 대한민국에는 아직도 외골수 사랑꾼들이 너무 많다는 것이 자 꾸 마음에 걸린다. 사랑, 잘 다뤄야 하는 무서운 것이다. 우리 것을 너무 사랑하면 남을 배려하지 않는 혐오가 태어날 수도 있다.

* 말레이시아를 여행하다 보면 이슬람 율법에 따른 여러 제약 이 있다. 술을 마시기도 불편하고, 돼지고기 같은 식자재는 대 형 쇼핑몰에 가야 살 수 있다. 남에 집에 간 손님이라고 생각하 고 배려하는 마음으로 여행을 한다면 그리 큰 문제는 아닐 듯 하다.

만드는 김에 작품이요, 사는 김에 행복하자

말레이시아 수도 쿠알라 룸푸르에서 한 달 살기도 이제 열흘 남았다. 열흘이라고 하면 많이 남은 것 같은데 다음 주에 떠난다고 생각하면 곧 이별인 듯 아쉽다. 쿠알라 룸푸르에 온 후로 딱히 잡히지 않는 무언가 어슴푸레한 생각이 나를 계속 성가시게 한다. 그 발단은 도착한 다음날 시내를 돌아다니다 마주친 건설 현장에 설치된 가림막이었다. 가림막에 안전모를 쓴 공사장 인부들과 꽃 그림이 있었는데, 어울리지 않을 것 같은 두 소재가 마치 예술 작품인 듯 눈길을 끌었다. 사진을 프린트해서 붙였을 것이라 생각하고 가까이 가서 자세히 들여다봤다. 이게 뭔가? 누군가 직접 그린 그림이었다. 기껏해야 공사장 가림막 아닌가? 이걸 무슨 예술작품처럼 이리 목숨 걸고 잘 그릴 필요가 있나? 왜 그래야 하지? 이런 생각이 줄곧 머리를 떠나지 않았다.

시간이 지나면서 쿠알라 룸푸르 이곳저곳을 돌아다니다 보니 건설 현장 가림막은 그저 시작에 불과했다. 어느 날은 전철역을 빠져나오다가 전철역 출구가 마치 조형물처럼 되어 있길래 내려가고 올라가기를 반복하며 몇 번이나 구경을 했다. 유난히 더운 어느 날은 거짓말 조금 보태서 땀을 거의 한 바가지 정도를 흘리며 걷다가 시장 벽에 그려진 벽화를 보았다. 와, 그 따가운 땡볕에 얼음이 된 채 말을 잊고 벽화를 보고 서 있었다. 전철을 타고 가는데 전철이 빌딩 사이로 들어가기도 하고, 놀이동산 청룡열차처럼 오르막을 올랐다가 아래로 떨어지기도 한다. 평소 쇼핑은 인간이 하지 말아야 하는 행위 중 하나라고 생각하던 나였는데, 이곳에 와서는 쇼핑몰에 가는 것에 재미가 들렸다. 쇼핑을 하는 건 아니고 쇼핑몰을 구경하기 위해서다. 잘 배치된 공간, 햇빛과 조화를 이루는 조명들, 그 사이로 알록달록한 옷을 입은 지나다니는 사람들 모습은 마치 행위예술 같았다.

'이 사람들은 시간이 남아도나? 아니면 원래 사소한 것에 이리 진지한 것인가? 그것도 아니면 이런 감각을 가지고 태어난 것인가?'

심지어 이런 생각까지 들었다. 혹시라도 국가 차원에서 디자인 감각을 집중 육성하기 위해 무슨 프로젝트를 진행하고 있는 줄 알고 급기야는 인터넷에 말레이시아와 디자인이라는 단어로 검색을 했는데 별거 없었다.

"그러면 일상생활에서 발휘하는 이런 예술 감각은 도대체 어디에서 오는 거냐고?"

그러다가 한 육교를 우연히 발견했다. 캄풍 바루(Kampung

Bahru)라는 지역에 있는 재래시장을 찾아갔다가 저 멀리 페트
로나스 타워가 보이길래 그쪽으로 방향을 잡고 걸었다. 도로
를 건너가야 하는데, 용처럼 보이는 조형물만 있고 건널목도
육교도 없었다. 주변 사람에게 물었더니, 용처럼 보이는 것이
육교라고 한다. 구글로 검색을 해 보니 'Pintasan Saloma'라는
것인데, 페트로나스 타워가 있는 곳과 캄풍 바루 지역을 연결
하는 육교로 관광 명소였다. 육교를 이리 만들다니 나는 어안
이 벙벙했다. 그 이후로 서너 번 더 찾아가서 사진도 찍고 그늘
에 앉아 한참을 바라보기도 했다.

나는 생각에 빠졌다. 마치 추리소설을 읽는 것처럼 이렇게도 저렇게도 생각을 하다가 이러고 있는 나 자신이 갑자기 부끄러워졌다. 만약 이곳이 유럽이라면, 아니면 K 팝으로 잘나가는 내 조국 대한민국이라면, 내가 이러고 있을까? 당연한 것이라고 여기지 않았을까? 동남아는 내가 생각한 것보다 더 멋지면 안 되는 것인가? 나는 추궁하듯 이유를 찾고 있는 내 생각 회로 스위치를 꺼버렸다. 눈이 보는 그대로 감탄하고, 이곳 사람들이 사는 방식 그대로 인정하기로 했다.

나는 그동안 내가 생각했던 것을 정리해 보았다. 말레이시아 수도 쿠알라 룸푸르는 곳곳에서 예상하지 못한 아름다움을 만날 수 있는데, 비록 추측이기는 하지만 이곳 사람들은 아마도 이렇게 생각하는 것 같다.

"어차피 육교가 있어야 하니, 만들 거면 제대로 독특하게 멋지게 만들어 버리자. 어차피 보행자 통로에 사람이 다니니, 멋진 사진을 붙여서 기분 좋게 다니게 하자. 어차피 전철역에 출구가 있어야 하고, 어차피 벽이 있으니, 돈 들이고 힘들여 어차피 만드는 김에 아예 작품을 만들어 버리자."

은퇴하고 동남아 한 달 살기 여행을 다니면서 잘 하고 있는 것인지 스스로 계속 질문을 했다. 이 질문에 답을 찾은 듯하다. 사람들은 왜 사는지 묻고는 한다. 나도 그랬었다. 내가 존재하는 이유를 알아야 하니까. 지금부터는 그런 질문을 하지 않기로 했다. 대신 사는 김에 행복하기로 했다. '왜'라는 질문을 '어떻게'로 전환하면 참으로 멋진 삶이 펼쳐질 것 같다. 우리는 흔히 '왜'에 사로잡힌다. 언뜻 그것이 타당해 보이기도 하고, 뭔가 있어 보이기도 하다. 하지만 그에 대한 대답은 언제나 공허하다. 왜 태어났냐고 묻는 질문에 어떤 대답을 할 것인가? 당신은 사랑받기 위해 태어난 사람, 이런 말도 안 되는 소리를 할 수는 없지 않은가? 그러니 이리 생각하기로 했다.

'아, 몰라. 그냥 하루가 새로 열렸으니 그저 재미나게 보내자.'

숙소 근처에 단골로 다니는 스타벅스에 앉아 이런 생각을 골똘히 하고 있는데, 나 따라서 집 떠나 여행을 하고 있는 아내가 핸드폰으로 뭘 보는지 키득거린다. 무슨 재미있는 영상이라도 보는가 보다. 아무리 여행이지만, 벌써 몇 달을 이러고 지내는 것이 고생도 될 법한데 저리 웃으니 얼마나 다행인가? 나는 대뜸 아내에게 말을 건넨다.

"여보? 우리 기왕에 태어났고, 어차피 살아야 하니, 행복합시다!"

안 그래도 큰 아내 눈이 더 커지면서 뭔 시답지 않은 소리를 하느냐는 듯이 나를 한 번 쳐다보더니 손가락을 동그랗게 말아서 오케이 사인을 보낸다. 그래, 사는 김에 행복하자고!

끌라빠 찾아 삼만 리

"무슨 수를 내야 한다. 이대로는 못 산다."

오늘은 아예 작정을 하고 동네를 돌아다니기로 한다. 일단 우리 동네에는 없는 것이 확실하니 옆 동네로 간다. 여기에도 없네. 길 건너에 아파트가 있는 동네가 있는데 그리로 간다. 그 동네에 군데군데 포진해 있는 식당까지 다 둘러봤는데도 역시 없다.

"이게 이리 복잡할 일이냐고?"

코타 키나발루에서는 거짓말 조금 보태서 그냥 발에 차일 정도였는데, 이곳 쿠알라 룸푸르에서는 이걸 구하려면 전철을 타고 가야 한다. 그게 귀찮아서 동네에서 찾아보려고 했는데 결국 실패다.

몸에 좋은 걸로 따지면 이건 거의 산삼에 버금갈 정도다. 칼륨과 마그네슘이 풍부해서 심장을 보호하고, 혈압을 낮추고, 혈액순환을 개선하고, 신장결석을 예방하고, 혈당과 인슐린 수치의 균형을 유지하고, 노화 방지에 좋고, 피부 탄력을 증진하고, 면역에도 좋다고 한다.

"아니, 세상에 그런 것이 정말로 있다고? 그럼 엄청 비싸겠네?"

절대 아니올시다. 여기가 말레이시아 수도이니까 코타 키나발
루보다는 좀 비싸긴 한데 그래 봤자 우리 돈으로 환산하면
1,800원 정도다. 도대체 무슨 말을 하는 것이냐고, 바로 코코
넛이다. 코코넛을 말레이어로 끌라빠(Kelapa)라고 한다. 우리
는 코타 키나발루에서 코코넛에 중독되었다.

동남아 하면 떠오르는 이미지 가운데 하나가 바로 코코넛을 마
시는 모습이다. 코타 키나발루에서는 어느 식당을 가더라도 있
었다. 숙소 앞에도 있었고, 길을 십 분만 걸어도 코코넛 파는
곳을 발견할 수 있었다. 딱딱한 껍데기에 싸여서 인공 물질에
전혀 오염되지 않은 순수 그 자체처럼 느껴지는 코코넛워터,
어떤 이들은 물에 미원을 탄 듯한 맛이라고 하지만 나는 그 맛
이 그리 좋을 수가 없다. 하루 두 통은 기본으로 마셨는데 대도
시 쿠알라 룸푸르에서, 그것도 말레이시아 수도라는 곳에서
이 흔한 것을 찾을 수 없다니 이 무슨 희한한 일인가.

허탈한 마음에 29층 수영장 옆에 앉아서 맥없이 구름 구경이나
한다. 어차피 볼 것도 아니긴 하지만 오늘은 어째 예쁜 비키니
입고 수영하는 사람들도 없네. 심심하다. 이럴 때는 핸드폰 가
지고 노는 것이 최고다. 동남아에는 '그랩'이라는 앱이 있는데
자동차를 호출할 수도 있고, 음식도 배달시킬 수 있다. 앱을 만
지작거리다가 문득 생각이 스친다. 궁하면 통하는 법이다.

"끌라빠도 배달이 될까? 사람들 보니까 커피나 음료도 이 앱으로 주문을 하던데."

아, 있다. 파는 곳이 한두 군데가 아니다. 나름 평점이 좋은 곳을 골라 주문을 한다. 두 개를 주문한다. 배달비까지 계산을 해보니 가게에 가서 사면 세 개를 살 수 있는 가격이다. 조금 비싸기는 하네. 이럴 때는 빨리 합리화를 해야 한다.

"시장에 가서 사 먹으려면 왕복 지하철 요금을 드니 더 싸네. 게다가 쿠알라 룸푸르에서 오토바이로 배달하면서 열심히 사는 청년에게 도움도 줄 수 있고."

돈 몇 푼에 별 희한한 논리를 장착해가며 말레이시아 생활 두 달 만에 처음으로 배달을 시도했다. 이게 뭐라고 뿌듯하다.

제맛이라는 것이 있다. 막걸리는 사발에 마셔야 하고, 목욕탕에서는 이태리타월로 문질러야 하고, 끌라빠는 큰 칼로 탕탕 내리쳐서 뚜껑을 딱 따서 먹어야 하는데 봉지에 포장해서 오는 걸 배달을 시켜 먹다니. 왠지 괜한 짓을 한 듯한 느낌이 드는 찰나 운동을 하고 온 최고 존엄에게 끌라빠 봉지를 내밀었다.

"어머, 이거 어디서 났어? 배달이 된다고? 신기하다. 잘 했어, 잘 했네."

끌라빠를 뭔 배달비까지 내면서 시켜 먹냐고 타박을 받을 줄 알았는데 오늘도 보기 좋게 예상이 빗나갔다. 칭찬을 받고 춤추는 고래처럼 기분이 상쾌하다.

은퇴하고 해외에서 놀듯 여행을 하니 별게 다 신기하고 재미있다. 말레이시아 닭요리가 너무 맛있어서 놀라고, 스타벅스에 매일 가는데 갈 때마다 가격이 왜 조금씩 다른지 여전히 모르겠고, 계속 같은 길로만 다니다가 샛길 하나 발견한 게 뭐 대단하다고 으쓱하고, 전철 척척 타고 내리는 것이 마치 회사에서 승진한 것처럼 완전 뿌듯하다. 일이 잘 안 풀리고, 사는 게 막 힘들고, 그날이 그날 같아서 재미도 없다고 느낀다면 너무 큰 일에 매달려서 그럴 수도 있으니 소소한 일에 관심을 가져보는 것도 좋을 듯하다. 계란말이 단단하게 만들기, 맥주병 소리나게 따기, 빨래 예쁘게 개기, 내 마음 세 줄로 요약하기 등등 조금만 돌아보면 재미나고 뿌듯한 일이 천지일 것 같다. 사는 게 원래 소소한 일이 전부다.

* 한국으로 돌아와서 우연히 편의점에서 코코넛워터를 발견했다. 다른 곳에서는 안 파는 것 같고 GS25에만 있는 것 같은데 한 팩에 1800원이다. 양은 현지에서 먹는 것에 절반 정도 되는 것 같다. 나는 아직도 매일 끌라빠를 마시고 있다.

워매, 그러다 하늘을 뚫어버리겠네

인간은 원래 나무 꼭대기가 고향이었다. 이 나무 저 나무를 타고 다니며 높은 곳에서 멀리 숲을 바라보며 평온한 삶을 살았었는데 기후변화로 나무는 줄고 점차 초원으로 바뀌는 환경 탓에 땅으로 내려왔다. 나무에서 내려와 땅에서 생활하는 것은 쉽지 않았을 것이다. 사바나 초원에서는 풀들이 커서 시야를 방해했기 때문에 예상하지 못한 여러 어려움에 직면했을 것이다. 환경이 이러하다 보니 큰 키는 작은 키에 비해 생존하는데 유리했다. 나무에서 살 때는 키가 중요하지 않았으나 땅에 내려오자 키가 생존을 가르는 핵심 경쟁력이 된 것이다. 안심하라. 지금 우리가 큰 키를 선호하는 건 얄팍한 당신의 취향 때문이 아니다. 다 조상 탓이다.

탑(塔)은 인도의 스투파(Stupa)에서 유래한 것으로 둥그렇게 쌓아 올린 흙더미였다가 고타마 싯다르타 사후에 그의 사리를 보관하는 용도로 발전했고, 불교가 전파되면서 동아시아 전역에 탑이 주요 건축물로 자리를 잡는다. 이집트에 있는 피라미드도 실상은 높이 쌓은 무덤이기에 탑의 다른 형태라고 볼 수 있다. 피라미드 형태의 건축물은 이집트에만 있는 것이 아니고, 중동이나 중국 심지어 남미에서도 흔한 건축 양식이었다.

탑(top)이 되겠다는 인간의 열망은 어제오늘 일이 아니다. 수만 년 동안 탑(塔)을 쌓아 올리며 생긴 유전이다. 이것도 내 탓이 아니라 조상 때문이라고 생각하면 되겠다.

로마 제국은 이방 종족을 야만족이라 불렀다. 이 야만족들은 로마 국경 근처에 살면서 틈만 나면 침략을 했다. 세월이 지나 야만족들은 융성해졌고 로마는 쇠퇴하기 시작한다. 유럽 여행을 하다 보면 하늘로 뾰족하게 치솟은 성당을 자주 보게 되는데, 이런 건축물을 고딕양식이라고 부른다. 우리는 더 이상 변방이나 야만족이 아니라 주류라고 선언한 것이 바로 고딕 건축인 것이다. 로마인들에게 야만인 취급을 받던 고트족은 유럽에서 강력한 세력으로 부상하자 그동안 억눌렸던 감정을 풀어내듯 보란듯이 높고 뾰족

한 건물을 짓기 시작한다. 로마인들은 그런 건축물을 보고 벼락부자가 빌딩을 올린 걸 놀리듯이 비아냥거린다.

"저게 말이야, 야만족인 고트족이 지은 건축이라는데?"

이리 깔보던 말이 고딕(Gothic)이다. 고딕은 '고트족'스럽다는 뜻이다. 그러니 고딕 양식의 건축은 당시의 주류였던 '로마'스러운 로마네스크(Romanesque)와 결별을 선언한 것이기도 하다.

건물을 하늘 높이 쌓아 올리는 데 가장 중요한 건 무엇일까? 열망, 설계, 기술이라고 생각하겠지만 실상은 돈이다. 돈만 있으면 디자인도 사고, 설계도 사고, 기술도 산다. 돈을 주겠다는데 뭘 못 만들어 주겠는가. 이 세상에서 가장 아름다운 건축물이 있다고 치자, 그것이 타지마할이든 기자에 있는 피라미드이든 한강변에 있는 이쑤시개를 닮은 것이든 그 소유자가 직접지은 건 없다. 다 남 시켜서 한 거다. 돈은 내가 얼마든지 낼 테니 요리요리 예쁘게 지어주시오, 잉, 하면서 말이다. 이는 수천년 전이나 지금이나 같다. 그러고 보면 건축은 과시다.

쿠알라 룸푸르에 오니 온통 마천루 천지다.

"높고 뾰족한 건물들이 쉴 새 없이 지어지고, 그것들이 허구헌날 하늘을 막 찔러싸니까 맨날 비가 오는 갑다."

나는 태양빛을 받아 번쩍이는 건물을 올려다보며 이런 실없는 농담을 하고는 한다.

쿠알라 룸푸르는 지금 높이 경쟁이 한창이다. 누가 누가 더 높이 올라가나? 원래는 '페트로나스 트윈'이 말레이시아 넘버 원 빌딩이었는데, '더 익스체인지 106'이 시공되면서 넘버 원이 되려고 하다가 '메르데카 118'이 끼어들면서 넘버 원이 되어버렸다. 근데, 재미있는 건 사람들 마음에는 페트로나스 트윈이 강하게 남아 있고, 기대는 메르데카 118이 받고 있으니 더 익스체인지 106은 아무것도 아닌 것이 되어버렸다. 그냥 높은 빌딩 중 하나로 전락한 것이다. 좀 허무하네.

도시를 여행하다 보면 항상 고민에 빠진다. 도시에는 으레 높은 건물이 있고, 그런 건물에는 전망대와 멋진 식당이 있기 마련이다. 예나 지금이나 높은 건물이 랜드마크다. 여행이라고 왔는데 도시에서 가장 높은 건물에는 올라가야 마땅하지 않을까? 꼭 이런 불편한 강박을 느끼고는 한다. 뭐, 어려운 일도 아니다. 돈 내고 엘리베이터 타고 올라가서 대충 둘러보면 될 일이다. 그러지 못하는 이유는 이상하게 마음 한 켠이 불편하기 때문이다. 왠지 모르지만, 잘난 척하는 사람에게 아양을 떠는 것 같은 참 알 수 없는 느낌이 든다. 높은 나무에서 낮은 땅으로 내려온 것이 벌써 수만 년이 지나서 그런가 높은 게 편하지는 않다.

무지개 뜨는 마을

비만 내리면 사람이 다닐 수 없을 정도로 동네가 질퍽거린다. 가난한 사람들이 사는 곳이라 배수시설도 변변치 않고 포장된 길도 많지 않은 탓이다. 비만 내리면 동네 여러 술집에서 눅눅한 술판이 벌어진다. 막노동으로 먹고사는 사람들이 대부분이라 비가 내리면 일이 없는 탓이다. 비가 내리면 공중변소에 가는 일도 성가셔 똥을 참는다. 똥 한 번 싸겠다고 그 질퍽한 곳을 슬리퍼를 신고 지나는 것이 여간 곤욕이 아니기 때문이다. 비만 내리면 물이 차오를까 걱정이다. 바다가 썰물이어야 하는데 폭우와 밀물 때가 겹치면 바닷가 끝에 붙은 집에서부터 스티로폼이나 바가지 같은 것들이 떠다니기 시작하다가 한쪽으로 기울며 침몰하는 배처럼 동네가 물 속으로 가라앉는다. 축축하고 희망 없는 동네에 비가 그치면 약 올리는 것도 아니고 일곱 색깔 예쁜 무지개가 보름달처럼 둥실 뜬다.

소년은 동네를 떠나기로 결심한다. 이런 동네에서 사는 것이 지긋지긋하다. 이 동네를 떠나야 미래가 있을 것 같다.

"어디로 가야 하지?"

떠나는 것은 이미 마음을 먹은 기정사실이나 목적지가 없는 것이 문제다. 또 비가 내린다. 동네는 다시 질퍽해지고 술집은 일 없는 어른들로 활기가 넘친다. 소년은 처마 아래에서 마당에 놓인 개 밥그릇에 떨어지는 빗방울을 바라본다. 개밥 그릇에 빗물이 넘친다. 소년은 개를 바라보다가 그와 눈이 마주치자 슬리퍼를 신고 가서는 개밥 그릇을 뒤집어 물을 비워내고 개집 안에 넣어준다. 비 맞은 누런 똥개가 깨끗해진 빈 그릇을 보다가 머리를 들어 소년을 본다. 비가 그친다. 아 씨, 또 무지개가 떴다.

소년은 무작정 떠나기로 한다. 갈 곳을 정했다. 비만 그치면 떠오르는 무지개가 있는 곳으로 가기로 한다. 저렇게 예쁜 무지개가 뜨는 곳은 분명히 황홀하게 아름다울 것이다. 질퍽거리지 않고, 싸우는 소리도 안 들리고, 사람들이 옹기종기 모여 사이좋게 살아가는 뽀송뽀송한 마을이 있을 것이다. 그리 멀지도 않을 것이다. 무지개는 항상 앞산 언저리에 걸치니 산 하나만 넘으면 무지개가 뜨는 마을이 있을 것이다. 무지개는 반사된 빛이다. 호수에 하늘이 비치듯이 알록달록하게 예쁜 마을이 하늘에 비쳐서 무지개가 만들어졌을 것이다. 소년은 무지개를 찾아 길을 나선다.

산 하나만 넘어서 될 일이 아니었다. 무지개 뜨는 마을을 찾느라 거지꼴이 된 소년은 만나는 사람들마다 붙잡고 묻는다.

"무지개가 뜨는 마을이 어딘가요?"

사람들은 소년을 위아래로 훑고는 무지개가 뜨는 마을을 찾는 것을 이해할 수 없다는 표정을 하며 말한다.

"얘야, 이 세상에 무지개가 뜨는 마을은 없단다. 무지개는 그냥 저 멀리 하늘가에 떠 있는 거란다. 찾아간다고 도착할 수 있는 곳이 아니야."

소년은 아랑곳하지 않고 길을 재촉한다. 그때 한바탕 비가 내리더니 산 너머로 무지개가 떴다.

'저기 봐! 산 너머에 무지개가 있잖아. 저 산만 넘으면 되겠어.'

마지막 남은 힘을 짜내 산에 오른 소년은 무지개가 뜨는 마을을 내려다보더니 털썩 주저앉아 엉엉 울음을 터뜨린다.

"무지개가 뜨는 마을이 여기라고, 여기에서 무지개가 왜 뜨는데, 나는 무지개가 뜨는 곳을 향해 이곳을 떠났는데 어떻게 여기가 무지개가 뜨는 마을이란 거야."

산꼭대기에 앉은 소년은 산 아래 조그만 바닷가 마을에서 눈을 떼지 못하고 있다. 그의 눈에는 비만 오면 질퍽해지고 술 냄새가 진동하고 개밥 그릇이 빗물에 잠기는 자기가 살던 마을이 보였다. 마을 한가운데 밭이 있고, 그 옆에는 비만 오면 가기 싫었던 공중변소도 보였다. 비가 그친 마을에 이쪽에서 저쪽까지 완벽한 타원의 일곱 색깔 예쁜 무지개가 걸쳐 있다.

고등학생이었을 때 '무지개 뜨는 마을'이라는 제목으로 단편 소설을 썼었다. 원고는 없어졌지만 내가 실제 살았던 울산 염포 성내 바닷가를 배경으로 하는 소설이었다. 그때는 오헨리 단편 소설에 빠져 있어서 그가 쓴 글을 흉내 내고 싶어 했던 것으로 기억한다. 이곳 쿠알라 룸푸르는 하루에 한 번 갑자기 세상이 깜깜해지면서 엄청난 폭우가 쏟아지는데 그 비를 바라보다가 문득 그때가 생각이 났다. 그 바닷가 마을에는 어린 내가 살았고, 그는 글을 쓰고 싶어 했고, 좁은 동네를 떠나 큰 세상을 떠돌고 싶어 했다. 가만있어 봐, 그러고 보니 나는 어릴 때 꿈을 이룬 거네. 아, 사는 것에 바빠서 내 꿈을 잊고 있었구나. 오호, 소년인 내가 활짝 웃겠다. 꿈을 이루었다고 좋아하겠네.

조호 바루
Johor Bahru

조호 바루에서 첫 아침을 열며

말레이 반도에서 역사가 가장 오래된 도시 믈라카(Melaka)에 유럽 서쪽 끝에 있는 포르투갈에서 사람들이 들이닥친다. 그 때 아시아 대륙에 있는 모든 지역이 그랬듯이 자다 날벼락이었 겠지. 믈라카 술탄 왕국은 영토를 빼앗기고 말레이 반도 제일 남쪽에 있는 땅으로 도망을 가서 왕국의 명맥을 유지한 채 믈 라카 지역을 회복할 거점으로 삼는다. 이곳이 바로 지금의 조 호(Johor) 주(州)이고, 조호 바루(Johor Bahru)는 조호 주의 주도(州都)이다.

Johor Bahru를 어떻게 읽을 것인가? 조호르 바루, 아니면 조호 바루, 어느 것이 맞을까? 일단 말레이 사람들은 조호 바루로 발음하는 것 같다. 어미에 붙은 R은 발음을 안 한다고 한다. 우리 외래어 표기 원칙으로는 조호르가 맞다고 하고. 아, 몰라. 난 그냥 조호 바루로 할래. 우리나라 땅 끝은 해남인가, 마라도인가? 땅끝 마을은 해남이고, 최남단은 마라도인가. 땅끝은 뭐고, 최남단은 또 뭐지? 마라도는 우리 땅 아닌가? 아, 몰라. 지금부터 우리나라 땅덩어리 끝은 해남이라고 하고, 땅끝은 마라도라고 해. 섬은 땅덩어리에서 떨어져 나온 거니까. 조호 바루가 유라시아 땅덩어리의 최남단이라고 한다.

시작한다는 것은 바로 직전까지 있었던 현실과 이별을 하고 미지의 문을 열고 앞으로 나아가는 것이다. 가슴 설레는 시작은 아픈 이별과 같은 말인 것이다. 시작을 하려면 용기를 내서 이별을 고해야 하는 법이다. 한 달 동안 쿠알라 룸푸르에서 잘 지냈다. 숙소도 좋았고, 지하철이 있어서 이곳저곳 다니기도 편했다. 더 있고 싶은 마음이 굴뚝 같았지만 이별하기로 했다. 쿠알라 룸푸르와 잘 헤어지고 짐을 싸서 조호 바루에 왔다. 새로 시작할 수 있게 된 것이다.

쿠알라 룸푸르를 이륙한 비행기가 조호 바루에 가까워지면서 난기류에 심하게 흔들린다. 원래 계획에 조호 바루는 없었다. 쿠알라 룸푸르 다음 여행지는 페낭이었는데 싱가포르도 볼 겸 갑자기 노선을 변경했다. 마음에 없었던 조호 바루에 도착했다. 하늘에 먹구름이 몰려오더니 폭포 같은 비가 쏟아진다. 환영 인사치고는 요란하다. 숙소에 도착했다. 아, 숙소가 희한하다. 주변에 아무것도 없고, 와이파이도 작동이 안 되고, 설상가상으로 핸드폰도 안 터진다. 주변 사람들에게 물어보니 이 지역이 그런 곳이라고 한다.

"무슨 이런 곳이 있지?"

숙소 주인에게 환불을 요청하니 다행히 조호 바루에 몇 개 숙소를 가지고 있으니 마음에 드는 다른 곳으로 옮겨 준다고 한다. 다시 짐을 꾸려 다른 숙소로 간다.

첫인상은 얼마나 정확할까? 일단 조호 바루 첫인상은 영 아니다. 원래 올 계획도 없었는데 날씨에 숙소 컨디션에 마음에 드는 것이 하나도 없다. 다행히 첫인상은 반전될 수 있는 것이다. 이 반전을 믿을 수밖에 없다. 나도 그랬다. 지금 나와 근 30년을 같이 살고 있는, 내 옆에 딱 달라붙어 같이 여행을 다니고 있는 최고 존엄을 처음 만났을 때 내 첫인상이 지금 조호 바루 정도였다고 한다. 반전이 있었고, 우리는 지금처럼 하하호호하며 잘 살고 있다.

밤에 부랴부랴 옮긴 숙소에서 조호 바루 첫 아침을 맞는다. 추운 곳이든 더운 곳이든 익숙한 곳이든 낯선 곳이든 아침은 언제나 신선하다. 갓 구운 빵이요, 전기밥솥이 막 지은 흰 쌀밥이다. 어제 무슨 일이 있었던 간에 새로 시작할 수 있는 오늘이 있으니 얼마나 다행인가? 어제는 한밤이라 몰랐는데 숙소 거실에서 보는 경치가 아주 시원하다. 큰 창으로 여명이 밝아온다. 왼쪽이 동쪽인가 보다. 창 왼쪽부터 불그스름하게 변한다. 숙소 가까운 곳에 모스크가 있나 보다. 여명과 함께 무슬림들에게 기도 시간을 알리는 아잔이 들린다.

말레이시아에서 만나는 세 번째 도시 조호 바루, 비록 도착 첫날은 우여곡절이 있었지만 첫 아침은 상쾌하게 시작을 한다. 동네 산책을 하고, 빨래방 위치를 확인하고, 작지만 정갈해 보이는 식당에 들어가 아침을 먹는다. 오호, 숙소로 돌아오는 길에 코코넛을 파는 곳을 발견했다. 우리 둘은 서로 얼굴을 보며 씩 웃는다. 낯선 곳에서 첫 아침이 열렸다.

* 조호 바루 첫인상은 대반전을 맞았다. 첫인상이 원래 그렇지 뭐. 우리는 조호 바루에서 즐겁고 유쾌한 날들을 보냈다. 살을 맞대고 부대끼면서 겪어야 제대로 알수 있는 것인가 보다. 첫날 아침에 들른 식당은 그후 우리 아지트가 되었다. 조호 바루를 떠나는 마지막 날 식사도 그곳에서 했다. 한글이라 읽을 순 없겠지만 내가 쓴 책을 선물로 주고, 한국 돈이 궁금하다고 해서 가지고 있던 지폐도 골고루 주었다. 삶은 반전이 있어 살만하다.

나는 위도 1도 30분에 산다

조호 바루에 와서 알게 된 것이 하나가 있다. 아침에 일어나서 창밖을 보는데 아직 한밤중이다. 그렇다고 꼭두새벽도 아니다. 약간 이상한 느낌이 들었다.

"이 희한하고 어색한 느낌은 뭐지?"

이곳이 깊은 산골이라면 높은 산에 가려 해가 늦게 뜬다고 생각하겠지만 주변에 산은커녕 허허벌판인데, 확실히 잡히지 않는 찜찜한 기분을 달고 며칠을 살았다. 이 느낌은 사실 쿠알라룸푸르에서도 있었다. 나는 분명히 햇살이 뜨거운 것인지 따가운 것인지도 헷갈리는 열대 도시에서 지내고 있다. 그렇다면 마땅히 태양은 언제 떠올라야 하는가? 태양은 새벽 4시 정도면 일어나서 이불 개고 준비해서 5시에는 떠올라야 한다. 이것이 자연이 돌아가는 이치다. 2023년 5월 15일 울릉도 해 뜨는 시간이 5시 10분이니까, 여기가 울릉도 보다 몇 배는 더 더운 곳이니까 새벽 4시에 떠도 당연하지 않겠는가 말이다.

적도(赤道), 나는 이 개념에 대해 두 가지가 항상 궁금했다. 왜 적도라고 쓸까? 붉을 적(赤) 자(字)는 왜 있는 것이냐? 이것이 첫 번째였다. 붉은 길, 이게 도대체 무슨 뜻이지? 우린 왜 이런 어감이 팍 오지도 않는 애매모호한 말을 쓰고 살아야 하나? 두 번째는 적도에서 살면 어떤 느낌일까 하는 것이었다. 일단 뜨겁겠지, 바람은 안 부나, 태양 때문에 항상 불그스름할까, 유명하신 고갱 탓인가? 하여튼 적도에 대해서는 뭔가 야릇하면서도 나른할 것 같은 생각을 가지고 있었다. 세계 여행을 하면서 언젠가는 지구를 절반으로 나누는 선, 북극과 남극까지 거리가 같은 곳, 위도가 0도인 곳인 적도에 가 볼 것이라는 마음을 굳게 먹고 있었다.

낮에 조호 바루를 돌아다니다가 문득 이런 생각이 들었다. 왜 코타 키나발루보다 햇살을 직방으로 받는 느낌이지? 나는 무심코 코타 키나발루가 위도 상으로 조호 바루보다 아래에 있는 줄 알았다. 구글 지도를 확인했더니 그 반대였다. 아, 조호 바루가 정확하게 어느 위치에 있는지를 비로소 이때 알게 된 것이다. 조호 바루는 적도 바로 위에 있었다. 적도가 위도 0도이고, 조호 바루 위도는 1도 30분이다. 이걸 쉽게 말하면 이렇다. 제주도 위도가 33도, 서울 37도, 휴전선 38도, 코타 키나발루 6도, 쿠알라 룸푸르가 위도 3도다.

"아, 그러니까 나중에 적도를 가고 말고 할 것도 없는 것이네. 내가 지금 있는 곳이 거의 적도구나. 그랬던 거야. 이곳이 적도 날씨였구나."

우리나라는 옛날부터 24절기 가운데 두 절기를 유독 챙겼다.

춘분(春分)과 추분(秋分)이 그것이다. 이게 얼핏 들으면 어려운데 따지고 들어가면 이해하기 쉽다. 우리나라 날씨를 사계절이라고 하는데 실상은 두 계절, 여름과 겨울이다. 봄과 가을은 그 사이에 살짝 낀 것이니 무시하자. 극단인 계절 여름과 겨울에는 인간의 삶이 완전히 달라지는데, 여름에 준비해서 겨울을 버티는 삶이다. 그러니 언제 여름과 겨울이 시작되는지가 중요했다. 그걸 태양이 머무는 시간으로 계산을 한 것이다. 춘분이 지나면 낮이 밤보다 길어진다. 여름이 시작되는 것이다. 자연은 기지개를 켜고 사람들은 한 해 농사를 준비해야 한다. 추분이 지나면 밤이 낮보다 길어진다. 겨울이 오는 것이다. 자연은 소멸하고 사람들은 추수를 해서 겨울을 대비해야 한다. 이것이 위도 30도 언저리에 있는 자연과 인류가 사는 이치다.

적도는 낮과 밤의 길이가 일 년 내내 같다. 다시 말하면 계절이 바뀌지 않는다는 말이다. 조호 바루는 위도 1도 언저리에 있으니까 적도와 비슷하겠지. 그러니 해가 아침 6시 56분에 떠서 저녁 7시 7분에 진다. 열두 시간이 낮이고, 열두 시간이 밤이다. 내가 사는 위도 1도 30분의 날씨는 이렇다. 햇살은 따갑지만 그늘에 있으면 살 만하다. 해가 지면 에어컨을 안 틀고 천정에 붙은 선풍기만 돌아가도 숙면이 가능하다. 게다가 시원한 밤이 길기까지 하다.

사계절이 뚜렷한 것이 좋은 것 만은 아니다. 옷도 네 종류가 있어야 하고, 이불도 바꿔야 하고, 더워서 죽는다고 하고 얼어 죽을 것 같다고도 한다. 이곳은 계절도 없고, 옷도 한 종류만 있으면 되고, 열매가 계속 열리니 비축할 필요가 없다. 인간은 그냥 기후에 맞게 사는 것이다. 사계절 날씨에 살아서 부지런하다고 자랑할 것도 없고, 계절이 없는 곳에 살아서 게으르다고 폄하할 것도 없다.

살아 보니 이곳도 좋다. 햇살이 쨍한 낮도 좋고 선선한 밤은 더 좋다. 매일 같은 날씨이니까, 오늘 날씨 어때요? 하고 물을 필요도 없다. 사람은 환경에 맞게 살면서 익숙해질 뿐이다. 우리나라 사람들이 악착스러운 건 그저 날씨가 변덕스럽기 때문인 것 같다. 적도와 가까운 위도 1도 30분에 사는 것도 즐겁고 재미나네.

아래층 중국 아저씨

말레이시아 수도 쿠알라 룸푸르에서 싱가포르와 붙어있는 조호 바루로 왔다. 아마 밤 아홉 시 정도였을 것이다. 숙소에 짐을 풀고 길 건너 슈퍼에 생수와 맥주를 사러 갔다. 슈퍼 문을 열고 들어서는데 점원 둘이 아내와 나를 반긴다. 처음 보는 사이인데 상당히 살갑게 인사를 하네, 이런 생각이 드는 찰나 점원이 내게 말을 건넨다.

"Can you speak English or Chinese?"

뭐지? 내가 떠듬떠듬 구사할 수 있는 외국어가 이 두 가지인데, 어떻게 그걸 딱 꼬집어서 물어보는 거지? 드디어 내 진가를 알아주는 날이 이렇게 오는 것인가? 이 뜨거운 땅, 적도와 겨우 1도 밖에 차이 나지 않는, 위도상으로 적도라 불러도 무방한 곳에서 이제야 나를 알아보는구나. 역시 삶은 굵고 짧은 것보다 가늘더라도 긴 게 맞는 것 같다. 이런 생각을 하며 나는 자신 있게 대답했다.

"Yes. I can."

내 이럴 줄 알았다. 착하고 예쁘게 생긴 점원들은 내가 중국사람인 줄 알았나 보다. 어제오늘 일도 아니니 이제는 아무렇지도 않다. 내가 한국인이라고 말하면, 외국인들은 당연하게 리얼리? 하며 되묻는다. 문을 열고 들어오는 내 면상을 보자마자 점원들은 서로 쳐다보며 이렇게 말했을 것이다.

"오, 중국 아저씨다. 이 아저씨한테 도와달라고 하자."

사연은 이러했다. 슈퍼 계산대 옆에는 공사장 작업복을 입고 노란 안전모를 쓴 사람이 계란 두 판과 생수와 녹두 두 봉지를 들고 난감한 얼굴로 서 있었다. 점원 두 명은 그 남자와 의사소통이 안 되는 상황이었다. 점원은 영어로 내게 지령을 내렸다.

"슈퍼에 녹두가 딱 두 봉지 남았는데, 이 아저씨가 지금 손에 들고 있다. 포장지에 있는 QR 코드가 손상되었는데 규정에 따라 녹두를 팔 수 없다. 이렇게 말해달라."

점원이 영어로 내게 한 말을 나는 옆에 있는 아저씨에게 중국어로 말했다. 아저씨가 대답하길, 어제도 샀고 지금 물건도 있는데 왜 안 파냐? 내가 그걸 다시 점원에게 전달했다. 여차여차해서 슈퍼에서 수행한 내 순차 통역은 아주 멋지게 성공했다. 중국 아저씨는 못마땅하기보다는 나라를 잃은 듯 낙담한 얼굴로 녹두 두 봉지를 내려 놓고 가게를 나갔고, 점원 둘은 내게 '땡큐'를 연발했다. 나는 아내 앞에서 오랜만에 어깨를 폈다.

맥주 세 캔과 생수 두 병을 사 들고 아파트 엘리베이터를 탔다. 어라, 슈퍼에서 만났던 작업복 입고 노란 안전모를 쓴 아저씨가 우리를 따라 탄다. 우리는 서로 반가워서 이빨을 하얗게 드러내고 웃었다. 그 아저씨는 아직도 슈퍼 점원들이 자기에게 한 처사가 이해가 되지 않는다고 한다. 물건이 있는데 왜 안 파느냐는 것이었다. 중국 사람들은 더운 날씨에 녹두를 삶아 우린 물을 마신다. 아저씨는 한낮에 공사장에서 일하려면 녹두 우린 물이 있어야 한다며 몇 번이나 내게 강조를 하는 것이었다. 마치 네가 통역했고, 네가 끼어들었으니 책임을 지라는 듯이. 나는 얼른 말을 돌렸다. 여기 사느냐고 물었더니, 여기 사니까 이 시간에 엘리베이터를 탔지 하는 표정으로 그렇다고 한다. 뭐지? 공사장에서 일하는 처지에 이런 아파트에 산다고? 나는 에어비앤비에 비싼 돈을 내고 사는데. 희한하네, 고급 기술자인가? 이런 생각을 하는데 아저씨가 27층에서 내린다. 아, 아래층에 사는구나.

조호 바루에서 사나흘이 더 지났다. 저녁나절이 가까워질 무렵 헬스장에서 땀을 흘리고 나니 맥주 생각이 간절했다. 슈퍼에 들러 맥주 두 캔을 사 들고 아파트 현관에 들어서는데 작업복 입고 노란 안전모 쓴 사람이 문을 여느라 끙끙대고 있다. 내가 문을 열어주면서 얼굴을 보니 그 녹두 아저씨네. 아, 안녕하세요? 막 이리 인사를 하는데 그 아저씨 손가락에 피 묻은 붕대가 감겨 있는 것이 보였다. 손가락에 감긴 붕대가 아주 컸다. 일하다가 다쳤단다. 언뜻 보기에도 심하게 다친 모양새다.

"병원에 가야지, 이러고 퇴근을 하면 어쩌냐?"

내가 따지듯 물었다. 불법체류자라서 병원에 갈 수 없다고 한다. 아저씨는 27층에서 내리고, 나는 28층에서 내려 숙소로 가는데 자꾸 엘리베이터로 눈길이 간다. 혹시 녹두 우린 물을 못 마셔서, 싸리나무로 만든 회초리로 맞는 것처럼 따가운 한낮 햇살에 정신을 놓쳐 다친 것은 아닌가? 불법체류자인데 이런 아파트에는 어떻게 사는 건데? 길 건너 공사장이 이 아파트와 브랜드가 같던데, 이곳에 있는 빈집을 인부들 숙소로 쓰나? 긴 터널 같은 아파트 통로 끝에 서서 이런저런 생각에 잠겼다.

다음날 아침을 먹고 빗자루를 들고 숙소 거실을 쓸다가 밖을 내다봤다. 중국 허난(河南)에서 왔다는, 비자가 만료돼서 병원에도 못 가는, 바로 아래 27층에 사는, 작업복에 노란 안전모를 쓰고 손가락에 흰 붕대를 감은 중국 아저씨가 일하는 아파트 공사 현장이 거실 창밖에 멀뚱하니 보인다. 아파트보다 높은 노란색 타워 크레인이 마치 사람이 두 팔을 벌리고 있는 것 같은 자세로 부지런히 자재를 실어 나른다. 평소에는 순두부 건더기처럼 뭉게뭉게 몰려다니던 구름들이 오늘은 한 녀석도 안 보인다. 나는 투덜거리듯 중얼거렸다.

"하늘은 왜 이리도 파란 것이여. 구름이 없으니 햇살이 아주 살 맛났구나."

오늘은 아저씨가 퇴근할 시간에 맞춰 1층에서 서성거려 볼까? 우연히 만난 것처럼 해서 손가락은 괜찮은지 물어볼까? 안 괜찮다고 하면 어쩔 건데, 약이라도 사다 줄 수 있나? 한쪽은 못 판다 다른 한쪽은 팔라고 할 때, 더 간절한 사람 편을 들었어야 했다. 내가 왜 슈퍼 점원들 편을 든 거야. 주책이야! 정말. 세상 어디나 사람 사는 것이 밤새 이슬을 이고 있는 이파리 같다. 아, 참으로 무겁다.

조호 바루 빨래방에서

해외, 특히 동남아에서 한 달 살기를 하는데 세탁기가 있는 숙소와 세탁기는 없고 숙소 가까운 곳에 빨래방이 있는 곳이 있다고 하면 어느 곳을 선택할 것인가? 이 말은 숙소를 고르는데 세탁기가 중요하냐는 말과 같다. 우리는 당연히 세탁기는 있어야 한다는 쪽에서 차라리 빨래방이 더 낫다는 쪽으로 생각이 바뀌었다. 실제로 경험을 해보니 숙소에 세탁기가 있다고 하더라도, 그 세탁기가 신형인지 구형인지, 작동이 쉬운지 어려운지, 행여라도 잔고장이 많은지에 따라 머리 아픈 일이 생길 수 있다. 숙소에서 빨래를 말리는 것도 손이 많이 간다. 말릴 장소가 마땅찮을 경우도 있고, 더운 날씨에도 불구하고 생각보다 바짝 마르지 않기도 한다. 여행을 하면서 생각이 바뀌는 것을 인정하고 받아들인다. 이 또한 여행이 주는 매력이다. 세탁기 보다는 건조가 문제이니까 건조기가 있으면 좋겠지만 그런 숙소를 구하기는 쉽지 않다. 세탁기와 건조대가 잘 갖추어진 숙소를 구하지 않는다면 차라리 빨래방에서 고온 건조기를 사용하는 것이 여러모로 좋을 듯하다.

조호 바루 숙소에는 세탁기가 없다. 숙소를 급하게 옮긴 탓에 세탁기가 없다는 것을 나중에 알았다. 숙소 근처에 있는 빨래방에 왔는데 한 가지 문제가 생겼다.

"세제가 자동으로 투입되는 걸까? 아니면 빨래할 때 세제를 각자 가져와야 하는 걸까?"

우리는 세탁기 앞에서 난데없는 토론에 들어간다. 빨래방을 아무리 둘러봐도 이에 대한 안내문은 없다.

"에이, 아무래도 세제를 가져와야 하는 것 같아."

나는 슬리퍼를 끌고 뜨거운 태양 아래를 걸어서 다시 숙소로 가서 세제를 들고 왔다. 세탁기가 돌아가는 동안에 딱히 할 일도 없고 해서 뒷짐지고 여기저기 돌아보다가 아주 큰 글씨로 여러 곳에 붙어있는 문구를 발견했다. 세제와 섬유 유연제가 자동으로 투입된다는 안내문이다. 빨래를 하러 온 사람들 중에 세제를 들고 온 사람은 우리 말고 딱 한 사람 더 있더라. 이게 참 희한한 경험이다. 보험 약관처럼 깨알 같이 작은 글씨도 아니고 대문짝만하게 써 놓은 걸 못 보다니.

'설마 세제를 자동 투입하는 것이겠어?'

이런 마음 상태에서 빨래방을 둘러보아서 그런 것 같다. 마음을 먼저 먹고 눈으로 그 마음이 옳다는 것을 확인하려 한 것 같다. 나를 너무 과신하지 말아야 하는 이유를 또 하나 알게 되었다.

어떤 아저씨가 나를 쳐다보며 무슨 말을 건넬 듯 말 듯한다.

나와 눈이 마주쳤다. 아저씨가 손가락으로 빨래방 입구 바닥을 가리킨다.

"오, 빨래방에서는 신발을 벗어야 한다고?"

재빨리 빨래방 안에 있는 사람들 발을 훑어보니 다들 맨발이다. 나는 그 아저씨를 향해 미안하다는 손짓을 보내고 얼른 슬리퍼를 벗는다. 다른 사람들이 우리를 얼마나 이상하게 생각했을까? 입구를 자세히 보니 아주 크고 붉은 글씨로 신발을 벗어야 한다고 써 있다. 살면서 붉은색을 만나거든 일단 걸음을 멈추고 아주 천천히 그 붉은색이 의미하는 바를 살펴야 한다는 것을 배웠다. 지구인들은 중요하고 심각한 일을 붉은색으로 표시한다는 걸 뜨거운 땅 조호 바루에서 경험을 했다. 여행자들이여, 지구에서 붉은색을 만나거든 일단 멈추어야 한다.

말레이시아에서 세 달을 살면서 나는 조화에 대해 생각하고는 한다. 말레이시아 사람들은 참 다양하다. 말레이 본토 사람들 말고도 중국 화교들도 많고 인도 출신 사람들도 많다. 생김새와 얼굴 색이 다 다르다. 그런데도 잘 어울려서 살아가는 느낌이다. 공존하는 능력이 있는 듯하다. 빨래방도 그렇다. 모든 안내문구가 영어, 말레이어, 중국어로 표기되어 있다. 원칙을 정해 놓고 그 원칙에 삶을 억지로 끼워 맞추지 않는 느낌이다. 빨래방에 세 가지 언어로 붙어있는 안내문을 보면서 사이좋게 사는 방법에 대해 배운다.

건조기에서 나온 빨래가 불에 갓 구운 오징어처럼 뜨끈뜨끈하다. 속이 다 시원할 정도로 뽀송뽀송한 빨래를 들고 뜨거운 태양 아래를 걸어 숙소로 간다. 난생 처음 외국에서 빨래방을 이용했다. 우리나라에서 4,600km 떨어진 곳에서 빨래를 들고 뭔 큰일이라도 해낸 듯 의기양양하게 걸어가는 우리 두 사람이 참으로 웃긴다. 이러고 여행을 하고 있는 현실 같지 않은 상황도 웃기고, 빨래방에서 빨래가 잠깐 돌아가는 사이에 스친 통찰도 웃긴다. 산다는 것을 반드시 풀어내야 하는 비장한 화두로 생각한 적이 있었다. 지금 또 깨닫는다. 사는 거? 닥치면 닥치는 대로, 벌어지면 벌어지는 대로 그냥 살아지는 거더라. 비장한 화두는 개뿔, 사는 건 파란 하늘에 낄낄대고 떠다니는 재미난 구름이다. 이 나이에 어쩌자고 여행을 하면서 자꾸만 성장하는 느낌이다. 여행, 좋네.

조호 바루에서 싱가포르, 한 번만 가는 걸로

KTMB 사이트에서 회원 가입을 하고 싱가포르행 기차표를 예매한다. 10시 이전에 출발하는 기차는 사나흘 전에 예약을 해야 자리가 있다. KTMB 사이트에서 〈SHUTTLE TEBRAU〉를 클릭하면 JB SENTRAL에서 WOODLANDS CIQ 구간이 자동으로 나온다. 출발 일자, 돌아오는 일자, 승객수를 입력하면 해당 일자 시간대가 보이고 원하는 시간을 예매하면 된다. 요금은 왕복 10링깃으로 신용카드로 결제할 수 있다. 예약이 완료되면 이메일로 예약 내용을 보내주는데 티켓은 필요 없다. 여권을 스캔하고 기차를 탄다.

더워지기 전에 가는 게 좋을 것 같아 식전 댓바람에 JB Sentral로 간다. 사람들을 졸졸 따라가서 출국심사를 하는 곳에 줄을 선다. 내 여권과 컴퓨터를 번갈아 보던 이민국 아저씨가 옆 사람과 진지하게 이야기를 나누고는 내게 이것저것 꼬치꼬치 묻는다. 여러 사람이 상의를 하더니 마지못해 여권에 도장을 찍어주는 느낌이다.

"왜 그러지? 그냥 출국 도장을 찍어주면 되는데 어째 이상한 느낌이 드네."

아, 이것이 험난한 하루를 예고하는 것이라는 걸 이때 눈치를 챘어야 했다. 찜찜한 기분으로 한참을 걸어갔는데 기차를 타는 곳이 아니네. 버스로 싱가포르로 가는 곳이라고 한다. 출국 심사를 하고 나서 버스와 기차를 타는 곳으로 길이 나뉘는 줄 알았는데, 처음부터 두 길은 아예 달랐던 것이었다. 기차표를 끊고서 버스로 가는 곳에서 출국심사를 받은 것이었다. 이미 출국을 한 것이니 다시 입국하는 과정을 거쳐서 기차를 타는 곳으로 겨우 왔다. 사람들 간다고 무작정 따라가면 안 된다. 사람들이 우르르 가길래 그 길이 맞는가 했지. 아침부터 진땀을 뺐다.

기차 출발 30분 전에 게이트가 열리고 다시 출국 심사를 한다. 이민국 아저씨가 내 여권을 보더니 또 고개를 갸웃거린다.

"버스 타는 곳까지 갔다가 거기가 아니라고 해서 여기까지 다시 왔어요."

내가 저지른 실수를 영어로 어렵게 고백을 하니 내 얼굴을 빤히 쳐다보고는 여권에 도장을 꽝 찍어준다. 휴, 아침에 말레이시아 출국 수속을 두 번이나 하네. 기차는 5분을 달려 싱가포르 Woodlands Check Point에 도착했다.

싱가포르 입국 수속을 한다. 또 일이 터졌다. 싱가포르 입국 신고서를 온라인으로 제출 안 했다고 한쪽 구석에 가서 빨리하라고 한다.

'아, 인터넷으로 입국 신고서를 작성해야 하는 거였어?'

영어로 입국 신고서를 작성하는데 쓸 게 뭐 그리 많은지 진땀이 난다. 사람들은 모두 입국장을 빠져나가고 이민국 직원들은 우리 둘만 기다리고 있다. 눈치 보랴, 서류 작성 하랴, 정신이 없다. 그때 나이가 많은 여자가 나타났다. 직급이 높은 사람인지 이민국 직원들이 깍듯하게 대한다. 우리에게 오더니 차근차근 알려준다. 와, 고마워서 안아줄 뻔했다. 겨우 입국심사를 마치고 싱가포르에 발을 디뎠다. 거의 기진맥진이다.

드디어 싱가포르 구경을 하는구나. 전철역으로 가려고 버스를 탄다. 버스에 타면서 전철역으로 가는 것이 맞는지 기사에게 확인을 한다. 이제부터는 다신 실수가 없어야 하니까. 갑자기 버스 기사가 나를 부른다.

"어디로 가느냐?"

"전철역으로 간다."

"그건 안다. 전철을 타고 어디로 가느냐고?"

이번 싱가포르 나들이에는 특별한 일정이 없다. 전철을 타고 이곳저곳을 다녀볼 생각이었다. 싱가포르 답사 같은 느낌으로. 그런데 이게 영어로 말하기가 힘들어서 그냥 싱가포르 대표 관광지인 마리나 베이 간다고 했다. 아, 이것이 화근이 될 줄이야. 친절한 기사 아저씨는 전철로 거길 가면 시간이 많이 걸리니 버스를 갈아타고 가라고 강력하게 말한다. 기사 뒷자리에 앉은 할머니 승객이 아저씨 말이 맞다고 맞장구를 친다. 다른 승객들도 그렇게 하라는 눈빛을 보낸다. 아, 이게 아닌데. 결국 기사는 버스 환승하는 곳에 우릴 내려주고 손까지 흔든다. 승객들은 잘 다녀오라고 쳐다보는 것 같고, 우리는 15분을 기다려 결국 마리나 베이 행 버스를 탔다.

마리나 베이는 개뿔, 배도 고프고 원래 가려고 했던 곳도 아니어서 중간에 버스에서 내렸다. 우리는 일단 코코넛을 허겁지

겁 마시고, 인도 식당에 가서 로띠 두 장씩 먹고, 스타벅스에서 까만 커피에 까만 초콜릿 머핀을 먹고, 중대 결정을 내렸다.

"싱가포르 구경은 무슨, 그냥 조호 바루로 돌아갈까? 그러자!"

다시 버스를 타고 국경으로 와서 싱가포르 출국 수속을 하고 조호 바루로 와서 입국 수속을 기다린다. 줄이 어마어마하게 길다. 한 시간을 기다려 수속을 마치고 동네로 왔다.

동네에 오니 참으로 반갑고 좋네. 단골 식당 아저씨가 손을 막 흔들고, 슈퍼 아가씨가 씩 웃고, 역시 집이 최고다. 신라면 네 개를 끓여서 허한 마음을 일단 달래고 둘은 깊은 대화를 한다.

"어쨌든 싱가포르 땅은 밟았어, 그렇지? 기차도 탔고, 버스도 탔고, 리틀 인디아도 걸었으니 두 번 다시는 싱가포르 가지 말자. 무지 피곤하네."

원래는 싱가포르 왔다 갔다 하려고 조호 바루로 왔는데 계획은 그저 계획일 뿐이었다. 그나저나 오늘 우여곡절을 겪으면서 여러 사람들을 만났는데 다들 너무 친절했다. 사는 거 겁내지 마시라. 실수를 해도 아무렇지도 않더라. 친절한 사람들이 이 세상을 움직인다.

악화가 양화를 구축하지 않기를 소망한다

내가 지금까지 살면서 이해하기 어려운 문장을 수없이 보았지만 그 중에 이것이 최악이다. 이 문장을 소리 내어 읽고 또 읽어도 무슨 말인지 도대체 알 수가 없다. 오리무중, 이해 불가, 마치 한국어 탈을 쓰고 외계에서 온 언어 같기도 하다.

"악화가 양화를 구축한다"

지식은 세상을 밝히는 등불인가? 세상을 지배하는 무기인가? 지식이라는 것이 삼척동자도 알아들을 수 있을 만큼 쉽다면 등불일 것이고, 무슨 말인지 당최 이해가 안 된다면 사람들을 지배하는 수단일 뿐이다. 악화가 양화를 구축한다. 이 말을 이해하기 어렵게 만드는 이유는 세 단어 악화(惡貨), 양화(良貨), 구축(驅逐) 때문인데 사실 조사를 빼면 세 단어가 전체 문장이기도 하다. 일본식 한자를 그대로 받아들인 탓이다. 나쁜 돈(악화)이 좋은 돈(양화)을 몰아낸다(구축)는 말로, 영어로 쓰면 외관은 일단 깔끔하게 된다.

"Bad money drives out good."

이 문장의 뜻은 이러하다. 시중에 같은 가치를 가진 두 종류의 금화가 있다. 하나는 순도가 낮은 금화이고 다른 하나는 순도가 높은 금화라고 한다면, 사람들은 순도가 높은 금화는 안 쓰고 가지고 있으려 한다. 대신 순도가 낮은 금화만 사용한다. 결국 순도가 낮은 돈인 악화가 순도가 높은 돈인 양화를 시장에서 몰아내서 유통이 되지 않게 한다는 것이다. 진짜 돈이 사용 가치를 상실하는 것이다.

"가짜가 판을 치는 세상이 되면 정작 진짜는 사라진다."

우리나라에서 실제로 발생한 일을 예로 들어 보겠다. 우리가 즐겨 먹는 칡냉면은 칡을 빻은 가루에 전분을 섞고 검은색이 나게 인공색소를 첨가해서 만든다고 한다. 칡은 실제 얼마 들어가지도 않고 모양과 색만 칡인 것이다. 한 업체에서 100% 칡 냉면을 개발했는데 소비자들이 보니 칡 냉면 색이 회색에 가까웠다. 익히 알고 있던 칡냉면 색깔과 비교했을 때 영 매가리가 없어 보이기도 했다. 소비자들은 외면했고, 그 업체는 파산했다. 인공색소가 자연색을 이긴 것이다. 이런 예는 흔하다. 같은 가격인 빵 두 개가 있는데 하나는 첨가물이 잔뜩 들었고, 다른 하나는 발효해서 만든 밋밋한 것이다. 사람들은 건강한 빵 대신 맛있는 빵을 선택할 것이고 시장에는 이런 빵들만 넘쳐날 것이다. 더 확실한 예를 들겠다. 두 사람이 있다. 한 명은 남 비위를 맞추며 살랑대는 스타일이고, 다른 한 명은 있는 그대로 진득하게 행동한다. 사람들은 누굴 더 좋아할까? 알랑방

귀, 아첨, 아양이 진심을 몰아낸다. 간신이 충신을 몰아냈던 것처럼.

은퇴를 하고 제주에서 세 달, 코타 키나발루에서 한 달, 쿠알라룸푸르에서 한 달 그리고 이곳 조호 바루에서 보름 정도를 보내고 있다. 생애 처음으로 장기 여행을 한다. 오랜 시간 꿈꾸던 것을 현실로 만들고 있는 중이다. 이 여행에서도 악화를 만난다. 숙소에서 마주치는 자잘한 불편들, 입에 맞지 않는 음식들, 적응하기 어려운 날씨, 다소 무례하게 대하는 일부 현지인들, 외국인이기 때문에 겪어야 하는 규제들, 언뜻 보기에도 질이 낮은 악화들이 도처에 있다. 건강에 좋지 않고 달콤하기만 한 것들도 있다. 틈만 나면 택시를 타고, 한식당만 찾고, 고급 숙소에서 지내려고 하고, 돌아다니기도 지겨워 숙소 수영장 선베드에만 누워 있으려고 한다.

"당신은 어떻게 살다가 죽고 싶습니까?"

은퇴를 한 마당에 삶에 대한 무슨 거창한 화두가 있겠는가? 그렇다고 안빈낙도에 빠져 뒷짐만 지고 세월만 보내는 삶도 싫다.

"나는 진짜와 가짜를 구별하며 살고 싶습니다."

세상은 온갖 것이 다 뒤섞여 있는 곳이다. 삶이 힘든 건 세상에서 악취가 나기 때문일 것이다. 산다는 건 어쩌면 쓰레기 더미를 헤치는 것일 수도 있다. 너무 비장한가? 아니면 너무 많이 나갔나?

쉽고, 편하고, 달콤한 것에 취해 도전을 잃어버리고 싶지 않다. 계획했던 은퇴 첫해 여행이 중반으로 접어드니 자꾸 해이해지는 듯하다. 익숙해진 탓일까? 나는 지구 여행을 완성하고 싶다. 여행 중에 만나는 여러 악화들이 내 소중한 꿈을 몰아내지 않았으면 좋겠다.

* 여행을 마치고 한겨울 거실에서 글을 다듬는 지금, 포기하지 않은 내 자신이 대견하게 느껴진다. 두렵지만 다시 떠날 계획을 세우고 있는 지금, 심장이 둥둥 울린다. 나는 아직도 진짜와 가짜 사이를 방황하고 있지만 그 둘을 분간하려고 노력한다.

인생에서 감행한 몇 가지 도전들

6년 동안 중국 주재원 생활을 마치고 귀국할 때가 가까워지고 있던 2014년 봄, 나는 고민에 빠져 있었다. 아이들 문제 때문이었다. 고등학교 2학년과 중학교 3학년인 아이들을 한국으로 데리고 갈 것인가, 중국에 남겨둘 것인가, 제3국으로 보낼 것인가? 내 앞에는 이 세 가지 선택지가 놓여 있었다. 모름지기 가족은 함께 해야 한다는 논리로 보면 당연히 다 같이 한국으로 귀국하는 것이 옳지만 실행하기에는 여러 변수가 있었다. 아이들이 6년을 중국에서 살았는데 한국에서 어떻게 적응을 할지 걱정이 되었다. 주변 사람들도 그러지 말라고 부추겼다. 나 혼자 고생을 하더라도 아이들과 아내를 중국에 남겨 놓거나 아예 미국이나 캐나다로 보내 국제시민으로 살 수 있게 하는 것이 더 그럴듯해 보였다.

언제부터 시작되었는지 정확하게 기억은 없으나, 인생 전체가 빚진 삶이었다. 신혼 전셋집을 대출을 받아 마련했으니까 아마 결혼할 때부터 그랬던 것 같다. 집을 사고 평수를 넓혀가면서 집값에 비례해서 대출금도 자꾸만 늘어 갔다. 자동차는 당연히 할부금을 기본으로 깔고 움직이는 거였고, 아이들이 크면서 사교육비는 천정부지로 치솟았으며, 남들 사는 만큼 살아야 하니 철마다 여행도 다녀야 했다. 월급도 적지 않고, 회사도 대기업에, 일도 못한다는 소리는 듣지 않는데, 왜 내 삶은 항상 빚에서 헤어나지 못하는 것인가? 출발이 가난해서, 재테크 바보여서, 도무지 이유를 알 수 없는 삶이었다.

자회사에 파견 근무를 하고 있던 2019년 늦여름 어느 날, 대표이사와 회의를 끝내고 일어서려고 하는데 나만 남으라고 하더니 불쑥 제안을 던진다.

"자회사에 남아서 임원을 해라. 회사로 복귀를 해도 직급도 있고 나이도 있어서 마땅히 갈 부서도 없으니 자회사에서 직장생활을 마무리하는 것이 어때? 자회사이지만 임원은 임원이니까 폼도 나고."

잠시 아득했다. 하여튼 닥칠 일들은 어김없이 온다니까. 혹시나 모회사 임원이 되기를 언감생심 기대했으나 역시나 허탕이다. 언제 잘릴지 몰라 전전긍긍하는 삶이기는 해도 폼 나는 임원을 할 것인가? 볼품은 없더라도 보직을 내려놓고 그냥 마음 편하게 정년으로 가는 길을 선택할 것인것인가?

오십 중반, 인생을 알만큼 아는 나이에 나는 다시 고민에 빠졌다. 계획한 대로 나이 예순이 되는 날까지 다닐 것인가? 아니면 조기 은퇴를 할 것인가? 고민에 빠진 이유는 돈 때문이었다. 정년까지 다니면서 세금 떼고 받는 돈과 맞먹는 금액을 위로금으로 준다고 한다. 문제는 사실 간단했다. 목돈으로 받을 것인가? 회사를 다니면서 분할로 받을 것인가? 정년까지 가는 기차에 편하게 앉아 있다가 중간에 내려야 하는 결정을 해야 했다. 가만히 있으면 되는데 괜히 내렸다가 고생만 할 것 같기도 하고, 여기에서 내리지 않으면 후회를 할 것 같기도 했다. 아, 고민은 항상 그렇더라. 할지 말지 비율이 거의 51%와 49% 사이를 왔다 갔다 한다. 이러지도 저러지도 못하는 상태가 고민이다.

없는 살림에 기러기는 자신이 없을 것 같아서 아이들을 데리고 한국으로 다 같이 들어왔다. 덕분에 아이들은 대한민국 교육의 쓴맛을 봤지만 잘 적응했다. 자동차 없는 뚜벅이 생활을 십 년을 했다. 돈만 생기면 대출을 갚았다. 세상에나, 빚이 없어지더라. 문신처럼 영원히 없어지지 않을 줄 알았는데. 매년 가을이면 잘릴지 살아남을지 전전긍긍하는 임원의 삶이 평소에도 불쌍하게 보였는데 그런 자리에 앉아있기는 싫었다. 상무 안 한다고 했다. 그 돈이 그 돈이면 한 살이라도 젊을 때 은퇴를 해서 지구 여행을 하는 것이 좋을 것 같아 일찍 은퇴를 했다.

어릴 때부터 성인이 될 때까지 받은 교육 때문일까? 우리는 정답을 찾는 것에 익숙하다. 선택을 해야 하는 갈림길에서도 어느 길이 옳은 길인지 판단하려고 한다. 이 세상에는 딱 두 가지만 있다고 믿는다. 정답과 오답이 그것이다. 길은 그저 길이다. 힘든 길이 있는가 하면 쉬운 길도 있다. 힘들다고 틀린 길이 아니고 쉽다고 옳은 길도 아니다. 이것과 저것 중에 뭘 선택해야 할지 모르겠다면 둘 중에 아무것이나 선택해도 된다는 말이다. 돌을 먹을지 밥을 먹을지를 놓고 고민하는 사람은 없다. 짜장면과 짬뽕 중에 고민을 한다. 짜장면이나 짬뽕은 다 맛있다. 동전을 던져 결정을 해도 상관이 없다. 이번에 짜장면 먹으면 다음에 짬뽕을 먹어도 되는 것이다. 선택은 정답을 찾는 것이 아니라 도전하는 것이다.

조호 바루는 원래 내 인생에 없었다. 이곳에서 내가 한 달을 산다고? 전혀 없던 계획이었다. 조호 바루에서 사람들을 만나고, 아침마다 아잔 소리를 듣는다. 하늘에 핀 예쁜 꽃 같은 뭉게구름을 보며 감탄한다. 내가 갈림길에서 이 길로 가기로 도전을 했고, 그래서 나는 이곳 조호 바루에 있었다. 나는 과연 누구인가? 지금까지 살면서 내가 한 도전들이 바로 나다.

우두머리 나오라고 해

숭악한 놈들 여럿이 나를 괴롭힌다. 한 놈 한 놈 상대를 하다 보니 지친다.

"이놈들 중에 분명히 우두머리가 있을 것인데, 그놈을 찾아서 한방에 작살을 내버릴까? 근데 언 놈이 우두머리인 겨? 누군지 알아야 결판을 내든가 말든가 할 것이 아닌가?"

이것이 삶에서 우리가 마주하는 현실이다. 내 삶에 시비를 거는 것들은 많은데 그것들이 마치 한여름 잡초처럼 베고 또 베어도 절대 소멸하지 않는다. 삶에서 생기는 문제들은 제각각 다른 모양으로 나를 괴롭힌다. 서울 강남 고속버스 터미널에 지하 상가가 있다. 상가는 지하철 역과 고속버스 터미널로 연결되는데 고속버스 터미널에 엄청 큰 쇼핑몰이 있다. 나는 이 속으로 들어가면 도대체가 어디가 어딘지 헷갈린다. 삶에서 맞닥뜨리는 문제들 때문에 마치 고속버스 터미널 지하에 들어와 있는 것처럼 복잡하게 느껴질 때가 많다.

우여곡절을 겪었는데도 나는 다행히 은퇴자가 되었다. 은퇴라는 단어가 남들에게는 어떻게 들릴지 모르지만 내게는 편안한 느낌이다. 완주를 마친 마라토너 같은 기분이 든다. 은퇴를 하니 인생에서 만났던 여러 문제들이 일시에 사라진다. 직장 생활이 모든 문제의 온상이였나 보다. 그 덕에 이만큼 살기는 했지만.

"이 녀석은 뭐지?"

은퇴를 하고 나서 대부분 문제들은 사라졌는데도 한 녀석이 꿋꿋하게 남아 있다.

"아, 이 녀석이 우두머리인가?"

삶을 이루는 근간이며 가장 중요한 기둥은 무엇일까? 이것이 없으면 삶이 송두리째 흔들리는 것은 무엇일까? 이것이 있으면 삶에서 발생하는 많은 문제들을 해결할 수 있는 것은 무엇일까?

우리 삶을 돌아보자. 삶은 달리는 자동차다. 주요소에 들러 기름을 넣어 주어야 하고, 엔진오일도 갈고, 세차도 하고, 보험료에 세금도 내야 한다. 삶은 비용이다. 하루를 산다는 것은 많든 적든 비용을 지불해야 한다. 자급자족하는 삶은 이미 수백 년 전에 멸종했다. 쌀 한 톨, 물 한 방울도 생산하지 못한다. 반드시 비용을 지불하고 구매를 해야 하는 것이 삶이다. 욕심 없는 삶에도 여전히 비용이 든다. 평생 차를 안 타고 걸어 다닌다고 해도 신발과 양말은 있어야 한다. 비용이 적게 드는 삶은 있어도 비용이 들지 않는 삶은 없다. 자동차처럼 우리 몸은 비용이 들어야 유지가 된다.

"삶에서 가장 중요한 기둥 중에 하나가 바로 돈이다."

이 말을 인정하려면 모순을 헤치고 나와야 한다. 돈은 참으로 영악하다. 돈은 정말로 얄밉다. 반드시 필요한 존재인데 그렇다고 진정으로 인정하고 싶지는 않다. 똑똑하고 잘 생겼는데 정은 안 가는 그런 녀석이다. 물론 돈이 전부가 아니다. 돈으로 행복을 살 수 없다는 말도 인정한다. 부자 중에 불행한 사람도 있고, 가난하지만 행복한 사람도 있다. 듣고 싶은 것만 듣고, 보고 싶은 것만 보면서 자기 생각이 옳다고 믿고 싶겠지만 엄연한 현실은 어쩔 수 없는 것이다. 부자 중에 행복한 사람이 더 많고, 가난한 사람 중에 불행한 사람이 더 많은 것도 사실이다. 돈이 우리 삶에서 만나는 문제 중에 우두머리일 수 있다는 말이다.

"어떻게 하면 잘 살수 있나요?"

내가 이런 질문에 답을 할 만한 위치는 아니지만 누군가 묻는다면,

"무지를 벗어버리면 됩니다."

이렇게 대답을 해 주고 싶다. 잘 알지 못하는 상태는 안개 속을 걷는 것처럼 답답하고 자칫 발을 헛딛는 실수를 할 수도 있

는 것이다. 그것이 무엇이든 작동하는 원리를 제대로 아는 것이 중요하다. 돈에 대해서도 마찬가지다. 돈은 삶에 있어서 중요하다, 그렇지 않다는 논쟁은 허울이다. 신이 있다, 없다는 논쟁과 같다. 있다고 믿으면 있는 것이고, 없다고 믿으면 없는 것을 뭐 한다고 밤을 새워가며 설득을 시키느라 고생을 하는 것인가?

돈에 대해 무지하다면 살면서 많은 문제들이 우후죽순처럼 생겨날 것이다. 중요하건 중요하지 않건 삶에서 돈은 필요한 것이니 차분히 앉아서 공부를 해야 한다. 그저 돈 꽁무니만 쫓아다니다가 세월 다 보낼 수도 있는 법이다. 은퇴를 했는데도 여전히 마음 한구석에 웅크리고 있는 고민거리도 돈이다. 많으면 많은 대로 적으면 적은 대로 고민을 만들어 내는 것도 돈이다. 많이 벌면 더 벌고 싶어서 안달이고, 없으면 사는 게 피곤해서 걱정인 것도 돈이다. 돈을 많이 벌자는 말도 돈을 무작정 아끼자는 말도 아니다. 내 삶에 돈은 무엇인지 정확하게 알자는 말이다. 싸움은 모름지기 승패를 가를 수 있는 상대를 선택해서 해야 한다. 마땅히 싸울 상대와 한판을 겨루는 것, 그것이 바른 삶이다.

이방인 여행자의 기도

 무슬림들에게 기도 시간을 알리는 아잔이 들립니다. 새벽 이 시간이면 선선한 공기를 타고 나른하면서도 청아한 소리가 어김없이 나를 흔듭니다.

파란 행성 지구에는 참으로 많은 종교가 있습니다.

완전하다는 신을 섬기는 종교가 서로 미워하고 헐뜯고 원수처럼 대하지 않기를 기도합니다. 세상이 이리도 힘든 건 종교를 믿는 사람들이 편을 갈랐기 때문입니다. 모든 종교는 묵상에서 탄생했습니다. 부처는 보리수 아래에서, 예수는 광야에서, 마호메트는 동굴에서 처절하게 침묵했습니다. 씨앗은 땅속에서 침묵해야만 껍질을 벗고 태어날 수 있으니 침묵은 생명입니다. 당신들은 죽음 같은 침묵으로 신이 되었는데, 당신들의 제자들은 너무 시끄럽지 않습니까? 신을 믿는다고 외치는 모든 자들이 자기 집 방 한 칸을 없는 이들에게 내어주고, 자기 재산의 절반을 궁핍한 자에게 주기를 기도합니다. 그러면 세상이 평온해질 것입니다. 당신들에 대한 사랑을 입술로 좋알대지만 말고 몸으로 행할 수 있기를 아주 간절히 기도합니다.

아잔이 멈추면 조호 바루 하늘에 새들이 날기 시작합니다.

28층 높이에서 듣는 새 소리는 참으로 경이롭습니다. 저들은 이리 높은 곳까지 어찌 날아오르는지요? 혹시라도 땅에서는 더 이상 살 수 없어 높이 오르는 것일까요? 이 파란 행성이 인간만의 것이 아니라는 사실을 자각하기를 기도합니다. 단지 불편하다는 이유로 아무렇지도 않게 생명을 처단하는 인간들의 난폭한 짓을 중지시켜 주소서. 지구의 모든 생명체들과 함께 살아가는 착한 사람들이 되기를 소망합니다. 작고 나약한 것들을 징그럽다는 이유로 박멸하니 인간 자기들끼리도 그리 포악하게 대하는 것이지요. 사람이든 바퀴벌레이든 타자(他者)를 마구 짓밟는 악마 같은 근성을 말끔히 청소해 주기를 아주 간절히 기도합니다.

동이 트면 건설 현장에서 기계 소리가 들립니다.

고향을 떠나 타지에서 집도 없이 떠도는 사람들이 돈 많은 사람들을 위해 집을 짓는 소리이지요. 저들은 하루 종일 뙤약볕에서 일을 하더군요. 가난한 사람들이 고향을 떠나 타지에서 일하지 않기를 기도합니다. 고향에서 사랑하는 가족들과 같이 살 수 있는 기적이 일어나기를 소망합니다. 고향을 떠나면 타지 사람들에게 멸시와 구박을 받습니다. 타지인들은 집도 있고, 돈도 있고, 가족도 있으면서 고향 떠나 돈 벌러 온 불쌍한 사람들을 괴롭힙니다. 타지인들의 마음은 워낙 포악해서 당신들도 어쩌지 못하지요? 회개는 항상 착하고 슬픈 사람들, 회개할 것이라고는 아무것도 남지 않은 이들의 몫이지요? 가난한 이들이 고향을 떠나지 않게 되기를 아주 간절히 기도합니다.

세상이 완전히 밝아오기 직전인 지금이 좋습니다.

어두우면 누군가는 길을 잃고, 밝으면 봄날 피어난 새싹처럼 하루의 수고를 시작해야 하기에 지금 같은 부동(不動)의 시간이 행복합니다. 침대에서 일어나지 않아도 되는 시간은 우리에게 주어진 짧은 자유이지요. 부자가 되는 상상을 하고, 사랑할 사람을 만나는 날을 기대하며 기지개를 켤 수 있는 지금과 같은, 온전히 나에게 집중할 수 있는 시간이 많아지기를 기도합니다. 아, 이런 새벽만 있으면 얼마나 좋을까요? 모든 것이 잠잠하면 어쩔 수 없이 덩달아 조용해져서 억지로라도 자기와 대화를 나눌 수 있기를 아주 간절히 기도합니다.

태양이 떠오릅니다. 이제 각자의 짐을 져야 할 시간입니다.

무소의 뿔처럼, 프로메테우스처럼, 하루 종일 제자리에서 꺼졌다 켜지며 지루한 일을 반복하는 길거리 신호등처럼, 자기의 소명을 온몸으로 받아내야 하는 시간입니다. 진심으로 바라옵기는, 소처럼 말없이 낮의 시간을 감당하게 도와주시옵소서. 생각을 한들, 대들어 본들, 무슨 소용이 있겠습니까? 신들이시여, 우리 육체를 지켜주십시오. 너희는 미천하다, 평생 고해(苦海)에서 나뭇잎처럼 떠돌며 수고할 것인데, 신인 우리들을 경배하면 평안할 것이라고 말하지 않았습니까? 우리 몸이 건강해야 경배를 하든지 할 것 아닙니까? 아무것도 바라지 않습니다. 그저 움직일 수 있는 내 한 몸이면 족합니다. 멀리 가지 않아도 됩니다. 동네 한 바퀴 돌며 슈퍼에 가서 하루치 일용할 양식을 살 정도 몸이면 됩니다. 아주 간절히 기도하오니 내 몸을 지켜주시옵소서.

조호 바루에서 라면을 끓이며

라면을 보면 호모사피엔스가 떠오른다. 호모사피엔스는 지구 생태계에서 보잘것없는 미약한 존재였다. 치타처럼 빠르기를 하나, 사자처럼 강하기를 하나, 코끼리처럼 덩치가 있나, 도대체 뭔 재주로 지구를 장악했는가? 라면을 보라. 참 초라하게 생기지 않았는가? MSG의 온상이니 하며 구박은 또 얼마나 받았는가? 라면이 요리인가? 김밥은 못 말아도 라면은 누구나 끓일 수 있다. 라면도 못 끓이냐는 말 한 마디는 네가 인간이냐는 과격한 핀잔과 동급이다. 라면 먹고 갈래요? 라면은 샤방샤방한 핑크색 에로스이기도 하다. 라면은 아마도 지구에 있는 인간들이 국가와 인종과 종교를 초월해 보편적으로 즐기는 평등한 음식일 것이다.

라면은 한때 최고급 음식이었다. 다른 사람은 어떤지 몰라도 내 기억에는 그렇다. 강원도 산골짜기에 살 때 여우 같은 고모가 장롱 속에 숨겨놓고 혼자만 호로록대며 끓여 먹던 음식이었다. 나는 라면 먹는 소리를 들으며 그 맛을 상상하고는 했다. 친구 중에 진짜 가난한 친구가 있었었는데 돈 모아 라면을 사 들고 그 친구집에 간 적이 있었다. 왜 라면을 샀냐고? 고급 음식이었으니까. 일요일이면 교회를 갔는데 없는 살림이었지만 어찌 빈손으로 가는가, 헌금을 들고 가야지. 그러고 보니 교회는 그 가난할 때도 돈을 요구했구나. 헌금을 안 하면 안 되니까 조금만 하고 돈을 남겨 친구 여럿이 개울가에서 깡통에 라면을 끓여 먹었다. 라면 한두 개를 살만큼만 헌금에서 삥땅을 친 것이다. 헌금도 하고 라면도 사고, 일거양득이었다.

직장 생활을 할 때 라면은 위안이었으며 인생사를 들어주는 인내심 강한 상담사였다. 밤새 술을 마시고 출근을 해서는 윗사람에게 눈도장을 꽝꽝 찍고 라면집으로 달려간다. 뜨끈뜨끈한 라면을 입으로 불어 한 입 삼키면 느글거리던 속이 일시에 풀리고 심신에 안정이 찾아왔다. 라면집에서 주는 양도 많지 않은 신김치는 어찌 그리 궁합이 찰떡이던지. 라면에 김밥? 나는 이 조합에 동의하지 않는다. 라면에는 공기밥이다. 라면 국물에 흰 쌀밥을 부으면 국물과 탄수화물이 한 데 어우러지면서 천상의 맛을 만들어 낸다. 새벽에 술에 취해 휘청거리며 집에 들어와서 눈치를 보면서 달그락 호로록 끓여 먹던 라면은 참으로 달았다.

몇 년 동안 라면을 멀리했다. 세월 앞에 장사 없다고, 혈압이 높다고 하고 콜레스테롤도 높다고 해서 건강을 생각할 때가 되었나 해서 매정하지만 어쩌겠는가? 살 사람은 살아야 하니 라면과 인연을 끊었다. 눈길도 주지 않았다. 말레이시아 첫 한 달 살이 도시인 코타 키나발루에서는 흔들리지 않았다. 두 번째 도시 쿠알라 룸푸르에서는 컵라면을 먹는 것으로 화해를 시도했다. 세 번째 도시 조호 바루에서 드디어 우리는 서로 부둥켜안았다.

생고생을 하고 싱가포르를 갔다 오고 나서 라면을 끓였다. 무려 네 봉이나 말이다. 부질없는 세월에 산천초목은 다 변했지만 라면 맛은 그대로였다. 아, 내 어찌 너를 멀리했단 말인가? 귀로 먹었던 고모의 라면, 개울가 깡통라면, 회사 근처 해장라면의 추억이 골고루 섞인 맛이었다. 망고보다 달았다.

라면 하면 대한민국이다. 반도체, 치킨, 빨리빨리, 또 뭐 없나? 하여튼 이런 대한민국 대표 상품에서 라면을 뺄 수는 없다. 말레이시아 슈퍼에서 라면을 수도 없이 봤다. 라면 봉지가 맛을 부르는 디자인이 아니어서 당연히 맛이 없을 것이라 예상을 했다. 말레이시아 생활이 며칠 남지 않은 어느 날 아침에 우리 둘은 말레이시아 라면을 끓였다. 한 입 넣는 순간 미소가 번진다. 우리나라 라면은 자극이 강한 것이 영락없는 한국 사람 같다면 말레이시아 라면은 순한 말레이 사람을 닮았다. 이름을 잊어버리면 가게에서 또 사기 힘드니까 얼른 라면 봉지를 핸드폰으로 찍는다.

"참 나, 라면은 전 세계 어디나 다 맛있구나. 대한민국, 긴장해야 되겠어. 여긴 치킨도 일품인데, 라면까지 맛있네."

우리는 라면을 다 먹고 배를 두드리며 괜한 걱정을 한다. 혼자 여행을 다니면서 혼자 식사를 하면 이런 재미는 없을 듯하다. 둘이 여행을 다니면 밥 먹을 때가 제일 좋다. 사랑하는 사람과 한 식탁에서 오손도손 서로 얼굴 바라보며 음식을 먹는 것, 뭐 이런 것이 사랑하는 느낌이겠지? 그럴 거야.

은퇴 후 7개월, 7개 도시 이야기

'삼육구 징크스'에 걸리지 않고 오래 행복하기

직장에 다닐 때, 이렇게 말하니 내가 은퇴를 했다는 것이 확실하게 실감이 나기는 하네. 그때 '삼육구 징크스'라는 말을 처음 들었다. 오래된 핸드폰 배터리처럼 감정이 금방 닳아서 없어지는 콜센터에서 일하는 직원들이 이 징크스에 시달린다는 것이다.

"삼육구 징크스가 도대체 뭡니까?"

콜센터에서 일을 하면 신기하게도 입사하고 세 달, 여섯 달, 아홉 달이 되면 그만두고 싶은 마음이 든다고 한다. 처음 이 말을 들었을 때, 설마 그러겠어? 하고 반신반의했다가 신입 직원들과 면담을 하다 보니 신기하게도 맞아떨어지는 것이다. 그럼 아홉 달을 잘 버티면 성공한 것인가? 그건 또 아니라고 한다. 삼 년, 육 년, 구 년 주기로 이 징크스는 계속 이어진다고 한다. 퇴직자 현황을 살펴봤더니 영 틀린 말은 아니었다. 실제로 삼육구 주기로 퇴직율이 높았다.

나는 삼육구 징크스가 작심삼일의 변종이라고 생각한다. 작심삼일, 누가 이 말을 만들었는지는 모르지만 정말로 대단한 통찰이 아닐 수 없다. 실제로 삼일 이상을 버틴 결심은 거의 없었다는 것을 내 삶 전체를 통해 격하게 인정을 하고 결박을 당한

포로처럼 겸손하게 받아들인다. 나는 살면서 수없이 많은 여러 도전을 했으나 그때마다 번번이 작심삼일의 벽을 넘지 못했다. 작심삼일의 벽은 인간 본성의 한계로 해석하는 것이 옳은 듯하다. 대부분 인간은 본시 삼일 이상 어떤 결심을 행동으로 옮기기 어려운 심리구조를 가지고 있다는 말이다. 물론 돌연변이는 어디에나 있으니 강철 같은 의지로 쉬지 않고 밀어붙이는 이들도 어딘가에는 있을 것이다.

나는 생각이 많다. 오해는 마시라. 생각이 많은 것뿐이지 단언하지만 절대로 생각이 깊은 것은 아니다. 생각이 많다는 걸 달리 말하면 잔머리를 잘 쓴다는 말이기도 하다. 내 잔머리가 어떤 수준인지 한번 들어 보시라.

밥을 할 때 물을 얼마를 넣어야 할까? 여러 방법 있겠지만 내가 개발한 것이 가장 확실하다. 쌀과 물을 1:1 비율로 하면 된다. 쌀을 한 그릇 펐으면 같은 그릇으로 쌀 푼만큼 물을 넣으면 된다. 라면을 끓일 때 국물 조절을 잘 못하는 사람들이 있던데, 자기가 먹을 그릇을 먼저 준비하고 그 그릇에 원하는 국물만큼 물을 붓고 그 물을 냄비에 넣고 라면을 끓이면 자기가 원하는 국물을 맞출 수 있다. 나는 해외 장기 여행을 하면 이발이 가장 성가실 것 같아서 삭발을 했다. 실제 여행을 해 보니 신의 한수였다. 은퇴자는 소득은 없고 모아 둔 돈을 쓰는 사람이니 지금처럼 몇 달을 동남아 여행을 한다. 서울에 있는 것보다 돈도 절약이 되고 여행도 하고 참으로 좋다.

나는 이런 잔머리 쓰임이 상당히 발달되어 있는 사람이다. 한 때 이런 생각을 했다.

'작심하면 삼일 밖에 못 간단 말이지? 그러면 삼 일만 하고 하루 무너지고 또 삼 일만 하고 하면 되겠네.'

이른바 삼 일 장벽 앞에서 스스로 무너지기 전략인데 이게 은근히 효과가 좋았다. 삼일 이상 해야 한다는 강박이 없으면서 삼 일만 하면 되니 실행하기도 편했다. 삼 일은 그리 짧은 시간이 아니다. 삼 일만 집중해서 하면 뭐든 다 이룰 수 있다. 나는 이 잔머리로 무려 금연에 성공했다. 삼 일만 금연하기 전략이었는데 삼 일 금연을 하니 어느새 나흘도 닷새도 가능했다.

콜센터 팀장들에게 이런 당부를 했다. 신입 직원들이 삼육구 징크스를 겪는다면 석 달 주기로 직원들과 대화를 하고, 고민을 들어주고, 힘들어 하는 것들을 해결해 주고, 사기를 올릴 수 있는 이벤트를 하자. 사람 마음이 그렇다면 그 마음을 억지로 바꾸지 말고 있는 그대로 상태에서 삼육구 징크스를 이겨보자. 그래서 결과는 어찌 되었을까? 결과를 볼 겨를도 없이 나는 다른 곳으로 발령을 받았다. 그러나 좋은 시도였다.

코타 키나발루, 쿠알라 룸푸르에 이어 조호 바루에서 동남아 여행 세 달째다. 제주에서 세 달을 살고 바로 출국을 했으니 은퇴 여행 여섯 달째이기도 하다. 정확하게 삼육구 징크스에 해당하는 달이다. 삼육구 징크스가 슬슬 나타날 때가 되었다. 징크스가 나타나든가 말든가. 징크스가 오기 전에 우리는 곧 말레이시아 세 달 살기를 끝내고 태국으로 간다. 우리가 왜 제주에서 세 달, 말레이시아에서 세 달, 태국에서 세 달을 사는 계획을 세웠겠는가? 다 징크스 너 때문이다. 행복에 방해되는 것이 있다면 기를 쓰고 그걸 피해가야 한다. 비 오면 우산 쓰고, 배 아프면 화장실부터 가고, 내 말하는 버릇이 상대를 아프게 하면 입을 다물어야 하는 것처럼 최대한 잔머리 써서 행복하기 위해 노력을 해야 한다.

말레이시아, 고맙다

태어나서 처음으로 사표를 날리고 해외 한 달 살기를 하러 떠나는 날, 캐리어를 끌고 공항으로 가는데 여러 가지 생각이 들었다. 코타 키나발루 공항에 도착해서 현금을 찾고 유심을 사고 숙소에 도착해서 샤워를 하고 잠을 청하는데 또 이런저런 생각이 들면서 밤이 깊은 늦은 시간인데도 잠이 쉬이 오지 않았다.

"이리 살아도 되는 것인가? 뭐 하자는 거지?"

약간은 당황한 마음으로 하룻밤을 지샜다. 아침에 일어나서 코타 키나발루 따가운 태양과 딱 맞닥뜨렸는데, 강렬한 것이 성질 까다로운 나와 궁합이 잘 맞을 듯했다. 동네도 적당히 시끄럽고 냄새도 나는 것이 한번 살아볼 수 있겠다는 자신이 생겼다. 하루도 빠지지 않고 매일 석양을 봤다.

"이게 무슨 호사인가?"

이런 생각이 스치면서 우리는 말레이시아에 서서히 적응했다. 세 도시에서 석 달을 살았다. 말레이시아는 사람이 진국이다. 얼굴도 까맣고 턱에 얍삽하게 수염을 기른 사람들도 많아 초면에는 접근하기가 어려운데 시간이 지나자 그 용모가 익숙해지더라. 사람들 성격도 다들 둥글둥글하다. 딱히 까탈스럽지도 않고 급하지도 않다. 아마도 태양과 친해서 그런 것 같다. 태양을 많이 쬐면 세로토닌이라는 호르몬이 분비되는데 이 호르몬이 행복한 감정을 만들고, 밤이 되면 숙면을 유도한다고 한다. 낮에는 행복하고 밤에는 잘 자니 사람들이 죄다 날개만 없지 천사였다. 스트레스 중에 대왕 스트레스가 바로 사람 때문인데, 이런 순한 사람들 덕분에 아주 잘 지냈다. 군에서 휴가 나와서 집에서 지내는 그런 느낌이었다.

말레이시아에서 세 달을 있는 동안 가장 많이 바라본 풍경이 하늘이다. 적도와 가까운 곳이라 태양이 강하게 내리쬐면서 땅에 있는 수분을 증발시켜 구름을 만들고, 구름은 다시 비가 되어 쏟아지고, 땅에 떨어진 비는 다시 하늘로 올라가 구름이 되는 순환이 일어난다. 말레이시아 하늘은 참으로 풍성하다. 하얀 구름들이 아이들처럼 소리를 지르며 몰려다니는 것 같다가 금세 먹구름이 되어 한바탕 폭우를 쏟고 내가 언제 그랬냐는 듯이 파란 색을 보여주기도 한다. 저녁나절과 새벽녘에는 지고 뜨는 태양이 붉게 빛난다. 하늘을 보는 사람 중에 불행한 사람은 없다. 인간의 신체구조가 그렇다. 땅을 보면서 한숨을 쉬는 건 되지만 하늘을 보고는 절대 한숨을 쉴 수 없다. 은퇴한 중년 사내가 틈만 나면 하늘을 봤으니 행복할 수 밖에.

말레이시아는 짬뽕 맛이다. 언어도 여러 개가 섞여 있고, 사람들도 그렇고, 음식에도 말레이와 중국과 인도가 다 들어가 있다. 이 희한한 조합이 어우러져 맛을 낸다. 여행자 눈에는 보이지 않는 이면에 서로에 대한 갈등이 있는지는 모르겠지만 내 눈에는 하모니가 잘 맞는 오케스트라 선율 같다. 언어도, 음식도, 사람도, 그저 자기 생긴 대로 어울려 사는 곳이 말레이시아 같다. 이것저것 한 데 섞어서 맛을 내는 비빔밥 같기도 하다.

배가 고파서 눈에 보이는 식당에 갔는데 줄서는 맛집이고, 바람 쐬러 갔는데 입이 딱 벌어지는 절경이고, 사람을 붙잡고 길을 물었는데 그 동네에서 제일 착한 사람이었네. 내가 지금 이런 기분이다. 평생 처음으로 사표를 날리고 평생 처음 해외 한 달 살이를 한다며 괴나리 봇짐을 싸들고 대충 소식 듣고 찾아온 곳이 말레이시아였다. 이 우연이 나를 행복하게 했다. 햇빛 부자인 땅에 순한 사람들이 살아가는 곳에서 나는 위로를 받았고, 이리 떠돌아 살아도 참 좋겠다는 힌트를 얻었으며, 이곳저곳을 더 돌아다녀야겠다는 계획도 세우게 되었다. 이곳에 와서 맛난 음식으로 진짜 잘 먹었다. 달고 단 긴 잠을 잤다. 여기저기 구경도 많이 했다. 덕분에 나를 추스리고 다시 길을 나선다. 고맙다, 말레이시아. 뜨리마 카시, 말레이시아. 나중에 또 보자.

방콕
Bangkok

태국어 자음과 모음을 쓰며

해외 한 달 살기 첫 도시인 코타 키나발루에서는 말레이어 공부에 대한 의욕이 하늘을 찔렀었다. 매일 아침에 한두 시간 유튜브를 보면서 표현을 익히고 시장이나 식당에서 배운 표현을 사용해 보는 재미는 실로 놀라웠다.

"오호, 이러다가 말레이어 동시통역사가 되는 거 아녀?"

배움은 언제나 상쾌하다. 갓 구워 나온 빵을 한 입 베어 무는 느낌이다. 나는 말레이어 공부를 하면서 뒤늦게 내 재능을 발견하고는 흐뭇한 기분이 들었다. 웬걸, 숙소 와이파이가 고장이 나더니 몇 번을 고쳤는데도 코타 키나발루를 떠날 때까지 제대로 작동을 하지 않았다. LTE 데이터를 써가며 유튜브로 공부하기에는 데이터가 아깝기도 했고, 속도도 느렸다. 공부는 쿠알라 룸푸르에 가서 하는 걸로 미뤘다. 또 웬걸, 쿠알라 룸푸르에 도착했더니 수도라서 그런지 사람들이 다 바쁘다. 내가 말레이어로 떠듬떠듬 말을 하려고 하면 대뜸 영어로 한다. 이렇게 내가 도전한 말레이어 공부는 용두사미 격으로 막을 내렸다.

조호 바루에서 말레이시아 생활 세 달째를 시작했다. 조호 바루는 싱가포르와 붙어 있어서 영어가 막 통하는 곳인 줄로 생각했다. 큰 착각이었다. 동네 식당이나 가게에서 말레이어가 날아다니는데 어지럽다. 게다가 사람들은 친절해서 나를 보면 말을 건네려고 하는데 소통이 안 된다. 후회를 했다. LTE 데이터 그게 얼마나 한다고 코타 키나발루에서 그 멋진 의욕을 죽이지만 않았어도, 쿠알라 룸푸르에서는 호텔에서 살았고 큰 쇼핑몰만 돌아다녔으니 영어가 된 거였겠지, 핑계도 참 가지가지구나.

"그것 보라고, 내 그럴 줄 알았지. 뺀질뺀질 이 핑계 저 핑계 잘도 대더니만."

말레이어는 자음과 모음이 영어 알파벳이기 때문에 기초 문법과 단어만 열심히 외워도 어느 정도 의사소통은 가능했을 것이다. 흔하지 않은 기회를 이리 날려 버리다니. 오호통재라, 아깝고도 아깝구나.

새로운 여행지인 태국 방콕으로 왔다. 태국 하면 뭐가 제일 먼저 떠오르는가? 음식? 마사지? 나는 글자가 생각난다. 며칠째 태국어 자음과 모음 쓰기를 연습하고 있은데 이게 참으로 힘들고 고단한 일이다. 태국어는 자음과 모음을 합쳐 그 숫자가 60개가 넘는다. 그 생김새는 보는 이를 당황하게 만든다. 글자를 한번 따라서 쓰려면 복잡한 미로에 갇힌 것처럼 우왕자왕하기 일쑤다. 그림에 소질이 없는 사람은 태국어 익히는 거 쉽지 않을 것 같다. 여기에 결정타 한 방, 글자가 중국어처럼 높낮이인 성조가 있다. 무려 성조가 평평한 소리, 올라가는 소리, 올라갔다가 내려오는 소리 등등 해서 다섯 개나 된다. 거실 테이블에 쪼그리고 앉아 그림도 아니고 낙서도 아닌 태국어 자음과 모음을 그리면서 자꾸 왜 말레이어가 떠오르는지 모르겠다. 에구, 그 쉬운 걸 안 배웠으니.

모든 것이 그렇듯 배움도 시간이 지나니 윤곽이 보이기 시작한다. 뭐든 시작만 하면 된다. 시작이 정작 제일 어려운 법이다. 처음 태국어 자음과 모음을 보고는 아연실색했다.

"와! 안 해, 안 한다고. 저런 글자를 어떻게 외우고, 게다가 쓰기까지 해야 한다고?"

태국에서 세 달 여행을 하려고 배우기에는 너무 벽이 높아 보였다. 노력 대비 효과가 전혀 없어 보였다. 그야말로 가성비가 최악인 것처럼 느껴졌다. 나는 짜증을 내고 물러났다가 호되게 꾸중을 듣고 기가 꺾인 아이처럼 다시 쪼그리고 앉아 쓰기 시작했다.

어라, 신기하다. 이게 눈에도 손에도 익는다. 이 자음과 저 자음이 구분이 되네. 떠듬떠듬 읽을 수도 있네. 야호, 완전 신세계다. 태국 생활 세 달을 계획하고 있다. 일단 이 세 달 동안 태국어 자음과 모음을 완전히 익히고 식당 메뉴판을 읽는 수준까지 도전하기로 했다. 이번 세 달 동안에는 핑계는 없다. 공부는 아날로그가 최고다. 정 안 되면 과외 선생이라도 모셔서 공부를 할 것이다. 반드시.

개안(開眼)을 하면 세상이 밝아진다. 세상이 어둡기 때문이 아니라 내 눈이 까막눈이라 그런 것이다. 눈은 어떻게 뜰 수 있는가? 눈이 떠진 다음에 어찌 세상을 살아가느냐는 또 다른 문제이기는 하지만 그 시작은 공부다. 내 말을 믿지 못하겠다면, 전혀 모르는 아랍어, 태국어, 중국어 같은 생소한 언어를 공부해 보라. 세상이 밝아지는 건 기본이고 넓어지기까지 한다. 만약 어떤 한 분야에 깊이 빠져 있다면 정 반대에 있는 분야를 공부해 보라. 서양 철학에 조예가 있다면 노자를 공부하고, 기독교에 심취해 있다면 불교와 이슬람을 공부하고, 열심히 사는 것에 온 정신이 팔려 있다면 쉬는 것에 관심을 가져보라. 눈이 열리고 완전해지는 희한한 느낌, 골목길에서 큰 대로로 나온 그런 희열을 만날 것이다. 내 반드시 태국어를 쓰고 말할 것이다. 기필코.

* 이 글을 정리하면서 방콕 서점에서 산 태국어 초급 책을 꺼내 본다. 내가 공부했던 흔적이 책에 고스란히 남아 있다. 불과 몇 달 전인데도 그때 열정이 부럽다. 늙는다는 것은 나이를 먹는 것이기도 하지만 꺼지는 장작불처럼 열정도 사그라드는 것일까? 열정이 완전히 꺼지기 전에 불씨를 잘 살려서 계

속 도전을 하고 싶다. 열정은 그대로이고, 나이만 먹은 노년이
기를 희망한다.

오후 5시 1분, 나는 편의점으로 간다

내 대학 전공은 법학이다. 계획에 없던 전공이었지만 떡 본 김에 제사를 지낸다고 고시 공부를 시작했다. 그때 나름 최선을 다해서 열심히 공부를 했다. 이 세상 모든 이치는 시작을 하면 자연히 알게 된다. 공부를 해 보니까 이 세상 모든 일이 노력만으로 되는 것이 아니라는 걸 깨닫게 되었다. 지능지수(IQ)가 나름 의미가 있다는 걸 알고 조용히 공부를 접었다. 그때, 민법 총칙이며 채권법이며 이런 책에 빠져들었을 때 덩달아 빠져든 게 있었으니 바로 술이다. 월요일부터 매일 도서관에 갔다가 딱 하루 토요일 저녁이 되면 도서관에서 조금 일찍 나와서 집 앞에 있는 가게에서 소주와 스팸을 산다. 프라이팬에 스팸을 데워 초간단 안주를 만들어 소주를 마시면 세상 부러울 것이 없었다. 고(苦)학생 단칸 자취방에서 법률가를 향한 청운의 꿈과는 멀어지고 술과는 떼어 내려고 해도 떼어지지 않는 질긴 인연이 시작되었다.

어언 삼십 몇 년이 훌쩍 흘렀다. 세월은 투명 고속 열차다. 어느새 청년은 오십 중반 중년이 되어 은퇴를 하고 호기롭게 제주로 향한다. 긴 세월 같이 지내본 결과, 술이라는 것이 장점은 고작 한두 가지 정도에 불과한데 단점은 이루 셀 수가 없

다. 더군다나 지구 여행을 하기 위해 이른 은퇴를 한 것이기에 술을 멀리하는 것이 옳다. 술과 인연을 끊기로 결심을 한다. 그럼 그렇지. 한 일주일 끊었나? 바람 불고 눈 내리는 성산일출봉 아래 민박집에서 홀짝이며 마시는 와인은 참으로 달았다. 다시는 헤어지지 않기로 마음을 굳게 먹었다.

말레이시아 코타 키나발루에서는 강제로 금주를 당할 뻔했다. 식당에서는 술을 볼 수도 없었고, 마트에서는 현지 물가와는 어울리지 않게 비싸서 부담스러웠다. 조국 대한민국에서 맥주 네 캔을 만 원에 사서 마시다가 한 캔에 무려 4천 원 가까운 돈을 내려고 하니 속에서 열불이 났다. 맥주 한 캔을 진짜 아껴 가면서 새가 물 마시듯 한 모금 한 모금 마셨다. 이런 나름 궁핍하지만 절제된 생활은 쿠알라 룸푸르와 조호 바루로 이어졌다.

방콕에 와서 쇼핑몰과 마트를 다니면서 제일 먼저 술 가격을 확인한다. 오, 부담이 전혀 되지 않는 가격이다. 태국 마음에 든다. 방콕 숙소에 수영장과 헬스장이 있는데 헬스장에서 바라보는 풍경이 참 좋다. 나는 풍경 좋은 헬스장에서 매일 열심히 운동을 한다. 헬스장에서 속도 9에 놓고 5km를 달렸더니 땀으로 범벅이 되었다.

나는 갈증을 즐긴다. 조국 대한민국의 해파랑길, 남파랑길, 서해랑길을 걸을 때도 식사 두 시간 전부터는 일체의 수분 공급을 중단한다. 갈증을 일부러 고조시키는 것이다. 갈증이 거의 턱에 차올랐을 때 식당 문을 열고 들어가서 음식과 술을 주문한다. 소주든 막걸리든 소주와 맥주를 섞은 것이든 상관없다. 나는 평화주의자이기 때문에 술에 차별을 두지 않는다. 갈증이 최대치에 있을 때 목으로 넘기는 알코올, 이것이 바로 인생의 맛이다. 이날도 그랬다. 5km 폭풍 달리기를 하고 편의점에서 캔맥주를 사서 벌컥벌컥 마실 생각에 들떠 있었다. 땀 흘린 뒤에 마시는 맥주, 그것도 이틀을 금주한 상태에서 마시는 맥주는 분명히 어마어마한 맛일 것이다. 태국 맥주를 종류별로 살 생각에 나는 후끈 달아올랐다.

숙소 1층에 있는 세븐 일레븐으로 간다. 편의점 문을 여니 찬 공기가 쏴 하고 달려든다. 시원하구나. 한 치의 망설임도 없이 제일 구석에 있는 냉장고로 가서 맥주를 한아름 들었다. 카운터에 있는 착하게 생긴 직원 세 명이 땀을 비 오듯 흘리며 맥주를 들고 서 있는 빡빡이 한국 아저씨를 보더니 당황해서 어쩔 줄 몰라 한다.

"왜 이런 표정이지? 내 얼굴에 뭐가 묻었나?"

그들이 뭐라고 열심히 최선을 다해 설명을 한다. 갈증은 마그마처럼 올라오는데 무슨 말인지는 알아듣지는 못하겠고 슬슬 짜증이 나려고 한다. 옆에서 이 모든 광경을 지켜보던 인자하게 생긴 분이 영어로 말한다.

"지금은 술을 살 수 없는 시간입니다. 다섯 시가 지나야 합니다. 십 분을 기다리면 됩니다."

뭐라고? 술 파는 시간이 따로 정해져 있단 말인가? 이 무슨 해괴망측한 일인가? 여행은 알 수 없는 일이 연속해서 벌어지는 현장이다. 한시도 방심하면 안 된다. 어디서 뭐가 나올지 모르는 재미있는 놀이동산이 여행이다. 내 생에 가장 긴 십 분이었다. 맥주를 다시 제자리에 갖다 놓으려고 냉장고로 갔는데 냉장고 앞에 아주 큰 글씨로 친절하게 안내문이 붙어 있다. 영어도 있고, 중국어도 있고, 심지어 한글도 있다. 나 같은 사람들이 참으로 많은가 보다. 안내문을 요약하면 이렇다. 11:00~14:00, 17:00~24:00까지만 술을 살 수 있다. 어기면 처벌한다.

법에서 정한 술 판매 가능 시간이 아니면 아예 바코드가 읽히지 않는다고 한다. 오후 다섯 시 일 분이 되었다. 당당하게 계산을 하고, 잰걸음으로 숙소로 와서 샤워를 한다. 뜬금없이 샤워를 한다고? 나는 술을 마실 때 몸을 정갈하게 하는 습관이 있다. 술을 대하는 나의 자세다. 캔을 딴다. 울컥울컥, 차가운 알코올이 목을 적신다. 말레이시아보다 가격이 싸니 아낌없이 위장을 향해 부어준다. 근심 걱정 이런 잡스러운 것들이 싹 없어지고 노곤한 행복이 몰려온다. 이 와중에도 중독이 두려워 딱 네 캔만 마신다. 이 한도를 초과하면 몰려온 행복이 불행의 씨앗인 술주정으로 변할 수도 있다.

꿈을 향해 도전할 때, 포기라는 길도 있다는 걸 알았을 때 맺은 인연이 지금까지 이어진다. 긴 세월이다. 같이 잘 늙어갔으면 좋겠다. 솔직히 술 네가 말 많은 사람들보다 훨씬 나을 때가 많더라. 오후 다섯 시 일분, 나는 오늘도 편의점으로 간다.

어쩌다 태양까지 혐오하게 되었는가?

태양은 몰락했다. 한때 태양은 경배를 받는 신이었으나 지금
은 천덕꾸러기가 되었다. 지구 동쪽 끝에 사는 민족이 있다. 참
으로 극성맞은 사람들이다. 그들은 절대 호락호락하지 않을뿐
더러 일단 마음에 들지 않으면 지위 고하를 막론하고 가만두
지 않는 유별난 사람들이다. 임진왜란을 보라. 왕은 도망갔는
데 의병들이 들고일어났다. 당시 세계 전쟁사에서 굉장히 드

문 사례다. 왜 그랬을까? 이유는 단순하다. 그냥 왜(倭)가 싫었으니까. 이런 유전자는 지금까지 그대로 이어져서 419와 경제 발전, 1987년 6월 항쟁, 금 모으기 운동, 촛불집회 같은 행위로 연결되었다. 태양, 너 조심해야 한다. 그 민족이 너를 눈여겨보기 시작했다. 머지않아 너는 임진왜란 때 왜국처럼 수난을 받을 각오를 해야 할 것이다. 겁을 주기 위해 하는 말이 아니다.

숫자를 나열해 가면서 말하면 설득하기 쉬울 텐데, 정확한 통계를 찾지 못해 아쉽다. 우리나라 사람들은 자외선 차단제를 정말로 사랑한다. 그야말로 지구 최강일 것이다. 우리만큼 햇빛을 싫어하는 걸 넘어 혐오에 가까운 반응을 보이는 사람들이 있을까? 은퇴를 하면서 가장 먼저 끊은 것이 골프였다. 운동이랍시고 하는데 운동은 고사하고 살만 찌고 돈만 드는 골프장에 가면 그야말로 가관이다. 머리 반쯤 벗겨진 아저씨들이 화장실에서 거울을 보면서 얼굴에 허연 자외선 차단제를 발라대는데, 이걸로 모든 설명은 끝이다. 이 아저씨들이 누군가. 어려서 학교 운동장에서 공을 차며 놀던 그 새까만 꼬마들이다. 군대에서 풀이라는 풀은 다 뽑고 다녔던 역전의 용사들이기도 하다. 그랬던 아저씨들이 자외선 차단제를 얼굴에 떡칠을 한다는 건 아주 중요한 걸 의미한다. 태양, 너 잘 들어라. 그 정도로 너를 싫어한다는 말이다.

우리 눈으로 태양빛을 볼 수 있는 건 일곱 색깔 무지개가 전부다. 이걸 가시광선(visible light 可視光線)이라고 하고, 빨간색 너머를 적외선(infrared ray 赤外線)이라고 하고, 가시광선의 한쪽 끝 보라색 너머를 자외선(UV ultraviolet rays 紫外線)이라고 한다. 우리는 햇빛 중에서도 자외선을 혐오한다. 자외선이 만병의 근원이라고 생각한다. 자외선은 바퀴벌레나 쥐와 동급이다. 마주치면 안 되는 존재다. 얼굴에 철갑을 두른 중세시대 기사나 담을 넘는 도둑이 얼굴을 가리는 복면 같은 것을 쓰고 두 팔을 앞뒤로 힘차게 저어가며 걷고 있는 아주머니들을 보시라. 우리는 그 정도로 햇빛 중에 섞여 있는 보라색 너머 우리 눈에는 보이지 않는 자외선을 싫어한다.

고대에 태양을 신으로 숭배했던 것은 선견지명이었다. 태양이 우리 우주에서 그 중심에 있기도 하지만 태양이 내뿜는 빛은 지구에 사는 인간들에게 참으로 유익한 것이다. 식물들은 태양빛으로 광합성을 해서 산소를 만들어 낸다. 전자레인지를 돌리는 마이크로웨이브, 방송을 듣고 통신을 하는 라디오 웨이브도 다 태양빛 파장이다. 또 뭐냐, 이비인후과나 정형외과에 가면 아픈 부위에 붉은빛을 쏘는 것도, 비타민 D를 합성하는 것도, 사람을 행복하게 만드는 호르몬을 분비하게 하는 것도 다 태양빛이다. 태양을 그리 매몰차게 멀리하다가 큰코다친다.

혐오는 어떻게 탄생하는가? 이 질문은 화두처럼 내가 참 오랫동안 들고 다니는데, 이 세상이 이리도 힘든 건 바로 이 혐오

때문이기에 그 정체를 정말로 알고 싶다.

"당신은 그것을 왜 그렇게 싫어하는가? 속 시원하게 싫어하는 이유를 말해주면 좋겠다."

내가 이렇게 물으면 돌아오는 대답은 무지 허무하다. 실상 특별한 이유가 없다. 그 사람을 보면 '그냥' 재수가 없고, 그 사람 목소리를 들으면 '그냥' 울화가 치밀고, 이상하게도 '그냥' 싫은 것이다. 혐오는 모든 정상(正常)을 배척한다. 인종에 대한 혐오가 어떤 비극을 초래했는지 우리는 역사를 통해 빤히 목격을 했다. 그런데도 여전히 무언가를, 누군가를 열심히 혐오한다. 인종 혐오만 아니면 된다는 무서운 논리를 펼 요량인가? 드디어 사람이 아닌 태양을 혐오하기 시작한 것이다. 오 마이 갓김치다.

우리는 시울 기준으로 북위 37도 근처에 산다. 이 말을 과학을 들어 설명하면 이렇다. 만성 햇빛 결핍에 시달리는 땅이라는 뜻이다. 일 년 365일 중에 여름에만 햇빛이 제대로 보이는데, 여기에 흐린 날 빼고 장마철 빼고 태풍 부는 날 빼면 거의 햇빛을 보기 힘든 고난의 땅이라는 말이다. 영양실조에 걸린 사람이 다이어트를 한다면 그대는 뭐라고 말할 것인가? 잘 하는 짓이라 응원을 하겠는가? 아, 만성 햇빛 결핍증에 걸린 사람들이 자외선 차단제를 바르고, 모자를 쓰고, 허연 토시를 완장처럼 팔에 두르고, 이게 다 우연히 터득한 혐오를 '그냥' 따라 하기 때문이다. 태양 때문에 우리가 진화를 했는데 햇빛 몇 시간 쪼인다고 피부가 암에 걸리면 인간은 다 멸종을 했어야 하는 것 아닌가? 햇빛이 두려워 요리조리 피해 다니고 이것저것 얼굴에 바를 정도로 사는 것이 희희낙락 여유가 있다는 말인가? 미워할 여유가 있어야 혐오는 탄생하는 것인가?

방콕, 하루 종일 자외선이 듬뿍 떨어지는 곳이다. 나는 오늘도 자외선 차단제를 바르지 않는다는 잔소리를 듣는다. 늙어서 얼굴에 기미나 주근깨가 득실거리면 같이 안 놀아 준다고 으름장을 놓는다. 자외선은 살균 효과가 있다고 소심하게 대들었다가 눈빛으로 혼이 난다. 오늘도 방콕은 찬란한 햇빛 잔치가 한창이다.

외워서 행복하자

"입장을 바꿔 생각을 해 보라고?"

역지사지(易地思之), 이 말은 사기다. 사람을 이해한다는 것이 가능하다는 말인가? 불가능하다. 그런데도 우리는 감히 이해할 수 있다고 믿는다. 여기에서 인생사 모든 문제가 출발하는 것이기도 하다. 아닌 것을 기라고 우기기 때문이다. 이해해 달라는 말이나 이해한다는 말이나 다 허망한 것이다. 허망한 말은 갈등과 싸움의 시작이며, 고해(苦海) 같은 바다에 출렁거리는 파도이며, 인생의 앞날에 드리운 먹구름이다.

"안 되는 것을 되게 하라."

말장난이다. 원래 되는 것인데 지레 안 된다고 생각한 것은 하면 되겠지만 원래 안 되는 것은 백 날 해도 안 된다. 돌을 씹어 먹으라고 해 봐라. 한평생을 씹어도 애꿎은 이빨만 상한다. 인생이 고단한 건 안 되는 것에 아둔하게 매달리기 때문이다. 그 대표 선수가 바로 사람을 이해할 수 있고, 더 나아가 심지어 바꿀 수 있다고 객기를 부리는 것이다. 자녀와 아내와 남편과 시어머니를 이해하려 들지 마라. 언감생심 꿈도 꾸지 마라. 팔자소관이라고 생각하는 것이 책략 중에 상책이다. 포기도 엄연하게 전략 중에 하나다.

"온화한 표정 좀 지어 봐요. 아이, 말을 좀 예쁘게 해 보세요. 어머, 사랑하는 나를 위해서 그것도 못해요? 실망이네요."

만약 당신이 이런 말을 쉽게 하는 사람이라면 분명 지금 인생이 고달플 것이다. 왜? 마음만 먹으면 부자도 되고, 사랑도 하고, 그깟 담배와 술도 한방에 끊을 것이라는 유치한 생각에 잡혀있기 때문이다. 거의 99퍼센트 불가능한 것이 마음을 먹는 것인데, 그것을 식은 죽 먹기로 알고 있으니 그 괴리가 부산에서 대마도 정도는 될 것이다. 이런 사람은 특징이 있다. 불가능에 가까운 요구를 남에게 아주 자연스럽게 한다는 것이다. 전생에 아마 리모컨이었을 것이다. 자기는 마음 자체를 아예 안먹으면서 남에게는 이래라저래라 한다. 안 해 봤으니 알 턱이 있나? 타인에게 변화를 요구하는 것은 참으로 자제해야 하는 일이다.

나무 이파리가 바람에 팔랑거린다. 저 잎이 흔들리려면 땅속 깜깜한 곳에서 죽을 힘을 다해 물을 빨아들여야 한다. 뿌리가 그 일을 한다. 눈에 보이는 것이 전부가 아니다는 말이다. 사람의 표정과 언어와 성격이 간단하게 보일지라도 부모의 그 부모의 다시 또 그 부모의 유전자가 대물림이 된 것에, 평생에 걸쳐 발생한 사건과 좌절과 분노와 기쁨이 켜켜이 쌓이고 쌓여 만들어진 뿌리에서 발원하는 것이다. 사람은 다리 두 개, 팔 두 개,

몸통 하나, 머리 하나로 생긴 건 단순하게 보이지만 그 인생은 너무 깊어 차마 들여다보기 아찔한 우물이다. 두레박을 떨어뜨리면 한참 지나서 첨벙 소리를 낸다. 심지어 사람들은 자기 속에 우물이 있는지도 모른다. 그러니 함부로 맹세라는 걸 하겠지. 자기 고집이 얼마나 센지 모르면서 말 한마디로 맹세를 지킬 수 있다고 자신하는 것이다.

"때로는 그냥 무작정 외워야 할 때도 있어요."

외울 건 외워야 한다. 한국사나 세계사를 어찌 이해할 수 있단 말인가? 그때 그 전쟁이 왜 일어났고, 그 바보 멍청이가 어떻게 왕이 되었고, 잘 싸우고 있는 삼도수군통제사를 잡아들인 것을 이해해서 공부를 했단 말인가? 옆집 반려견인 치와와가 웃을 일이다. 공부할 때는 무조건 외워서 잘 받은 성적으로 그 잘난 대학에 들어갔으면서 뜬금없이 사람은 어찌 이해하려 하는가? 그냥 이렇게 외우자. 아, 이 사람은 이런 사람이다. 이런 상황에서는 화를 낸다. 부드러움은 애초에 유전자에 없었다.

"모든 문제는 해결을 데리고 태어난다."

내가 원하는 바로 그 답이 없을 뿐이지 모든 문제는 결국 해결이 된다. 사람 사이에서 받아들인다는 것은 항복이 아니다. 어떤 사람과 같이 잘 지내겠다는 결단이다. 사랑이란 무엇인가? 모든 것을 다 인정한다는 것이 아닌가? 사랑은 취사선택일 수 없다.

태어나서 처음으로 제주에서 세 달, 말레이시아에서 세 달, 방콕에서 한 달, 무려 일곱 달을 부부가 여행을 하고 있다. 여행은 신기하다. 수십 년을 같이 살았는데 서로에 대해 여전히 몰랐던 부분들이 불쑥 튀어나온다. 나는 오늘도 내 뒤를 졸졸 따라오는 저 예쁜 여인을 외울 것이다. 그냥 통째로 달달 외워서 아주 오래도록 행복할 것이다. 사람은 암기 과목이다.

방콕은 33도이고 아침 저녁 가끔 시원하다

조호 바루에서 방콕으로 거처를 옮기려고 숙소를 알아보고 있을 때 조국 대한민국 언론에서는 기상이변 타령을 하고 있었다. 그 타령에 태국이 등장했다. 40도가 넘었고, 체감 온도는 50도에 가깝다고 난리다. 그때 마침 딸이 그 뉴스를 카톡으로 보내주면서 걱정을 한다.

"뉴스에서 덥다고 야단법석을 떠는데, 갈까? 말까?"

태국보다 위도상으로 적도에 더 가까운 코타 키나발루, 쿠알라 룸푸르, 조호 바루에서 살았던 우리가 태국 날씨가 두려워서 여행지를 변경했다고 하면 이게 참 웃긴 이야기 아닌가. 잠깐 스쳐 지나가는 가랑비 같은 걱정을 한 후에 취소를 해도 환불이 불가능한 항공과 에어비앤비 숙소를 예약하는 것으로 방콕 행을 결정했다. 세상에서 가장 긴 도시 이름으로 기네스북에 오른 태국의 수도 방콕에 온 지 벌써 보름이 되었다.

방콕에 있는 숙소 아파트 정문으로 향하는 길은 언제나 햇빛을 정통으로 받는다. 햇빛을 듬뿍 받으며 그 길을 걸어 정문으로 간 다음 찻길을 따라 삼십 분을 가면 '따오뿐 시장'과 쇼핑몰인 '로터스(Lotus's)'가 있다. 장도 볼 겸 나들이도 할 겸 가끔 갔다 오는데, 걸어서 한 시간 정도 걸린다. 당근도 사고 토마토도 사서 살랑살랑 걸어오면 한국 뉴스에서 떠드는 것처럼 숨이 턱턱 막히고 아스팔트에 계란을 놓으면 치익 하고 익어버리는 그런 살벌한 날씨는 아니다. 가끔 비라도 한바탕 내리면 선선한 것이 거짓말 조금 보태면 우리 가을 날씨인가 싶기도 하다.

"아유, 기상이변으로 동남아는 펄펄 끓는다는데 그 더운 곳에서 뭔 여행이야?"

아마도 사람들은 대한민국에서 사는 것이 다행이라는 듯이 안도하면서 이렇게 말할 것이다. 뉴스라는 것이 새로운 소식이 아니라 온갖 걱정을 양산하는 온상이 되었다. 원래 신문사라는 곳이 모든 정보가 모이는 곳이었는데 이제는 한물갔다. 소식이 느리면서도 정확하지도 않다. 어디서 주워들은 편향된 이야기만 가득한 곳으로 전락했다. 방콕이 언제는 안 더웠냐고?

희한하다. 날씨는 덥고, 말은 안 통하는 곳에서 사는데 마음은 평온하기만 하다. 왜 마음이 편하지? 고민 끝에 그 이유를 알았다. 테레비 때문이다. 무슨 소리냐고? 네 달 해외에 있는 동안 한국 테레비를 안 보니 마음이 아주 뽀송뽀송하다. 한국에 있으면 자의 반 타의 반 테레비 프로그램에 노출될 수밖에 없다. 하다못해 식당에서 밥 먹을 때도 뉴스를 억지로 봐야 한다. 조그만 일도 사건으로 만들어 부풀려야 직성이 풀리는 언론사의 뉴스와 연예인들이 몰려다니며 음식도 만들고 공도 차고 골프도 치는 참으로 유치한 예능 프로와 도대체 말도 안 되는 수다를 떠는 것까지 보면서 흔들리는 마음을 잡았어야 했다. 이곳에서는 테레비를 틀어도 알아듣지도 못하는 소리로 뭐라고 쏼라 대니까 하루 종일 봐도 마치 깊은 산 속에 있는 듯하다.

중국에 살았을 때 뉴스를 보면서 이상한 생각이 든 적이 많았다. 뜬금없이 아프리카 어느 나라에 무슨 일이 일어났고, 남미 어느 곳에서 사고가 났다는 소식을 자주 방송했다.

"뭐지? 큰일도 아닌데 저런 뉴스를 왜 내보내지?"

나중에 대충 눈치를 챘다. 중국에서는 공산당 홍보하는 것과 정치 잘 못한다는 것과 검열에 걸릴 만한 것을 빼고 나면 뉴스를 내보낼 것이 별로 없으니 애먼 다른 나라 이야기를 하는 것이었다. 자기 사는 게 별 재미도 흥미도 없는 사람들이 주로 남이야기를 하는 것과 같다. 아무 생각 없는 방송국이 2~3분짜리 허접한 뉴스를 만들면 순진한 사람들은 그 뉴스를 보고 세상 걱정에 빠져든다. 심지어는 옆 사람 붙잡고 그 걱정을 전염시킨다. 이것이 세상 돌아가는 방식이다. 이 세상에서 가장 맥없는 짓이 남 걱정하는 것인데, 어떤 이들은 아휴 돈 많은 재벌 걱정도 하더라. 걱정도 참 팔자다.

 방콕에 아침이 열리면 활기가 넘친다. 거리에는 음식을 파는 노점들이 자리를 잡는다. 오토바이가 늘어나기 시작한다. 아파트 정문에는 출근하는 사람들이 넘쳐난다. 어린 학생들이 하얀 교복을 입고 재잘거리며 걸어간다. 더우면 더운 대로 추우면 추운 대로 다 살아지는 게 삶이다. 남이야 전봇대를 뽑아 이를 쑤시든 말든 내 삶이나 돌보자. 내 밭이나 열심히 가꾸자. 오늘 방콕은 33도이고, 아침 저녁에는 제법 선선하다. 한국 장마철 날씨에 비하면 아주 신사 같다.

솔직하게, 나는 무서워서 은퇴를 했다

부자들은 돈이 있지만 가난한 사람들은 돈 대신 꿈꿀 권리가 있다. 이미 충분히 가지고 있는데도 자꾸만 더 벌려고 하는 부자들에게 꿈은 어울리지 않는다. 부자가 꿈을 꾼다고? 부자가 무슨 꿈이 있다는 것인가? 참으로 해괴한 말이다. 꿈은 결핍을 그럴싸하게 표현한 것이다.

"아, 흰쌀밥을 먹고 싶다!"

이런 꿈이 있다는 건 흰쌀밥이 결핍되었다는 말이니까. 가난한 이들, 결핍이 일상인 사람들은 꿈을 꾸어야만 살 수 있다. 꿈은 멋진 낭만이 아니라 쓰러지지 않기 위해 이를 악물고 자전거 페달을 밟는 깡다구다. 처절한 몸부림이다. 굴종 상태에 있던 사람들이 권력을 가진 자들에게 목숨을 걸고 대들어서 얻어낸 두 글자가 바로 권리다. 가난한 이들에게 꿈은 당연한 권리다. 나는 가난했으며 꿈이 있었다. 그것도 아주 많았다.

어릴 때도 가난했고, 젊어서도 가난해서 대학 앞 단칸방에서 추운 겨울에는 오돌오돌 지내야 했다. 대기업에 다니면서도 이상하게 살림살이가 나아지지 않았다. 1993년 12월 입사, 이때만 해도 가난은 나와 영영 이별인 줄 알았다. 드디어 빠이빠이를 하는구나. 웬걸 대한민국의 멍청한 지도자 동지들이 국제통화기금한테서 돈을 꾸면서 나라가 거덜이 나더니 그 유탄이 내게도 튀었다. 아, IMF라는 국제기구가 갑자기 내 삶에 이리도 깊숙하게 들어올 줄 어찌 알았겠는가. 지금은 멸종했지만 그때는 보증이라는 게 워낙 풍성했던 시절이었고, 나도 보증에 말려들었다. 거기에 분양을 받은 아파트 이자는 고리대금 수준까지 기어올라갔다. 다 정리하고 월세로 경기도 고양시 소형 아파트 1층으로 이사를 갔다. 그때가 대리 때였을 것이다. 젊은 대리였던 나는 은행 대출이 아주 많았고, 덩달아 꿈도 풍성했다. 온통 꿈투성이였다.

꿈이라는 게 참 희한하면서도 상당히 위험하다. 꿈은 위험한 것이기 때문에 지켜야 할 것들을 많이 쌓아 놓은 부자들은 섣불리 꿈을 꿀 수 없다. 잃을 것이라고 해 봐야 닳고 닳은 냄비 몇 개 밖에 없는 사람들이야 꿈에서 빌딩을 짓든 허물든 뭔 상관이 있겠는가? 꿈이 위험한 건 끝없이 확장되기 때문이기도 하다. 나는 집 주인을 꿈꿨다. 월세 사는 대기업 대리가 꾸기에 가장 적합한 꿈이기도 했다. 이를 악물고 페달을 밟았더니 꿈은 나를 목적지로 안내했다. 등기부등본에 내 이름 석 자가 딱 나오는 날이 왔다. 물론 은행이 저당권을 가지고 있는 집이라는 꼬리표가 달린 등기부등본이기는 했지만. 여기에서 꿈을 멈추었어야 했다. 꿈이 뭐 넝쿨장미냐고? 자꾸 자라서 올라가게.

집을 온전히 소유하고 싶은 꿈을 꿨다. 평생 나를 따라다니며 피 같은 돈을 가져가는 찰거머리 은행을 내 등기부등본에서 떼어 버리는 꿈을 은행 몰래 꿨다. 다음에는 집을 짓고 싶은 꿈을 꿨다. 고개를 들면 바다요, 고개를 돌리면 산인 곳에 마당이 있고, 그 마당에는 일주일 정도 자란 빡빡 머리의 머리카락처럼 탱탱한 푸른 잔디가 있고, 그 위에 떡하니 그림 같은 집을 짓는 야무진 꿈을 꿨다. 어느 날이었다. 아, 집은 아닌 것 같다면서 꿈을 다 허물었다. 철거비용도 들지 않았다. 그러다가 땅 사고 집 짓는 돈으로 여행하는 꿈을 꿨다. 지구를 떠도는 낭만을 잠들기 전에 유튜브를 보며 배웠다. 꿈은 어쩌려고 자꾸만 커졌다. 꿈이 나를 삼키려 했다. 낳았을 때는 서너 뼘 밖에 안 되는, 사람 몰골에는 전혀 가깝지 않았던 자식이, 끝내는 자라서 부모보다 더 커지는 것처럼 내가 낳은 꿈이 나를 잡고 흔들었다.

두려움, 나는 이 녀석의 정체를 진짜 모르겠다. 일단 이 녀석이 마음에 들어오면 판단이 흐려진다. 내가 그랬다. 갑자기, 시계추처럼 회사와 집만 왔다 갔다 하다가 꿈 가까이에는 가보지도 못하고 생을 마감하는 두려움에 사로잡혔다. 직장 생활 29년만에 대출 없는 온전한 집도 있겠다, 가끔 비싼 골프도 치겠다, 연금도 차곡차곡 쌓았겠다, 부자처럼 느껴졌다. 그러자 꿈이 없어지기 시작하는 것이다. 안락이 두려웠다. 꿈 하나로 여기까지 왔는데 꿈을 잃으면 후회할 것 같았다. 어릴 때부터 내가 잘 하는 것은 가능하지도 않은 것에 대해 꿈꾸는 것이었는데 꿈 없는 노인이 될까 무서웠다.

"와우, 먹고 살 만하신가 보네요?"

은퇴하고 글 쓰며 지구여행을 한다고 하면 사람들은 이런 반응을 보인다.

"아니거든요. 나는 두려워서 은퇴를 한 겁니다. 내가 꾸었던 꿈을 완성하지 못하고 어느 요양병원 한쪽 구석 침대에서 사라질까 두려워서."

꿈은 결핍이 만들어 낸 산물이고, 내 삶은 항상 결핍으로 가득했었다. 그때는 결핍이 나를 이끄는 동력인지 몰랐다. 결핍에서 나오려고 온 힘을 다해 허우적거렸을 뿐이다. 방콕에서 생활도 어느새 막바지에 접어들었다. 다음 여행지를 정하고 숙소를 검색하고 있다. 나는 방콕에서 내 꿈을 현실로 만들고 있는 중이다.

잠옷을 입은 여인들

내가 잠옷을 처음 본 건 어린 시절 어느 연속극이었다. 정원이
있는 부잣집, 누구인지 기억이 나지는 않지만 아버지 역을 하
는 사람은 거실 소파에 앉아서 책인지 신문인지를 들고 있고,
어머니 역을 하는 사람은 옆에서 과일을 깎고 있었다. 이런 설
정은 그 당시 티브이에서는 흔한 모습이었는데, 나는 내 주변
에서 볼 수 없는 광경이 신기했다. 거실에, 소파에, 남방을 입
고 책을 읽는 아버지와 다소곳하게 과일을 깎는 어머니라니.

　　　　　　　　은퇴 후 7개월, 7개 도시 이야기

그때 딸 역할을 하는 사람이 잠옷을 입고 왔다 갔다 했다. 잘 때 입는 잠옷이라는 게 따로 있구나. 나는 더운 여름에는 웃통 벗고 팬티만 입고, 추운 겨울에는 내복을 입고, 봄가을에는 추리닝을 입는데, 보기에도 바르르 떨릴 것 같은 천으로 만든 잠옷이 따로 있구나.

내가 잠옷을 처음 입은 건 신혼 때였다. 방콕 시간으로 지금은 새벽 4시다. 나는 잠옷 어쩌고 하는 글을 쓰고 있고, 유리 미닫이 너머 방에서는 나의 아내 최고 존엄이 쿨쿨 주무신다. 지금으로부터 28년 전, 저 여인이 여러 혼수와 함께 무려 실크 잠옷을 사 들고 내게 나비처럼 왔다. 가벼우면서도 참으로 보들보들했다. 신혼이니 뭔들 보드랍지 않았을까? 그때 윗옷에 주머니가 달린 실크 잠옷을 내 평생 처음 봤고, 내 손으로 만졌으며, 내 몸에 걸쳤다. 평생의 친구였던 추리닝에게는 눈길도 주지 않았다. 그러나 부드러운 실크의 촉감이 일주일 정도 지나자 불편하게 느껴졌다. 잠옷이라는 게 수면을 방해하는 거추장스러운 것이라는 걸 그때 알았다. 다시 추리닝을 찾아 입었다. 혼수 중에 낭비 목록 1번으로 잠옷을 올리는데 우리 둘은 완전히 합의를 했다.

최고 존엄 말고 다른 여자가, 연속극이나 영화가 아닌 실제 상황에서, 그것도 성숙한 어른 여자가 잠옷을 입고 있는 것을 직접 내 눈으로 본 건 중국이었다. 실로 충격이었다. 여자는 내 앞에서 잠옷 입은 모습을 보여주는 걸 전혀 어색하게 생각하지 않는 듯했다. 마치 인민 해방군이 천안문 광장을 행진하는 것처럼 당당했다. 나는 그 여인에게 눈길을 제대로 줄 수 없었다. 잠옷 실루엣 사이로 비치는 그녀의 몽글몽글한 지방층이 거슬리기도 했고, 내 옆에 최고 존엄이 두 눈을 버젓이 뜨고 있는데 잠옷 입은 여인을 어찌 맥 놓고 바라볼 수 있단 말인가? 중국에 살 때 집 바로 옆에 큰 재래시장이 있었다. 휴일 아침이면 우리 둘은 시장에 가서 장을 보았다. 돼지고기, 산 닭, 야채들이 마구 널브러져 있는 시장통을 예쁜 잠옷을 입은 여인이 장바구니를 끼고 내 앞을 걸어가고 있었다.

방콕에서도 아침마다 장을 본다. 오늘은 토마토, 당근, 양파를 사야 한다. 엘리베이터 안에 쓰인 그림 같은 태국어를 혹시라도 노려보면 읽을 수 있을까 뚫어져라 보고 있는데, 띵동 문이 열리고 잠옷을 입은 여인이 탄다. 여인은 몸을 돌려 엉덩이는 우리 쪽으로 얼굴은 정면으로 향한다. 여인의 뒤에 서게 된 나는 졸지에 인어공주가 사는 바닷속으로 여행을 떠난다. 엘리베이터 안에서 바닷속 여행이라니. 조개도 있고, 물고기도 있고, 긴 머리를 풀어헤친 요염한 인어공주도 있는 언더 더 씨 잠옷을 입은 여인 뒤에서 나는 푸른 바다를 상상할 수밖에 없었다. 곁에 선 최고 존엄이 내 손을 잡더니 경거망동 말라는 듯 힘을 준다. 뭐? 내가 킥킥대며 웃을까 걱정을 했나 본데 그 정도 눈치는 있거든요. 현관을 나온 언더 더 씨 잠옷을 입은 여인은 세븐일레븐이 있는 방향을 향해 바쁜 슬리퍼 걸음을 옮긴다.

그러고 보니 말레이시아에서도 몇 번 봤네. 가만있자, 그럼 내 평생 잠옷 입은 여인을 몇 번이나 본 겨? 이런 생각을 하다가 한 대 얻어맞는 깨우침을 얻었다. 나는 아직도 멀었구나. 내 수련이 고작 이 정도였구나. 하산은 개뿔, 다시 동굴 속에 들어가 벽을 마주보고 앉아야겠다. 보이는 것에 속아 넘어 가다니. 만약 어떤 아저씨가 밤에 추리닝 입고 동네에서 맥주 마시며 돌아다니다가 집에 와서 그냥 잠들었다가 아침에 슈퍼에 뭘 사러 간다고 치자. 그 아저씨를 엘리베이터 안에서 내가 봤다. 그럼 나는 정상을 본 것인가? 잠옷 입은 이상한 아저씨를 본 것인가? 아, 불교의 나라 태국에 오니 이런 성찰을 만나는구나. 언더 더 씨 잠옷은 잠옷이고, 추리닝은 잠옷은 아니라는 아집으로 세상을 보며 평생을 살았구나. 다시 만날 일은 없겠지만, 내 눈과 마음으로 비정상이라 욕을 했던, 그동안 내가 만났던 잠옷을 입은 여인들에게 정성스럽게 사과를 보낸다.

"미안합니다. 제 오지랖이 넓었습니다. 그대들이 무슨 옷을 입든 그게 나와 무슨 상관이겠습니까? 가르침을 주셔서 감사합니다."

남 사는 걸 보며 맞다, 틀리다, 보기 좋다, 흉하다 하며 판단하는 것이 습관이 된 듯하다. 남이 내게 그런 말을 하면 불 같이 화를 내면서도 나는 남에게 참 쉽게 말한다. 보여도 안 본 것처럼, 들어도 못 들은 것처럼, 그저 나에게만 집중하는 연습을 해야지. 마음을 비우고 풍경을 감상하는 것처럼 그리 늙어가면 좋겠다. 그럴 수 있을까?

방콕 까이뚠 아저씨네

요리 이름을 보면 어떤 재료를 사용해서 어떻게 조리를 했는
지 대충 짐작할 수 있다. 이건 어느 나라나 비슷하다. 김치찌개
는 김치를 국물이 자박자박하게 있는 찌개 형태로 요리를 한
것이고, 맥주와 찰떡궁합인 중국요리 깐풍기는 닭을 국물 없
이 요리를 한 것이다. * 깐풍기 乾烹鷄에서 깐은 마를 건 乾
의 중국 발음이고, 풍烹은 중국어로 요리하다는 뜻이고, 중국
요리에서 닭은 '기'로 발음한다. 라조기, 유린기, 궁보기정 등
등. 태국의 대표 음식인 똠얌꿍은 국처럼 끓인(똠) 요리로 끓이
기 전에 여러 재료를 무쳤는데(얌) 새우(꿍)가 주 재료다. 음식
은 인류의 역사와 같고, 한 인간이 먹는 음식을 보면 그가 살아
온 세월이 보인다. 팔팔 끓는 순댓국을 좋아하는 사람은 성정
이 팔팔하고, 뭉근한 곰탕을 좋아하는 사람은 성격이 무던한
곰 같을 확률이 높다. 어쩔 수 없다. 그가 먹는 것이 바로 그 사
람이기 때문이다.

먹는 것도 이럴진대 요리를 하는 건 요리사에 관한 모든 것을
한눈에 완전하게 알 수 있는 CCTV나 마찬가지다. 요리는 글
이요, 음악이요, 그림이다. 요리는 창작이므로 창작자가 어떤
사람인지 고스란히 드러날 수밖에 없고, 마땅히 그래야 하는

것이 맞다. 인스턴트 음식을 나쁘게 말하고 싶은 생각은 없지만 인스턴트 음식과 집밥이 왜 차이가 나냐면, 인스턴트 음식에는 사람이 없고 그걸 만든 법인인 회사만 있다. 오뚜기, CJ, 농심 같은 재벌들만 떠오른다. 집밥은 맛이 있든 없든 백 프로 사람 냄새가 폴폴 난다. 인스턴트는 돈 없는 내가 재벌에게 돈을 보태준다는 억울한 마음으로 음식을 먹는 것이고, 집밥은 잔소리 늘어놓는 예쁜 마누라하고 아기자기하게 음식을 먹는 것이다. 오래된 노포에서 우리는 무엇을 느끼는가? 요리에 덕지덕지 묻은 세월, 바로 할머니가 떠오르지 않는가?

태국 국수 요리는 참으로 복잡하다. 국물이 있느냐 없느냐, 국물이 맑은 것이냐 흐린 날처럼 탁한 것이냐 하는 구별을 먼저 한 다음에 면을 선택해야 한다. 넓은 면, 중간 정도 면, 가는 면, 당면, 밀가루 면, 밀가루 면에 계란으로 반죽한 것 등등. 태국 국수 요리 중에 '뚠'이라고 있다. 국물은 간장을 기본으로 하고 고기를 푹 고아서 만든 것인데 들어가는 고기에 따라 그 이름이 달라진다. 소고기를 썼으면 '느어뚠', 돼지고기는 '무뚠', 닭고기는 '까이뚠', 오리는 '뻿뚠'이라고 부른다. 태국 수도 방콕 외곽에 있는 방손 역 3번 출구로 나오면 Regent Home이라는 아파트가 있는데, 이곳에서 한 달 살기를 하고 있다. 아파트 정문 한편에 리어카를 놓고 부부가 장사를 하고 있다. 닭고기를 푹 곤 다음 간장 베이스 국물에 맛있게 면을 말아주는 '까이뚠' 국수다. 간판도 없고, 아저씨 이름도 몰라 우리 둘은 그저 까이뚠 아저씨네 라고 부른다.

나는 부자를 꿈꾼다. 솔직히 지금은 딱 딩가딩가 놀 만큼만 돈이 있는데 이것보다 조금 더 많았으면 좋겠다. 나는 유창한 외국어 능력자가 되는 것도 꿈꾼다. 대충 한 달 정도만 익히면 여행을 하는 그 나라 말을 술술 할 수 있으면 무지하게 신나겠다. 이 두 바람의 실현 가능성은 99.999퍼센트 없다. 평생 영어 공부한답시고 미드와 EBS 중학영어를 봤는데도 요 모양이고, 회사를 그만둔 수입도 없는 한량 주제에 어찌 부자가 될 수있겠는가? 그래도 이 두 희망 사항이 실현되지 않을 가능성이왜 백 퍼센트가 아니냐면, 언어는 번역기의 도움을 받고 예쁜마음만 있으면 천재가 아니더라도 소통할 수 있는데다 돈만 있으면 통역을 쓸 수도 있다. 음, 부자가 되는 건 가능성이 희박하지만 지금처럼 미국 주식이 계속 이삼 년만 달려준다면 아주 불가능한 일은 아니다. 언어도 잘 하고 돈도 많으면, 나는까이뚠 아저씨 부부와 맥주를 한잔하고 싶다.

"국물이 어찌 이리 깊은 맛이 납니까? 닭 다리는 흐물거리지않으면서 한 잎에 쏙 살만 빠지는 비결은 무엇이지요? 일 끝나고 오후에 들어가면 뭐 합니까? 지난주에 며칠 못 봤는데 무슨 일이 있었나요?"

이런 질문을 막 던지고 싶다.

"혹시라도 내가 조그만 가게 하나 차려주면 하겠습니까? 공짜는 아니고 한 오 년 무이자로 비용을 대줄 테니 천천히 갚으면 됩니다. 시간이 필요하면 더 연장도 가능하고요."

이런 돈자랑도 막 하고 싶다. 얼마나 재미날까? 부자 놀이하고 싶은 것이냐며 비아냥거릴 수도 있겠지만 나는 진짜 그러고 싶다. 부자가 돈 없는 사람들에게 공짜로 돈 빌려주고 생색 좀 내는 것도 눈치를 봐야 하나? 비아냥거리거나 말거나, 나는 내 꿈을 계속 꿔야지. 우선 부자가 되기 전에 번역기 돌려서 편지를 써서 까이뚠 아저씨한테 그동안 고맙게 잘 먹었다고 인사를 해야지. 나중에 부자가 되어 찾아와도 당황하지 않게 말이야.

"건강하세요. 말도 안 통해서 손짓 발짓으로 막 주문해도 웃으면서 친절하게 대해 주셔서 감사해요. 국수 정말 맛있어요, 최곱니다."

까이뚠 아저씨네 리어카 옆에 핀 이름 모르는 보라색 열대 꽃이 파란 방콕 하늘을 배경으로 나풀거린다. 세상은 참 무심하게 예쁘네.

무인도에 두 사람만 산다면

이런, 지구에 대재앙이 닥쳤다. 다들 사라지고 딱 두 사람만 남았다. 지금 같이 살고 있는 바로 두 사람인 부부만 남았다고 가정을 해 보자. 지구 대재앙은 설정이 조금 과해 보이니 부부가 바다를 표류하다가 무인도에 도착했다. 아무도 없는 곳에서 둘이 살아야 한다. 이 이야기의 결론이 어떻게 될 걸로 예상하는가? 둘은 서로 의지하며 행복하게 잘 살았다. 아니면 철천지원수가 되어 한 사람은 이쪽 절벽 끝에 살고 다른 한 사람은 저쪽 바닷가에서 살았다. 이것도 저것도 아니면 지금처럼 데면데면 마지못해 무미건조하게 살았다.

"아유, 무슨 그런 끔찍한 소리를 해요. 둘만 어떻게 살아요?"

이런 반응이 우세할 것 같은데, 그래도 혹시라도 이렇게 말하는 사람도 있지 않을까?

"우리 둘이서? 그것도 아무도 없는 무인도에서? 워매, 그런 낭만 듬뿍한 일이 어디 있을까?"

우리는 실제로 망망대해에 떠 있는 외딴섬에 살고 있는데 사람들은 아직 그걸 모르는 모양이다. 섬에 부딪히는 저 파도, 아침이고 저녁이고 시도 때도 없이 드나드는 아무 도움도 안 되는 저 파도가 나와 무슨 상관인가? 사람도 마찬가지다. 시루에 **빽빽**하게 서 있는 콩나물처럼 넘쳐나는 게 사람들이다. 전철에, 버스에, 야구장에, 시장에, 내가 사는 아파트 단지에도 우글우글하다. 그들이 나에게 안부를 묻는가? 내 걱정을 하는가? 대가 없이 단돈 만 원이라도 내게 주는가? 어차피 나와 상관없는 타인들, 섬에서 눈만 돌리면 볼 수 있는 파도와 다를 것이 없다. 타인들 속에 백 날을 있어도 아무 감흥이 나지 않는다. 섬에서는 그나마 풍경도 있고, 고기도 잡고, 조개를 캘 수는 있다. 우리는 파도 같은 타인들 속에서 섬처럼 살아간다.

우리 대부분은 타인에게는 친절하고, 정작 곁에 있는 사람에게는 함부로 한다. 옆집 아저씨에게는 어쩌다 만나도 아주 친절하게 인사를 건넨다. 같이 사는 남편은 돈을 벌어오는데도 그 돈을 누구 코에 붙이냐며 구박을 한다. 반갑게 인사하는 옆집 아저씨는 정작 땡전 한 푼을 안 주는데도 말이다. 남의 집 아이는 비록 명문대를 갔지만 내가 늙었을 때 코빼기도 안 보일 것이다. 내 아이는 힘들게 나를 보살필 것인데 그 아이 앞에서 옆집 아이 칭찬을 하며 부러워한다. 나와 상관없는 것에는 너무 관대하고 막 응원을 한다. 권력자 대통령이 나와 뭔 관계가 있다고 용서도 하고, 힘내라고도 한다. 동고동락을 같이 하는 부부가 서로 용서하고 응원하면 이 지구가 어찌 이리 소란하겠는가? 왜 나와 상관없는 타인에게는 애써 친절하고, 정작 내 곁에 있는 이에게는 매몰찬 것인가? 알 수 없는 미스테리다.

만만해서 그런 것이다. 사람은 무섭고 대단하고 멋있다고 생각하는 존재 앞에서는 스스로 자기를 쪼그라지게 만든다. 휴지처럼 구겨질 때까지 아양을 떤다. 자기 스스로 알아서 최대한 미물로 작게 만들어서 냉큼 순종한다. 만만한 사람 앞에서는 그 반대다. 억눌렸던 분노를 표출하고 모든 문제의 원인을 만만한 사람에게 돌린다. 기분이 나쁜 것도, 지금 행복하지 않은 것도, 다 너 때문이라고 소리를 지르며 심지어 폭력도 자행한다. 이것이 인간이다. 그럴듯해 보이지만 인간이란 이런 형편없는 생명체다. 만약 자기 눈에 내 남편이 내 아내가 막 짜증 나게 보인다면 그건 스스로가 그런 형편없는 인간이기 때문이라고 빨리 눈치를 채야 한다. 무서운 사람이나 마음에 드는 이에게 순종하는 건 아무나 다 한다. 무슨 특별한 기술이나 마음가짐이 필요 없다. 만만하고 허술하게 보이는 존재를 받드는 건, 아 이런 걸 뭐라고 불러야 하나? 흔해 빠진 진부한 표현으로 사랑이라고 해야 하나?

제주, 코타 키나발루, 쿠알라 룸푸르, 조호 바루, 방콕까지 일곱 달을 딱 둘이서 무수히 많은 사람들 속을 헤치면서 여행을 하고 있다. 마치 큰 파도가 마구 넘실대는 바다를 둘이 항해하고 있는 느낌이다. 이 지구에 딱 둘만 있는 느낌이다. 의지할 사람은 우리 둘 밖에 없다. 28년을 살았고 29년째를 사는데,

갑자기 사랑이 느껴지기도 한다. 여행을 하다 보면 나의 아내 최고 존엄은 가끔 엄청 난이도 높은 요구를 아주 자연스럽게 하기도 한다. 시장에서 닭꼬치 열 개를 사는데 내게 당당하게 요구한다.

"여보, 저거 데워달라고 해 봐."

아니, 영어도 아니고 태국어로 그런 말을 나보고 하라고? 어쩔 수 없다. 나는 그늘이 있는 한쪽 구석에서 번역기를 돌려 데워 달라는 표현을 찾는다. 왜? 이 지구에, 이 섬 같은 삶에, 우리 둘만 있으니까. 만약에 지나가는 멋진 남자한테 그런 부탁을 하고 그 인간이 그걸 들어준다고 상상을 해 봐. 차라리 내가 하는 게 낫지. 내게 그런 희한한 요구를 하는 것이 고맙다.

익숙하면 서로가 얼마나 소중한 존재인지 잘 모른다. 여행은 보물상자다. 여행을 하면 그 속에서 뭐가 나올지 모른다. 오십 중반이 된 이 나이에 동남아 여러 도시에서 몇 달 동안 여행을 하면서 나는 보물상자에서 남자와 여자가 같이 사는 비법이 적힌 카드를 한 장 꺼내든 느낌이다. 삶의 여행이 끝날 때까지 같이 오손도손 잘 가봅시다.

은퇴는 독학하기 딱 좋은 기회다

학원이 잘못했다. 우리나라는 학원 천국이다. 학원을 영어로 아카데미(Academy) 라고 하던데, 어묵을 피시 케이크(Fish Cake) 라고 부르는 것에 비하면 제법 정확한 표현이다. 그리스 땅에 살았던 플라톤이 서당 비슷한 것을 차렸었는데, 그게 바로 아카데미였으니까. 학원이 뭐가 문제냐면, 배움이라는 것이 그 시작은 반드시 독학이어야 하는데 독학을 방해한 것이다. 스스로 깨우치다가 도저히 그 갈증을 해갈하기 어려울 때 스승을 찾아야 한다. 그것이 진짜 배움이다. 우리나라는 무조건 학원에서 시작을 한다. 배움이 선생의 지식을 베끼는 것에서부터 시작한다는 것, 배울 수 있는 곳이 너무 많아서 희소성이 전혀 없다는 것, 돈으로 배움을 사서 잘 살수 있다는 장사꾼 논리가 성행하는 것, 이 모든 역겨운 것이 학원 때문에 생긴 이상한 논리다.

나는 저작권을 싫어한다. 이 세상에 존재하는 모든 지식과 창작물은 마음대로 베낄 수 있어야 한다. 그걸 법으로 막는다고? 이게 무슨 가당치 않은 처사인가? 표절, 그게 뭐가 문제인가? 이 세상에 뭔가 내놓았을 때는 그 정도 선한 마음은 있어야 한다. 작가, 음악가, 미술가 여러분, 당신들은 남의 생각이

나 작품에서 전혀 영감을 받지 않았다고 자신할 수 있는가? 당신의 사상은 지구산(産)이 아니고 저기 까만 우주에서 가져왔단 말인가? 베낀 것이든 빌려온 것이든 작품에 대한 판단은 독자가 한다. 저작권이란 것이 무엇인가? 자기 소유라는 것이다. 이용하려면 돈을 내라는 것이다. 지구 나이가 몇 살인가? 저작권이 생긴 지 얼마나 되었는가? 당신들이 말하는 저작권이 없었던 무법의 시대, 원시의 시대, 야만의 시대에 인류는 어떻게 진보를 이루어 냈다는 것인가? 지식으로 돈을 벌려는 그 얄량한 마음이 학원과 같다. 독학을 방해할 뿐이다.

우리는 배움을 등급으로 매기는 걸 좋아한다. 시험을 보고 나서 점수를 받아 들고 100점에 가까우면 환호를 하고 멀면 풀이 죽는다. 배움을 증명하는 자격증이 있는 것도 참 희한하다. '한국사능력검정시험' 이라고 있다는데, 그런 자격증이 있다니 진짜 놀랍지 않은가. 어떤 기관에서 출제한 문제를 푼 점수를 가지고 배움을 평가하다니. 배움과 시험을 연결시킨 건 조선이 잘못했다. 과거라는 시시껄렁한 시험으로 인재를 등용하겠다는 샌님 같은 발상이 죽은 주자(朱子)의 나라 조선을 지나 지금 대한민국에까지 영향을 주고 있다니, 오호통재로다. 배움은 깨달음이다. 무지에서 지식이 하나 추가되었을 때 닫힌 문이 열리는 쾌감이 곧 배움인데 어찌 그걸 시험으로 평가를 한단 말인가? 머리만 좋고 느낄 줄은 모르는 똑똑한 변태들이 이리 기승을 부리는 것도 다 그 놈의 시험이 낳은 부작용인 것을.

방콕 숙소 4층에 수영장과 헬스장이 있고, 그 입구에 한 여자가 근무한다. 이름도 모르고, 당연히 성도 모른다. 식당에서 음식을 주문하려고 하는데 메뉴판이 내가 스스로 깨친 자음과 모음하고는 완전히 다른 폰트로 써 있어서 애를 먹었다. 당최 읽을 수가 있어야지. 메뉴판을 핸드폰으로 찍어 숙소로 와서는 거의 세 시간 동안 매달려 해독을 했다. 문제는 이게 맞는지를 확인해야 하는데, 한 달 살이 하는 주제에 주위에 누가 있을 것인가? 운동하러 가는 길에 종이를 들고 가서 그녀에게 공손하게 보여주었다. 여기 빈칸 좀 채워달라는 시늉을 했다. 한방에 속 시원하게 알려 준다. 배우려고 하면 선생은 도처에 있다. 태국어를 배우러 학원을 가야 하나, 잠시 이런 생각을 했던 나를 돌아봤다. 현지인들이 이리도 많은데 학원에 가서 현지어를 배우겠다는 이 발상, 나도 어쩔 수 없는 학원 천국 대한민국 사람인가 보다. 아, 생각났다. 하마터면 글쓰기 학원이나 소설 쓰기 강좌를 다닐 뻔하기도 했다.

은퇴를 진정한 배움의 시간으로 활용하는 것도 좋을 것 같다. 지금까지는 살아남기 위해서 시험 치는 것에 필요한 족집게 배움만 했다면, 은퇴를 하고는 그동안 목말랐던 배움에 도전해 보자. 한글도 알겠다, 영어도 대충 쓰고 읽을 수 있겠다, 사느라 이런저런 곡절을 겪어 경험도 많겠다, 게다가 은퇴를 했으니 시간은 또 얼마나 많은가. 독학하기 딱 좋은 시기다.

세상에 여러 재미나는 일들이 많은데 그중 제일은 혼자 노는
것이다. 나이 들어서 이 사람 저 사람과 어울려 다니는 것도 그
리 예쁘게 보이지는 않더라. 옛날 버릇 남 못 준다고, 나이 들
어서 취업한다고 이런저런 자격증 따야지, 이런 희한한 생각
은 하지 말자. 나는 오늘도 쿵쿵쿵 배 엔진 돌아가는 소리를 내
는 고물 냉장고가 있는 방콕 단칸방에서 유튜브로 태국어 공부
를 한다. 두려움은 무지가 낳은 자식이며, 평안은 배움이 낳은
자식이다. 기왕이면 배움이 낳은 녀석과 같이 사는 것이 좋겠
다. 그게 마음 편하겠지.

푸껫
Phuket

푸켓이 아니라 푸껫에서 한 달을 산다

아삭아삭 맛있는 깍두기를 영어로 옮긴다면 쌍기역이 들어간 '깍' 때문에 골치가 아플 것이다. 왜? 영어에는 없는 발음이니까. 태국어도 마찬가지다. 이런 면에서는 한국 사람이 다른 외국인들보다 태국어를 발음하기가 조금 더 쉬울 것 같다. 태국어도 영어로 표기할 때 울며 겨자 먹기로 대충 비슷한 알파벳으로 대체할 수밖에 없다. 'ก', 닭처럼 생긴 이 글자는 태국어에서 쌍기역 발음이 나는 자음이다. 이 자음을 영어로 번역할 때 'K'로 표시할 수밖에 없다. Phuket에 들어가 있는 K처럼 말이다. 원래 태국어 발음은 '껫'인데 영어 K 때문에 대부분 외국인들이 '켓'으로 발음을 하니 졸지에 이름이 바껴서 억울할 것이다. 방콕에서 860km 떨어진 다리로 육지와 연결된 태국의 섬 푸껫은 '푸ก껫เก็ต'이라고 쓴다. 한글 맞춤법 표기 기준도 '푸껫'이 맞다고 한다. 동남아 한 달 살기, 이제 방콕을 떠나서 푸켓이 아니라 푸껫으로 간다.

돈 므앙 공항에 도착했다. 한 달 전에 말레이시아 조호 바루에서 이곳 방콕 돈 므앙 공항에 도착했을 때 우리를 숙소까지 태워준 기사가 있었는데, 그때 연락처를 교환했었다. 그 기사에게 연락을 해서 방콕을 떠나는 날 공항까지 데려다 달라고 했다. 요즘 손님이 없어서 밤 늦게까지 툭툭이 운전을 하고 있다고 한다. 연락해줘서 고맙다고 하길래 방콕에 다시 오게 되면 그때도 태워달라고 했다. 팁도 넉넉히 주고 악수를 하고 헤어졌다.

공항 카운터에서 발권을 하고 짐을 부치는데 무게가 얼추 3kg 초과다. 직원에게 좀 봐 달라는 말을막 하려고 하는데 직원이 옆을 한번 둘러보더니 손가락을 입에 대고 쉿 하고는 추가 요금이 없는 걸로 해준다. 고맙다. 사람 없는 무인 창구였으면 여지없이 추가 요금을 냈을 텐데 사람이 기계보다 낫다. 확실하다. 짐을 부치고 공항 안으로 들어가면서 보안검사를 하다가 치약 하나와 생수 두 병을 뺏겼다. 나라마다 규정이 다른가 보다. 말레이시아에서는 아무렇지도 않았는데. 54번 게이트에 앉아 비행기를 기다린다. 공항 대기실을 참하게 꾸며 놓았네. 어디 카페에 있는 줄 알겠다. 푸껫으로 가는 비행기를 타는 게이트라 그런지 여러 국적 사람들이 모여든다. 사람 구경도 재미나네. 보딩 타임 일 분 남았는데 그제야 비행기가 들어온다. 어이, 비행기 씨, 얼른얼른 다닙시다.

저가 항공은 좌석을 돈을 주고 사야 한다. 그래서 지금까지 창가 쪽 자리는 언감생심 생각하지도 않았고 통로 쪽에만 앉았다. 오늘은 돈을 더 내지도 않았는데 창가 쪽 자리네. 오호, 태국은 갈수록 마음에 든다. 비행기가 이륙하자 구름 아래로 방콕 시내가 보인다. 옜다, 서비스요. 하면서 기장이 비행기를 옆으로 틀자 짜오프라야 강이 한눈에 보인다. 땡큐, 캡틴! 기장이 보든 말든 엄지를 들어 감사를 표시한다. 창가에 내가 앉고 내 옆에 최고 존엄이 앉고 그 옆에 중국 아가씨가 앉았는데, 내가 창밖을 보며 사진을 찍으니까 자기 아이폰을 주면서 창밖 풍경을 찍어달라고 한다. 그걸 정성스럽게 찍어줬더니 자꾸 부탁을 하네. 최고 존엄이 옆에서 뭐라고 한다. 대충대충 찍어주지 말고 기왕에 찍는 거 잘 찍어주라고 채근을 한다. 잘 찍고 있거든요.

푸껫에 도착했다. 마중 나온 차를 타고 편안하게 숙소에 도착해서 체크인을 하고 잽싸게 짐을 대충 정리하고 점심을 먹으러 간다. 숙소 앞에 있는 좀 예쁘게 생긴 식당에 가서 음식을 시키는데, 분위기가 좀 이상하다. 방콕에서 무려 한 달 동안 갈고 닦은 내 태국어가 통하지 않는다. 뭐지? 내가 방콕에서 헛일을 한 것인가? 알고 보니 일하는 직원들 모두 미얀마 젊은이들이다. 영어는 할 줄 아는데 태국어는 잘 모른다고 한다. 미얀마는 군부와 시민들 간에 분쟁이 한창이다. 나라는 혼란하고 그 나라 젊은이들은 말도 낯선 곳에서 사느라 고생이다. 에라이, 기성세대들이 하는 짓이 어찌 이리도 붕어빵일까? 밥 먹고 계산하는데 최고 존엄이 옆에서 뭐라고 한다. 팁, 거기 박스에 팁 넣으라고! 아 네! 녹색잎처럼 연약한 젊은이들이 막 웃고, 떠들고, 노래 부르고, 노인들은 그걸 보면서 쯧쯧 혀를 차는, 그런 참한 세상이 보고 싶다.

걸어서 십 분. 바다로 간다. 오메, 바다 죽이네. 둘은 짧은 감탄을 하고 더우니까 바로 숙소로 돌아간다. 숙소로 가는 길에 미얀마 청년들이 일하는 식당을 지나면서 손을 흔들어주고, 슈퍼에 들러 큰 통에 든 물과 맥주를 산다. 낑낑대고 들고 갈 생각에 한숨이 나오려는 찰나에 최고 존엄이 슈퍼 사람들에게 뭐라고 열심히 말한다. 귀를 기울여보니, 딜리버리 어쩌고 한다. 여기가 한국이냐고? 배달이 되겠냐고? 역시 안 된다고 한다. 둘이 땀을 비 오듯 흘리며 우리에게 니하오라고 인사하는 경비원을 지나 숙소로 왔다. 저녁나절에 바람도 쐬고 동네 구경도 할 겸 다시 바다로 간다. 바다, 좋구나. 아마 한 달 내내 바다 어쩌고저쩌고할 것 같다. 푸켓 말고 푸껫에서 시작한 하루가 또 금세 저문다.

두둥, 푸껫에 손님들이 왔다

푸껫 이틀째다. 원래대로라면 설렁설렁 동네 탐색이나 가는 한가해야 하는 날인데, 오늘은 마음과 몸이 조금 바쁘다. 저녁 비행기로 손님이 온다. 그것도 둘이나. 일단 숙소에 먹거리를 충분하게 채워야 한다. 먹성이 지구 최강인 손님들이기 때문이다. 냉장고에 물과 술을 가득 채우고, 밤늦게 도착해서 배고프다 어쩌다 할 수 있으니 라면을 준비해 놓는다. 이제는 손을 씻고 새 삶을 살려고 하는데, 옛날 실력을 발휘해야 하는가? 의전, 그 심오한 세계로 다시 한번 들어가 볼까? 은퇴도 했으니 대충대충 흉내만 낼까? 사표를 날리고 제주로 가서 몇 주 혼자 지내다가 최고 존엄이 서울에서 왔을 때는 최선을 다해서 의전을 했다. 왜? 의전 서열이 제일 높은 분이니까. 오늘 오는 손님들은 의전 서열로 치자 면이야 최고 존엄에 한참 하고도 저 아래에 있다. 그래도 손님이니까, 마음을 다해서 맞이하자.

손님들이 오면 숙소에 대해 궁금할 수 있으니 미리 둘러보고 제대로 된 브리핑을 해야겠다.

"아, 이 숙소로 말씀드릴 것 같으면 수영장은 여기 이쪽에 한 개가 있고, 저기 저쪽에 서너 개가 있어요. 헬스장은 이쪽이고

요. 바닷가는 정문을 지나서 블라블라.”

직장 다닐 때 어떤 사람이 높은 사람들 앞에서 똑 부러지게 브리핑을 잘해서 임원까지 승진을 했다는 소문을 들어본 적이 있다. 설마? 남들이 다 알아주는 국내 굴지의 대기업에서 그렇게 한다고? 하기야 높은 양반 앞에서 건배사를 멋지게 해서 눈에 들어 승진을 했다는 전설 같은 이야기도 있는 판에 뭔들 불가능하겠는가? 은퇴해서 승진이니 뭐니 아무것도 바랄 것 없는 이런 넉넉한 일상이 좋다. 그래도 귀한 손님들이 오니 오랜만에 입을 풀어 본다.

손님들이 오면 회식은 필수다. 중국에 살 때 한국에서 손님이 오면 먹는 것 대접하는 게 참으로 곤욕이었다. 입 짧은 인간이 출장을 오면 일단 직급이 나보다 아래이거나 큰 차이가 없으면 신경을 탁 끄고 내 스타일대로 먹인다. 직급이 나보다 아주 한참 높아서 나에 대한 생사여탈권이 있다면 어쩔 수 없이 최선을 다해 그 양반 스타일로 맞춘다. 인간이 행복해지는 가장 단순한 비결은 멀리 있지 않은데 사람들은 그걸 모르는 것 같다. 주는 대로 우걱우걱 먹는 것이 바로 행복의 비결이다. 궁금하면 해 보시라. 삶에 어떤 예쁜 일이 일어나는지. 이번에 오는 손님들은 나보다 한참 아래다. 회식 장소는 무조건 내 스타일로 간다. 그래도 칭찬은 언제 들어도 기분이 좋아지니까 신경은 좀 쓰자. 어머, 여기 분위기 죽이네. 음식들 좀 봐. 맛이 마구 있겠다. 이런 격한 반응을 은근슬쩍 기대해 본다.

이번 의전의 관건은 사실 최고 존엄이다. 나는 '무리하지 말고 대충대충 설렁설렁 살자'는 모토를 가슴에 품고 산다. 늙어가는 인생에 있어 최고 기술은 닭 쫓던 개 지붕만 쳐다보는 것처럼 미련을 두고 살면 안 된다는 것이 내 철학이다. 하지만 이건 내 생각이고, 내색은 안 해도 지금 최고 존엄의 마음은 콩닥콩닥 뛰고 있을 것이다. 이럴 땐 별수 없다. 내가 조심을 해야 한다. 손님들 대접이 부족하면 그 화살이 누구에게 날아오겠는가? 바로 나다. 손님이야 며칠 있다가 가면 그만이지만 옆에서 왔다 갔다 하는 최고 존엄은 내 곁에 남는다. 살아있는 권력자에게는 함부로 하는 것이 아니다. 선출직 오 년짜리 대통령과는 천지차이다. 의전의 세계에서는 얼토당토않은 일이 발생하면 그건 그야말로 그냥 게임 끝이다. 최고 존엄의 입에서 한마디만 나오게 하면 된다. 수고했어요. 이 한마디가 내 목표다.

우리 식구는 고양시 덕양구 화정동에 살다가 2008년에 중국 베이징으로 갔다. 그때 아이들이 초등학교 5학년과 3학년이었다. 베이징에서 3년 살다가 톈진으로 가서 3년을 살고 2014년에 귀국했다. 그때가 아이들이 고등학교 2학년과 중학교 3학년이었다. 속 모르는 사람들은, 아이들이 해외에서 국제학교도 다니고 영어도 잘하고 무슨 큰복을 받은 것처럼 말한다. 반은 맞고 반은 틀린 말이다. 어린 나이에 다른 나라로 이사를 간다는 것이 쉽지 않았을 것이다. 초등학교 다니던 애들이 물설고 말선 베이징으로 갔다가 적응할 만하니까 다시 톈진에 갔다가 입시 지옥 한국으로 돌아왔으니 참으로 고단하였을 것이다. 그랬던 두 아이가 이제 어른이 되었다. 학교를 졸업하고 돈을 번다. 회사에 금쪽같은 휴가를 내서 이곳 푸껫으로 온다. 은퇴하고 지구여행을 하는 아버지 엄마를 보러 온다.

자정이 지난 야심한 밤에 두 손님이 도착을 했다. 최고 존엄하고 껴안고 난리를 친다. 동네 사람들 다 깨겠다. 무슨 이산가족 상봉하세요? 아, 몇 달 떨어져 있었으니 이산 가족은 맞네. 둘이 있던 공간에 넷이 있으니 꽉 찬다. 마음도 덩달아 넉넉하다. 기럭지는 말처럼 길고, 덩치는 코끼리처럼 커다란 다 큰 아이들이 쿨쿨 자고 있다. 푸껫에 아침이 오는가 보다. 멀리서 닭들이 우렁차게 울어댄다.

테라스에서 동남아 우기 관람하기

새벽에 쏟아지기 시작한 비가 오전 내내 내린다.

"말로만 들었던 동남아의 우기가 이런 것인가?"

쿠르릉 하는 천둥소리와 함께 후드득 잘도 떨어진다. 운 좋게 넓은 잎 아래에 자리 잡은 초록색 연약한 잎은 공짜로 비를 피하는데, 허공에 온몸을 드러낸 넓은 잎은 위아래로 헤드뱅잉을 하듯 휘청거리며 비를 맞고 있다. 빗소리가 차단된 상태인

실내에서 비를 보는 것과 빗소리를 들으면서 보는 것은 그 느낌이 하늘과 땅이다. 소리가 들리지 않는 무성영화와 서라운드 컴포넌트 돌비 시스템으로 보는 영화를 비교하는 것과 같다. 숙소에 있는 테라스로 나왔다. 테라스에 멍하니 앉아있는데 나사가 하나 빠진 듯 허전해서 홍차를 마시니 비를 관람하는 구색이 제법 갖춰진 듯하다.

수영장에 비가 떨어지면서 물 위에 작은 원들을 만든다. 무수히 많은 동그라미들이 생성과 사멸을 반복한다. 나뭇잎이 파르르 떨리는 게 마치 강태공이 드리운 낚싯대가 입질을 하는 모양새다. 모든 것이 완벽한 풍경이라고 느끼는 찰나 귀에 자꾸 뭐가 거슬린다. 에어컨 실외기 돌아가는 소리다. 삑사리 나는 음처럼 이 순간과는 어울리지 않는다. 방으로 들어가 슬쩍 에어컨을 끈다. 최고 존엄이야 덥든 말든 내 분위기가 중요하다. 조용해졌다. 다시 동남아 우기를 관람한다. 테라스 문이 열리면서 홍차를 손에 든 최고 존엄이 나온다. 나 혼자 좋은 거 즐기는 걸 어찌 저리도 빨리 눈치를 채는지. 방이 더워지기 전에 나오다니, 운도 좋네.

제주까지 포함해서 여덟 달째 떠돌이 생활을 하는데 테라스 있는 숙소는 이곳이 처음이다. 몇 곳 있기는 했지만 빨래 정도 너는 목적으로 사용 가능했지 낭만 있게 앉아서 비 구경을 할 정도는 아니었다. 테라스 좋네. 에어컨 실외기 돌아가는 소리도

안 들리겠다, 비는 더 세게 내리겠다, 4D 영화관에 앉아 있는 것처럼 분위기가 아주 끝내준다.

동남아 우기는 히말라야 때문이다. 여름에는 바다에서 육지로 바람이 분다. 구름들이 바람을 따라 이동을 하는데 껑다리 히말라야가 버티고 있으니 넘지 못하고 우당탕탕 추락을 하는 것이다. 이것이 인도 몬순이고, 그 영향으로 동남아에는 우기가 찾아온다. 겨울에는 바람이 육지에서 바다로 분다. 망망대해 막힘이 없는 곳으로 바람이 부니 비가 적게 온다. 바로 동남아 건기다. 인도는 원래 바다를 떠돌던 섬이었는데 아시아 대륙과 충돌을 했고, 그 충격으로 바다였던 히말라야가 위로 불쑥 솟아올랐다. 우리가 먹고 있는 히말라야 핑크 솔트도 이런 이유로 만들어진 것이다.

요런 이야기를 내 앞에 앉아서 천진난만하게 유튜브 동영상을 보고 있는 여인에게 할까? 말까? 아는척하는 것이 세상에서 제일 재미나는 일인데, 어떤 반응을 보일지 궁금하다. 앞에 계신 분은 원래 낭만과 그리 익숙하지 않은 스타일이라 〈히말라야와 우기의 상관관계〉에 대해 말을 막 풀어대면 열심히 듣는 척은 할 것 같기도 하다. 멀리 공사장에서 쿵쿵 소리가 들린다. 이리 억수로 비가 내리는데도 일을 하는구나. 하기야 몇 달이 우기인데 그 기간을 통째로 쉬지는 않겠지. 저 공사장에서 일하는 사람 대부분이 태국 국적이 아닐 것이다. 아마도 미얀마 사람들이 제일 많겠지. 식당도 그렇던데. 오전이 거의 다 지나가는데도 비는 세력이 조금도 약해지지 않았다. 점심 먹으러 나갈 수는 있겠지.

빗속에 웅크리고 있기 지루했는지 사람들이 돌아다니기 시작한다. 숙소 단지에서 일하시는 분들이 우산을 쓰고 수영장 물에 떠다니는 나뭇잎을 건져낸다. 아, 최고 존엄이 캐슈너트를 들고 와서는 와그작와그작 먹는다. 자기가 다 먹기 전에 나보고 얼른 먹으라고 권한다. 비는 계속 떨어진다. 하늘에 있는 구름이 다 사멸해야 그치려는가 보다.

문득 점심 먹고 사야 할 품목들을 정리해야겠다는 생각이 든다. 토마토, 마늘, 당근은 사야 하고 라임과 양파는 몇 개나 있더라? 은퇴하고 해외 한 달 살이 하다가 주부습진 생기는 건 아닐까? 아이들이 왔을 때 내가 개발해서 우리가 아침으로 먹는 '토마토 탕'을 해줬더니 격한 반응을 보이더라. 팔아도 되겠다면서. 엄마하고 한 패가 되어서 계속 나보고 음식을 하라고 부러 그러는 것이었을까? 합리적 의심을 하는 와중에도 꺽다리 히말라야 때문에 내리는 비는 쉬지 않는다. 비 그치기를 기다리는 건 아닌 것 같아 우산을 쓰고 바다를 걷다가 카페에서 커피도 마시고 밥도 먹는다. 비 온다고 노는 걸 멈출 수는 없다. 삶은 계속되어야 한다.

알겠냐고? 뉘!

지금 묵고 있는 숙소 주인이 에어비앤비 메신저로 연락을 했다. 장기 투숙하는 고객에게는 일주일에 한 번 청소서비스가 있다고 한다. 수건을 교체해 주고 침대 시트도 갈아주고 주방과 화장실 청소까지 해준다고 한다. 오 예, 이것이 갑자기 무슨 떡이라냐. 아홉 시에 단정하게 기다리고 있겠다고 답장을 보냈더니 그건 내 생각이고, 아홉 시에서 열두 시 사이에 청소를 하러 가는데 정확한 시간은 알려줄 수 없다고 한다. 아, 오전 내내 하염없이 기다려야 하는 것이네. 뭐 그게 대수냐. 공짜로 뭘 해준다는데. 난 이미 어차피 빡빡 대머리이니까 공짜를 바라다가 머리가 벗겨진들 무슨 상관이 있으랴. 그러겠노라, 오전에 밖에 안 나가고 있겠노라고 회신을 했다. 여행을 하면서 숙소에 문제가 생겨서 집주인과 연락을 한 적은 있었지만, 이런 일로 집주인이 먼저 연락을 주니 기분이 좋다. 한 달 살기 여행에서 집이 차지하는 비중이 대부분이다. 생각해 보니 사는 것도 마찬가지네.

아침이다. 청소하는 날이다. 일단 날씨가 너무 좋네. 우기로 접어드는 날씨라 하루 한두 번 비가 내린다. 오전에 청소를 하니 비가 오전에 내리고 오후에는 화창한 날씨가 되기를 기대했는데 이런 나의 사악한 바람은 성사되지 못하였다. 두 번째 전략을 가동한다. 아홉 시 땡 할 때 청소하는 사람이 오면 좋겠다. 살다 보면 이런 행운도 있어야지. 8시 57분, 심장이 둥둥둥. 딩동, 초인종이 울리고 옥구슬 굴러가는 "하우스 키핑" 하는 소리가 3분 후에는 들릴 것이다. 창밖에는 초록 나무들이 햇살을 받고 서 있고, 그 나무들 사이로 맑은 하늘이 파랗다. 공사장에서 뭔 말뚝을 박는지 쿵쿵 대는 소리가 계속 들린다. 마치 청소하러 오는 사람들의 발소리 같다. 우기에 햇살은 금이다. 햇살이 보이면 모든 행동을 멈추고 바다로 가야 한다. 언제 비가 확 쏟아질지 모르니 순간을 즐겨야 한다. 아, 아홉 시가 지났다. 아홉 시에 우리 숙소를 청소할 생각은 애시당초 없었나 보다. 우리 말고 다른 방은 지금 신나게 청소기가 돌아가고 있겠네. 그 사람들은 뭔 복이래.

혹시 모르니 장기전을 준비하자. 삶은 언제나 그랬다. 기대했던 일은 언제나 예상을 벗어났고, 기대하지 않은 일은 항상 정확하게 찾아왔다. 기대는 허사였으나 걱정은 현실이 되고는 하였다. 그렇다면, 열두 시 땡 하고 옥구슬 구르는 소리로 "하우스 키핑" 하며 문을 두드리지 말라는 법도 없지 않을 것이다. 우선 창밖 상황을 체크한다. 오전 태양이 아주 활활 타오르고 있다. 오늘은 비가 내리지 않을 모양인가? 그래, 이대로 하루 종일 태양 너는 그곳에 가만히 떠 있어야 한다. 구름에 가려지는 일은 없어야 한다는 말이다. 그 다음은 세 시간을 어찌 건전하게 보내냐는 것이다. 유튜브, 넷플릭스 같은 애들을 일단 멀리하자. 이것들 하고 놀면 시간은 진짜로 금방 가는데, 놀고 나면 허탈하다. 태국어를 공부할까? 나이양 해변 주변을 구글 지도로 연구를 할까? 최고 존엄하고 대화를 할까? 이건 아니지. 아무리 심심하다고 부부지간에 할 수 있는 게 있지. 자칫 큰 봉변을 당할 수도 있으니 혼자 노는 방법을 찾아야 한다. 아, 날씨도 좋으니까 카페에 가서 커피를 사가지고 온다고 할까? 이게 좋겠다. 생색도 내고, 슬쩍 바람도 쐬고.

씨. 아 놔. 참으로. 나중에 같이 가서 마시자고 한다. 커피 사오려면 힘들 테니 그냥 쉬란다. 아니, 그게 뭐가 힘드냐고. 아내는 식탁에서 유튜브인지 인스타그램인지 보면서 하하하 웃는다. 하여튼 혼자 진짜 잘 논다. 요즘 유튜브 쇼츠(shorts)를 연구하고 있다. 여행을 다니다 보면 글로 표현하기 어려운 장면들을 만나는데 그걸 그냥 버리기는 아까워 고민을 하다가 쇼츠와 맥이 닿았다. 일단 쇼츠를 만들어 유튜브에 올려보자. 조회수가 대박은 나지 않겠지만 지금부터 연습하면 내년 정도에, 혹시 누가 알겠는가, 유튜브 쇼츠계에 떠오르는 샛별이 될지. 지금 방문을 두드리며 청소하러 왔다고 하면 그야말로 딱인데. 핸드폰 가지고 놀던 최고 존엄이 잔다. 잠들고 십분 정도에 깨면 그 찜찜함이란. 지금 와라. 청소하러 지금 오라고. 막잠든 사람 깨어나게.

잠깐, 청소할 때 우리가 여기 있어야 하나? 호텔 같은 데서는 마스터 키로 방을 열고 청소하잖는가. 아, 그걸 안 물어봤네. 모르겠다. 오늘은 그냥 이러고 죽치고 있자. 왔다. 오예, 아내가 잠든 지 십분도 안 되었는데 일어나야 하는 이 운명을 보라. 이 숙소는 살수록 정체가 모호하다. 오늘 청소를 하는 걸 지켜보니 그런 생각이 더해진다. 열심히 정성을 다한다. 수영장 있고, 헬스장 있고, 거실과 테라스도 있고, 거기에 이런 청소 서비스가 있다니 가격이 너무 참한 것 같다. 퇴실할 때 이것저것 막 청구하지는 않겠지. 청소를 하는 분이 낯이 익다. 아, 지난 주에 입실할 때 우리를 안내했던 분이네. 눈빛은 선하고 얼굴에는 미소가 가득한 분이다. 다음부터는 청소할 때 숙소에 없어도 된다고 한다. 자기들이 마스터 키로 열고 와서 청소하고 갈 테니 귀중품만 잘 챙겨 놓으라고 한다. 걱정도 하지 말라는 말도 덧붙인다. 귀중품이 뭐가 있겠는가? 돈은 주머니에 있고 여권만 잘 챙기면 되겠다.

다행히 해는 여전히 하늘에 잘 붙어 있다. 청소 끝나면 바닷가에 가서 푸른 바다를 보며 맛있는 점심을 먹어야겠다. 청소가 거의 끝나가는 분위기다. 지갑을 열었다. 팁을 주려고 하는데 태국에서 제일 단위가 큰 돈인 천 밧짜리 밖에 없네. 아, 이런 팁을 줄 수가 없다. 다음 주에도 여길 청소하느냐, 오늘 돈이 없다, 미안해요, 다음 주에 팁 줄 때 같이 드릴게요. 나도 내가 뭐라는지 모르겠는데 제대로 못 알아들었겠지. 놀 생각만 했지 팁 챙길 생각은 못했구나. 아, 참으로 희한한 깍두기 씨다. 반성해라. 누가 청소하러 온다면 자동으로 팁을 떠올려라. 알뜰하게 사는 것도 좋지만 수고한 사람에게 성의를 보일 때는 주저하지 말고 살자. 사람이 사람을 챙기자. 알겠냐고? 녜!

아놔, 이럴 줄 알았다니까

앞으로 나아가려면 큰 보폭의 걸음보다 잔걸음이 중요하다. 평소에 동네 산책을 즐기다가 동네가 익숙해지면 좀 멀리 한강도 가고, 양평도 가고, 강화도도 갔다. 그러다가 어느새 나라를 한 바퀴 돌게 된 것이다. 이것이 잔걸음의 위력이다. 사람들은 유행에 민감하다. 드러내고 표시가 나는 그럴듯한 놀거리가 없나 하고 사방을 두리번거리다가 평소에는 잔걸음은커녕 아무것도 안 하고 있다가 산티아고 순례길이 대박을 치니 관광하듯 가서 짐은 무거우니까 업체에 돈 주고 배송시키고 살랑살랑 몇 코스를 걷고 온다. 산티아고 순례길을 다녀온 것도 맞고, 걷고 온 것도 사실이다. 만나는 사람들에게 산티아고 어쩌고 막 떠들 수는 있어도 삶에는 어떤 변화나 전진은 없을 것이다. 왜냐고, 일상에 꾸준한 잔걸음이 없기 때문이다.

두드리면 열린다. 이 말을 잘 곱씹으면 진짜로 어떤 일이 일어날 수도 있다. 나는 은퇴를 하면서 '두드림'을 결심했었다. 내두드림은 매일 글 한 편을 써서 블로그에 올리는 것이다. 제주, 코타 키나발루, 쿠알라 룸푸르, 조호 바루, 방콕, 푸껫까지 여덟 달 동안 이 두드림은 다행히 계속되고 있다. 두드리니 손만 아픈 것인지, 아니면 문이 조금이라도 열렸는지는 알 수 없다. 나와 여행을 같이 하고 있는 감독자 겸 동반자인 최고 존엄이 카페에서 커피를 마시다 말고 문득 입을 연다. 세상에서 가장 무서운 말, "여보, 나 할 말이 있는데." 가 나왔다. 나는 얼른 단정한 자세로 앉는다. 쓸데없는 매를 벌 필요는 없다. 덜 맞거나 강도가 낮은 매가 그래도 낫다. 내심 태연한 척했으나 머릿속으로는 최근 나의 행실을 빨리 되돌려본다. 아, 그런데 내 귀에 문이 삐걱하고 열리는 소리가 들렸다.

"여보, 글이 점점 좋아져. 제주보다 훨씬 읽기 편하고 실감 나."

오호, 그 머시기냐? 이것이 바로 산삼보다 귀하다는 칭찬이라는 것이구나.

푸껫에 온 그날부터 수상하기는 했다. 뭔가 께름칙한 것이 왠지 잔걸음과 두드림이 멈춰질 것 같은 불길한 예감이 들었다. 원인은 한두 가지가 아니다. 그중 가장 큰 원인은 이곳 나이양 해변에 사는 사람들의 언어 행태다. 우리 같은 일회성 여행자가 접촉할 수 있는 사람들이라고 해봐야 뻔하다. 경비 아저씨, 청소하는 분들, 식당에서 일하시는 분들 정도인데 이분들 대부분이 태국어를 못한다고 한다. 이웃 나라에서 일하러 왔다고 한다. 태국인들을 만나도 관광지인 까닭에 대충 외국인이다 싶으면 영어로 말한다. 거기다 대놓고 태국어를 떠듬거릴 순 없지 않은가. 혹시라도 한국에서 외국인 만나시거든 꼭 우리말로 말씀하시라. 분명히 고마워할 것이다. 일주일 동안 태국어

보다 영어가 더 늘었네. 참 나.

어쩌지. 어렵게 시작한 태국어를 향한 잔걸음을 쉬지 말고 걸어야 할 텐데. 뭔 좋은 방법이 없을까? 다음 행선지 치앙마이는 안 봐도 뻔할 뻔 자. 거기도 여기 못지않게 외국인이 많을 테니까. 아놔. 행선지를 태국 어디 산골짜기로 옮길까? 이곳 나이양 비치에서 우리가 다니는 단골 카페가 두 곳인데 한 곳은 영어를 쓰고, 다른 한 곳은 분명 뼛속까지 태국 사람인데 말을 잘 안 한다. 붙임성이 좀 떨어지나 생각을 했는데 자기 친구가 오니까 수다를 엄청 떤다. 근데 단골인 이유는 커피는 맛있고 풍경도 좋기 때문이다. 단골 식당은 진작에 글렀다. 거긴 다들 미얀마 사람들이다. 경비 아저씨들은 드나드는 사람들이 많아서 나하고 수다 떨 시간이 없을 것 같고. 슈퍼, 아 그렇구나. 슈퍼가 있었네. 일단 한가한 시간을 엿보다가 가봐야겠어. 근데 슈퍼에서 수다를 얼마나 떨 수 있는 거지. 방콕 숙소 4층에 있던 보안 아가씨 생각이 간절하다. 그 아가씨는 심심해서 내가 나타나면 눈이 초롱초롱 빛났었는데.

차라리 말보다 글자에 더 집중하자. 말할 기회가 없다면 푸껫 나이양 해변에 있는 모든 간판과 안내판을 다 읽어버리자. 좋네. 그게 낫겠다. 괜히 없는 선생을 찾아다니느라 시간만 낭비하지 말고. 벼락부자는 없다. 커피값 아끼려고 카페 문 앞에서 돌아서는 잔걸음이 있어야 한다. 세계 여행은 무슨? 일단 혼자 하는 국내여행이나 시도하시라. 네 이웃을 네 몸처럼 사랑하라? 이웃은 언감생심 꿈도 꾸지 말고 내 몸이나 먼저 사랑하자. 헬스장에 가서 몸 만든다고, 돈 쓰지 말고 방에서 팔 굽혀 펴기부터 하자.

작은 걸음부터 걷자. 걷다 보면 어느새 닿겠지. 창밖에 바람이 살랑살랑 부는데 나뭇잎 하나가 낙엽 마냥 흐르듯 떨어진다. 동남아는 가을이 없으니까 나뭇잎이 우수수 떨어질 일은 없을 것이고 아까 떨어진 그 나뭇잎처럼 알아서 한 잎 두 잎 떨어지나? 방콕에서 한 달 동안 열심히 태국어를 공부했다. 태국 생활 두 달째인 이곳 푸껫에서 태국어로 메뉴판을 읽고 음식을 주문하는 정도로 회화 실력을 끌어올리려고 계획했었다. 역시 계획은 그저 계획에 불과했다. 사는 것이 다 그렇다. 생각대로 되는 일이 그리 흔치 않다. 내 그럴 줄 알았다.

뭐하냐고요? 문장을 캐고 있어요

여느 때처럼 내가 만든 토마토 탕으로 아침을 먹고 해변에 있는 아지트 같은 단골 카페로 간다. 카페 앞에는 나무로 둘러싸여 있는 해변이 있는데 커피를 주문해서 해변에 있는 테이블에서 마실 수 있다. 우리가 조금 일찍 온 것인가 아니면 카페 주인이 늑장을 부리는 것인가? 해변 나무 그늘 아래에 있는 흰색 플라스틱 탁자와 의자들이 아직 영업 안 한다는 자세로 비딱하게 기울어져 있다. 자세는 언어다. 누가 다소곳하게 두 손을 앞에 모은 채로 서 있다면, 전혀 반항할 의도가 없으며 한발 더 나아가 거의 항복에 가깝다는 의사를 표시하는 것이다. 만약 껌을 질겅질겅 씹으며 불량한 자세의 모범이라 할 수 있는 짝다리로 서 있다면, 그래 어디 한번 붙어보자는 의사표시로 해석해도 된다. 아직 일 안 한다는 자세를 취하고 있는 탁자들 중에 하나를 골라서 앉는다. 아직 뜨거워지 않은 해변은 한산하다. 어제 밤에 내린 비로 나뭇잎에는 아직 빗방울들이 맺혀 있고, 수평선 위에는 구름들이 만들어지고 있다. 파도는 높지 않고 해변을 어루만지는 것처럼 쓰다듬으며 왔다 갔다 한다.

해외에서 한 달 살기를 하면서 발굴한 여러 보물 가운데 넘버 텐 안에 들어가는 것이 바로 어깨에 메는 가방이다. 그 머시기냐, 여성분들이 어깨에 메고 다니는 에코백은 진짜 편리하다. 귀국을 하고 나서도 난 이걸 사용하기로 결심했다. 에코백, 왜 에코백이라고 부르지. 코타 키나발루에서는 둘이 각자 배낭을 멨다. 쿠알라 룸푸르에서는 배낭 두 개가 하나로 줄면서 나만 멨다. 게다가 일회용 봉투를 제공하지 않아 슈퍼에서 큰 장바구니를 사서 그걸 들고 다녔다. 방콕에서 그 장바구니가 찢어졌고, 100 밧을 주고 에코백을 샀다. 하여튼 중요한 건 배낭이든 에코백이든 나만 멘다는 말이다. 가방에서 노트와 연필을 꺼내 흰색이라고 하기에는 민망할 정도로 때가 심하게 낀 탁자 위에 탁 하고 올려놓는다. 노트를 펼쳐 아직 아무 글자도 없는 면을 펼치고 연필로 사각사각 글을 쓴다. 몇 자 적지도 못하고 글을 멈춘다. 멀리 바다 쪽을 유심히 바라본다. 냄새를 맡으려 코도 벌렁거려 본다.

어부도 아니면서 바다로 쓱 가서 뒤짐을 지고 마치 순찰을 하듯 그냥 둘러본다. 본다고 뭘 아나? 발바닥에 닿는 모래가 부드럽다. 오른발 엄지발가락을 모래 속으로 꾹 눌러 박는다. 한 십 년은 된 것 같은데, 오른 엄지발가락 발톱에 무좀이 생겼다. 이 무좀균이 얼마나 생명이 끈질긴지 내가 약 바르는 걸 포기했다. 그냥 같이 사는 걸로 합의를 했는데 뜨끈뜨끈한 모래 속에 담그면 혹시 무좀균이 죽을까 해서 나는 바다에 오기만 하면 맨발로 한참을 돌아다닌다. 다시 단골 카페 앞 해변 나무 아래에 있는 거의 회색에 가까운 탁자로 돌아와서 아까 펼친 노트 위에 끄적끄적 뭔가를 쓰기 시작한다.

아주머니 한 분이 오시더니 탁자들을 정리한다. 카페 옆에 식당이 있는데 지금 내가 앉아 있는 이곳은 카페와 식당 손님 모두가 이용할 수 있다. 탁자를 정리하는 아주머니는 식당 주인이시다. 비딱한 자세로 있는 의자들을 정 자세로 바로 앉히고 색 바랜 테이블 위에 빨간 천을 탁 펴서 탁자에 마름모 모양으로 덮고 빨래집게로 날아가지 못하게 집는다. 이로써 누리팅팅한 탁자는 레드 테이블로 변했다. '영업 가능' 하다는 상태를 해변을 걷는 사람들에게 알리는 자세가 된 것이다. 우리는 아이스 아메리카노와 핫 아메리카노를 앞에 놓고 근 두 시간을 앉아 있다. 달랑 커피 두 잔으로 참으로 아름다운 풍경 속에서 호사를 누린다. 우리는 비가 억수로 쏟아지는 날을 제외하고는 거의 매일 이곳에 온다. 참 중독성 강한 곳이다.

"아, 오전 내내 여기서 뭐 하고 있냐고요? 문장(文章)을 캐고 있어요."

나는 매일 이곳에 앉아 글쓰기 연습을 한다. 은퇴를 하고 글을 쓰겠다고 작정을 하고 나서 뭔가 이상한 것을 발견했다. 글쓰기를 하면 노트북을 앞에 놓고 손가락을 부지런히 움직이며 막 글을 쓰는 모습을 상상했는데 현실은 영 딴판이다. 그냥 멍하게 앉아 있거나 드러누워 있거나 할 일 없이 여기저기 걷는 것이 전부다. 희한하다. 뭔가 쓸 것이 떠오르려고 하다가 막상 연필을 잡으면 눈 녹듯 사라져 버린다. 겨우 몇 줄을 쓰면 길을 잘못 든 것처럼 우왕좌왕하다가 글을 멈춘다. 그래도 지치지 않고 문장을 캐는 곡괭이 질을 멈추지 않는다.

"그래서, 오늘은 뭐 좀 캐셨어?"

"그냥 그렇네요. 수확이 시원치 않아요. 이러다 날 새겠어요."

나는 노트를 덮고 연필을 필통에 넣는다. 그냥 바다나 즐기자. 글은 무슨. 내 앞에 앉은 최고 존엄이 눈에 보이지도 않는 작은 벌레가 무섭다고 난리를 친다. 아, 바람과 햇살이 살을 어루만지는 이 에로틱한 순간에 말이다. 잠시 후 바다를 보더니 이번에는 만화 영화가 생각이 난다면서 갑자기 미래소년 코난 주제가를 부른다. 푸른 바다 저 멀리 새 희망이 넘실거린다며 흥얼거린다. 우리 앞으로 남자는 웃통을 벗고, 여자는 오메 브래지어만 한 노부부가 지나가며 눈 인사를 한다. 아, 저리 곱게 늙었으면 좋겠다. 헬로우, 어르신들 보기 좋습니다요.

오메, 비키니에 헬맷이라니

우리나라 사람들은 참으로 다른 사람들 눈치를 겁나게 많이 보는 것 같다. 눈치라는 것이 묘하다. 눈치가 없으면 사는 것이 울퉁불퉁한 자갈밭 위를 굴러가는 리어카처럼 고생인데, 눈치가 있으면 잘 닦인 신작로를 굴러가는 달구지 신세 정도는 된다. 사람들은 돈과 명예를 쫓는다고 하는데 모두가 그런 것은 아니다. 돈과 명예는 한정된 사람이 추구하는 영역일 뿐이다. 그러면 대부분 사람들이 추구하는 건 무엇일까? 바로 타인의 시선이다. 돈도 명예도 없어도 남은 의식해야 한다.

"이러고 사는 나를 다른 사람들은 어떻게 생각할까? 이상하게 보겠지?"

초원 위에 서 있는 미어캣처럼 항상 주변을 두리번거린다. 항아리를 박박 소리가 날 때까지 긁어서 쌀 한 톨이라도 더 모으려는 듯이 대출을 있는 한껏 받아서 브랜드 아파트에 한 몸 의탁하는 것도 마치 그럴듯한 이유가 있는 것처럼 핑계를 대지만 속으로 들어가면 남에게 기죽지 않기 위해서 그러는 것이다. 남이 내 주인인 것이다.

푸껫에 있는 나이양 해변은 진정한 자유 공화국이다. 이곳에서는 배가 남산 만한 아저씨가 수영팬티를 그 볼록한 배 아래 겨우 걸치고 마구 돌아다닌다. 아유, 아줌마들은 더하다. 사람들이 돌아다니는 해변 중간에 수건을 깔고 벌러덩 누워서 잠을 잔다. 내가 눈을 어디에 둬야 할지를 모른다니까. 그렇다고 미국 마이애미 비치에 있는 여인들처럼 늘씬하고 그런 몸매가 절대 아니다. 진짜 뚱뚱하다. 이 얼마나 대단한 자유이며 평등인가? 사람이면 그냥 사람인 곳이다. 내가 온전하게 나로 존재하는 곳, 남의 눈치는 개나 물어가라고 하는 곳이 이곳 나이양 해변이다. 홀쭉하고 뭐 그래야 사람으로 인정받는 우리나라와

는 완전히 다르다. 왜 대한민국 바닷가에서는 이런 분위기가 나질 않을까? 아마도 그놈의 남 눈치 보기 때문일 것이다.

우리는 자기 욕망에 대해서 얼마나 진지하게 고민을 해봤을까? 자기가 정말 하고 싶은 것이 있기는 하나? 열심히 사는 것

이 과연 자기 욕구 중에 우두머리인가? 아, 정말이지 말초신경을 자극하는 짜릿짜릿한 욕망은 진정 멀리해야 하는 더러운 것인가? 근엄하고 우아한 욕망만이 순순한 것인가? 얼굴에 화학제품을 바른다. 남에게 예쁘게 보이는 마법이라며 시간과 돈

을 써가며 덕지덕지 바르는 것이 진정 자기의 욕망인가? 화장하지 않을 욕망은 없는 것인가? 옷장을 열면 옷이 산더미다. 대충 입을 자유는 없다는 말인가? 사람 신체구조는 누구나 같다. 뻔하게 생겼다. 다 벗고 다니면 뭐가 어떠냐? 그걸 가리겠다고 어마어마한 돈과 시간을 쓰다니. 자기는 욕망이 없는 나무토막이라고 생각하는가? 진정 그리 생각하는가? 나무토막이 어찌 배가 고프고 잠은 오는가? 버젓이 있는 욕구를 없다고 하면

없는 것이 되는가? 욕망은 갈망이다. 갈구하는 진한 욕망이 있어야 사람이다. 아니면 인형이지. 나는 자유 공화국 나이양 해

변에서 욕망과 욕구를 묵상한다.

이 세상에 가장 보기 흉한 것이 규격이다. 나는 그렇게 생각하는데 다른 사람들은 오히려 규격에 익숙해서 규격을 옹호한다. 딱 보면 척하고 알 수 있어야지, 고개를 갸우뚱하게 만들면 규격에서 벗어난 것이라 생각하여 싫어한다. 규격이란 게 무엇인가? 옆구리 자르고 다리 자르고 해서 똑같이 만든 것이다. 가로 세로 높이만 같으면 된다.

"개성이라고? 웃기는 소리 하고 있네."

이것이 바로 규격이다. 전 국민이 같은 옷을 입고, 같은 생각을 하고, 정해진 나이에 결혼해야 한다. 나라를 위해 애를 많이 낳자고 한다. 와, 정말. 애도 내 맘대로 못 낳냐? 애 많이 낳으면 조국을 사랑하는 것이냐? 이런 말을 방송에서 버젓이 하는 인간들, 아 정말이지 화가 난다. 우리가 나라를 위해 애 낳는 기계야? 인구가 적으면서도 잘 살고 행복한 나라가 얼마나 많은데. 안 되겠다. 푸껫으로 와라. 면상 좀 보자. 사랑도 남을 위해서 해야 하는 규격이 최고인 나라 대한민국 만세다.

푸껫 나이양 해변에 비가 올 조짐이 보인다. 해변가 상인들이 천막을 친다는 건 비가 올 것이니 알아서 다들 준비하라는 표현이다. 우리도 주섬주섬 짐을 챙겨 슬리퍼를 질질 끌고 숙소로 향한다. 해는 비치는데 후드득 비가 떨어진다. 해변에서 숙소로 가려면 샛길을 통과해야 하는데 오토바이가 지나가면 길을 비켜줘야 한다. 부르릉, 오토바이가 지나간다. 길을 터주고 지나가는 오토바이를 본다. 오메, 비키니를 입고 헬멧을 썼다. 와, 엄청나게 멋지다. 빵 하는 소리와 함께 팬티에 브래지어에 헬멧에 거기에 햇살에 비까지. 영화 속 한 장면인 줄. 샛길이 끝나는 곳에 게스트 하우스가 있는데 방금 우리를 지나쳤던 오토바이가 그곳에 멈춘다. 오토바이를 길가에 세우고 나서 비키니를 입은 여자가 계단을 오르며 헬멧을 벗는다. 와, 백발의 긴 머리를 날리는 할머니다. 눈물이 날 뻔했다. 이게 진정한 욕망이지. 이게 진정한 자유라고. 이게 해변이라고. 남 눈치 안 보고 자기 멋에 사는 게 얼마나 멋지냐고!

세상에서 가장 듣기 좋은 소음

부엌, 이렇게 쓰고 나니 생소하게 보인다. 주방이라는 말은 자주 쓰는데 반해 부엌이란 글자는 오랜만에 써서 그런 것일까? 나는 주방에 대해서는 별다른 감흥을 느끼지 못하지만, 부엌에 대해서는 조용한 곳과 소음이 만들어지는 곳이라는 상반된 이미지를 가지고 있다.

부엌을 조용하다고 느끼는 것은 아마도 정갈함 때문이었을 것이다. 도둑이 들어와서 보고 눈살을 찌푸릴 정도로 볼품없는 집안을 어머니는 틈만 나면 쓸고 닦았다. 어머니 전용 공간인 부엌에 있는 살림살이들은 동자승 머리통 마냥 반짝거렸다. 차마 건들지 못할 정도였다. 오후가 되면 부엌에 햇살이 들어왔는데, 햇살은 포개 놓은 그릇들 위로 골고루 돌아다니며 그림자를 만들었다. 점심때가 지나고 저녁때가 오기 전 부엌은 흑백사진처럼 차분했다. 밥때가 되면 부엌은 유난히 소란스러워졌다. 칼 손잡이로 마늘을 빻는 소리와 증기 압력을 견디지 못한 냄비 뚜껑이 덜그럭거리는 소리와 밥상에 그릇과 수저가 놓이는 소리가 마치 말이 달리듯 따각따각 시끄러웠는데, 참 행복했다.

소파에서 늘어지게 낮잠을 잔다. 파리가 자꾸 얼굴에 달려들어 손으로 쫓는다. 물러났던 파리는 시간차를 두고 다시 달려든다. 일주일 피로를 휴일 낮잠으로 몽땅 씻어버리겠다는 굳은 의지로 전신마취 같은 무기력 속으로 빠져든다. 자꾸만 뭐가 얼굴에 닿는데도 몽롱해서 도대체 몸을 일으켜 세울 수가 없다. 억지로 의식을 깨워서 생각하려 한다. 파리가 아닌가? 그럼 뭐지? 다시 잠 속으로 빠져드는데 아득히 먼 곳에서 여자 목소리가 들린다.

"아빠 주무시는데 왜 자꾸 거기 가서 그래. 이리 와. 아빠 피곤하시대."

아, 그렇지. 내가 결혼을 했고, 저 목소리는 아내구나. 요 녀석은 파리가 아니라 내 아이구나. 아이가 갑자기 앙 하고 운다. 아내가 꾸중을 하고 아이가 울어대는 소음 속에서도 한여름 일요일 낮잠에서 깨어나지 못한다. 나는 서른 살 언저리에 행복한 소음을 들으며 나무에 매달린 코알라처럼 침대에 들러붙어 잠을 자곤 했다.

다 큰놈한테 뭐라고 말이라도 한 마디 건네면 금세 싸움판이 되기 일쑤다. 벙어리 냉가슴 앓듯 조용히 찌그러져 있으려고 해도 타고난 기질이 있는지라 그것도 쉽지가 않다. 허벅지를 송곳으로 찌르면서 참을 수밖에, 전전긍긍 똥 마려운 강아지처럼 서성대다가 우격다짐으로 잠을 청한다. 잠이 올 리 만무한데도 꼴깍 잠이 든다. 잠결에 세상 반가운 소음이 들린다. 띡띠 띠띠띡. 아, 현관문이 열리는구나. 드디어 귀가를 하셨네. 냉장 고를 여는구나. 아버지가 자는 줄 알면서도 아주 씩씩하게도 냉장고를 닫는구나. 쏴, 아득하게 물소리가 들린다. 비가 오 나? 아, 씻는구나. 다 큰 녀석에게 일찍 다니라는 잔소리를 할 용기는 애당초 없으니 그저 입은 닫고 귀만 열어 놓는다. 현관 문 열리는 소리와 씻는 소리에 안도할 뿐이다. 집에 왔으니 되 었다. 하루 종일 산다고 종종거렸을 것인데 수고했구나. 다 큰 아이가 귀가해서 만들어내는 소음을 잠결에 듣는 것이 좋다.

아내에게 갱년기가 찾아왔다. 나는 딱 좋은데 아내는 덥다고 하고, 나는 추운데 아내는 딱 좋다고 한다. 밤에 아내가 자주 뒤척인다. 나는 평소에 잠귀가 밝아 잠을 잘 설치는 편이다. 갱 년기 여자와 잠귀 예민쟁이 남자는 한 침대에서 잘 수 없는 운 명에 처해졌다. 아내는, 지방으로 내려가는 바람에 주인이 없 어진 아들 방으로 거처를 옮겼다. 이러기를 사오 년이 지났다. 은퇴를 하고 둘이 여덟 달 동안 단칸방 한 달 살이 여행을 다닌 다. 각방 생활을 청산하고 부득불 합방이다. 합방이라니, 긴장 해서 같이 잘 수 있을까? 쓸데없는 걱정이었다. 아내가 먼저 잠들고 내가 먼저 일어난다. 다시 말하면, 나는 아내가 자면서 내는 소리를 들을 수 있지만 아내는 내 소리를 들을 수 없다. 아내 숨소리가 고르게 들리면 잠이 든 것이다. 그제야 나는 잠 에 든다. 새벽에 가만히 웅크린 채 아내가 내는 소리를 듣는다. 푸, 푸. 고래가 물 밖으로 나와 호흡하는 소리가 들린다. 아내가 꿈에 고래로 변신을 한 모양이다. 인어공주도 있는데 하필이면. 고른 푸 소리를 들으면 숙면을 하고 있는 듯해 마음이 놓인다. 나는 닭도 일어나지 않은 이른 새벽에 발레리나가 춤을 추듯 발가락으로 몸을 지탱하며 고래 소리가 들리는 방을 빠져나온다.

이상하다. 불을 켜면 소리들이 화들짝 놀라 사라져버리는 것 같다. 거실로 나와 불을 켜지 않고 소파에 누워 눈을 감는다. 거실 시계가 돌아가는구나. 아, 냉장고 소리는 여전히 웅장하구나. 밖에 바람이 부는가 보다. 나뭇가지들이 서로 비벼대는 소리가 들리네. 더운 푸껫인데도 가끔 바람이 부니 좋다. 부르릉, 오토바이가 씩씩하게도 지나간다. 이 새벽에 누가 어디로 가는 것일까? 닭 한 마리가 아주 희미하게 소리를 낸다. 닭들은 항상 그러더라. 한 마리가 먼저 소리를 내면 지지 않겠다는 심보인지 곧 우렁차게 떼를 지어 소리를 지른다. 몸을 일으켜 테라스 커튼을 연다. 드르륵 소리와 함께 여명이 들어온다. 갑자기 소리가 일시에 멈추었다가 잠시 후 다시 시계가 돌고, 냉장고가 가동을 계속하고, 닭들이 데모를 하듯 소리를 질러댄다.

아 참. 내가 이러고 있을 때가 아닌데. 블로그에 얼른 글을 올리고, 내가 개발한 우리가 아침으로 먹는 토마토 탕을 만들어야지. 아내가 일어나면 배고프다고 할 텐데. 요즘에는 눈 뜨고 얼마 지나지도 않아 바로 배고프다고 하대. 가만있어 봐. 그나저나 고래 소리를 내며 자는 아내도 나중에 이 소음을 기억할까? 낯선 도시 푸껫에 있는 어느 숙소 주방에서 아침을 만드느라 달그락거리는 소리를 말이야.

Hey, Mr. 캐슈너트

태국 물가는 참하다. 물건을 사는데 큰 부담을 느끼지 않아도 된다. 이런 참한 물가 덕분에 편의점에 가면 이것저것 막 집는데 유독 견과류 앞에만 서면 멈칫한다. 비싸다고 할 수는 없지만 얼추 우리나라 가격과 비슷하다. 맥주 한 캔이 50밧 정도인데 작은 견과류 한 봉지가 80밧이니 참한 태국 물가에 비하면 선뜻 손이 가지 않는 가격이다. 나는 견과류를 즐긴다. 거의 100킬로그램에 육박하던 체중을 70킬로그램 후반으로 낮추면서 생긴 습관 중에 하나가 견과류를 먹는 것이다. 간식도 되고 안주도 된다. 에로틱한 핑크색 히말라야 소금을 뿌려서 먹으면 참으로 희한하니 맛있다. 맥주 두 캔에 와인 한 병 정도는 순식간에 해치울 수 있는 능력을 가진 것도 견과류다. 공복에 심심풀이 땅콩처럼 한 알 두 알 집어먹다 보면 포만감까지는 아니지만 허기가 몰려오는 것은 막을 수 있다.

'캐슈나무'라고 있다고 한다. 그 나무에서 열리는 것이 '캐슈너트'인데 이 캐슈너트가 인터넷이 알려준 바에 의하면 신이 먹다 버린 불로장생 열매라고 한다. 하기야 인터넷에 떠도는 모든 것이 거의 만병통치약이니까 뭐 새롭지도 않다. 내가 아침마다 먹는 토마토도 일설에 의하면 자주 먹으면 의사가 손님

떨어질 걱정에 얼굴이 하얗게 질린다고 한다. 하여튼 귀국해서 건강검진을 했는데 안 좋게 나오면 블로그에 토마토 효능 어쩌고 쓴 블로거들은 각오하시라. 흑세무민의 응징을 기대하시라. 각설하고, 캐슈너트도 토마토에 지지 않을 정도로 온갖 곳에 다 좋다고 한다. 혈압, 심장, 시력, 피부, 면역 등등. 지금은 없어진 시골 장날 약장수가 나타난 줄.

나이양 비치에 온 첫날, 해변에 자리를 잡고 망중한을 즐기는데 누가 내 앞에 선다. 비키시오, 나의 태양을 막지 말란 말이요. 그거참, 도대체 누구요? 머리를 들어 내 햇빛을 가린 작자를 올려다봤다. 내가 미국 서부 어디에 와있는 줄 알았다. 총

만 안 찼지 완전히 서부 총잡이 스타일을 한 아저씨가 버티고
서서 나를 내려다본다. 가슴에는 뭔 기관총 비스름한 걸 차고
서는. 서로 말이 통할 리가 없으니 가슴에 메단 판매대를 가리
키며, 캐슈너트를 사라고 한다. 안 산다고 했다. 실망하는 눈빛
을 아주 잠깐 보이더니 사내는 이내 사라진다. 길거리 상인이
라고 보기에는 참 얌전하다. 막 눌어붙고 싫다고 하는데도 엉
기고 그래야 하는 것 아닌가? 저리 쉽게 물러나면 물건을 어
찌 팔겠는가?

바닷가도 파장을 하고 어둠도 내렸겠다 숙소로 돌아가는데 영
마음이 거시기 하다. 엉겨 붙지도 않고 발길을 돌린 서부 사나
이 모습을 한 아저씨가 어른거린다. 온몸에 다 좋은, 장복하면
백 살은 거뜬히 넘길, 한 봉지 꽉꽉 채우고 센스 있게 흰 소금까
지 넣은 그 캐슈너트가 얼마나 했을 것인가? 호탕하게, 하우 머
치? 딱 한마디 하고서는 천천히 멋지게 지갑을 열었어야지. 하
여튼 돈 앞에서 쪼그라드는 습관은 참 안 바뀐다. 숙소 앞 슈퍼
에 들러 물을 사는데, 캐슈너트가 보인다. 역시 비싸네. 슈퍼에
서 이 정도 가격이면 아까 그 서부 사나이는 이 가격의 두 배는
불렀겠네. 안 사길 잘 한 거야. 암, 잘했다고. 숙소에서 맥주 한
캔 마시는데 캐슈너트 생각이 간절하다. 안주 없이 마시는 붉은
색 스트롱 맛 태국 맥주가 영 밍밍하게 느껴진다.

다음날 서부 아저씨가 내 쪽으로 오더니 나를 보고는 이내 발

길을 돌린다. 기억이 난 모양이다. 어제 인상 쓰면서 안 산다고 한 빡빡이니까. 내가 아저씨를 불렀다. 하우 머치, 대신에 유창한 태국어로 말한다.

"타오 라이 크랍?"

"러이 혹 씹 밧"

서부 사나이가 대답한다. 아싸, 160밧이라고? 마트 가격의 절반이네. 그날 이후로 이삼 일에 한 번 정도 아저씨에게 캐슈너트를 산다. 호칭도 서부 사나이에서 간지 나게 'Mr, 캐슈너트'로 바꿔 부른다. 캐슈너트를 팔다가도 나를 보면 손을 흔든다. 손님 앞에서, 저 빡빡이 내 단골이거든요, 하는 것 같아 나도 손이 찢어져라 흔든다. 하루에 스무 개 정도 판다고 한다. 매일 그리 판다면 한 달 수입이 쏠쏠하겠지만, 바람 불고 비 오고 몸 아프고 집에 뭔 일 있고 그런 날 빼면 얼마나 벌겠냐고.

한국어로 인사하는 말을 배우고 싶다고 해서 "안녕하세요?"를 알려주었더니 우리에게 오면 "안뇽하시요?"라고 한다. 이름을 물어보길래 성만 알려줬더니 나를 "팍"이라 부르고, 최고 존엄을 "켱"이라고 부르는 Mr. 캐슈너트, 내가 조석으로 틈만 생기면 그대의 캐슈너트를 와그작대며 얼른얼른 먹고 있소이다. 떨어지면 후딱 가서 또 사리다. 푸껫 공항에서 가까운 나이양 해변에 오면 서부 사나이처럼 카우보이 모자를 쓰고 캐슈너

트를 가슴에 매달고 이 사람 저 사람을 오가는 사내를 볼 수 있
다. 물건 사라고 끈질기게 엉겨붙지도 못하는 Mr, 캐슈너트
다. 해변을 당당히 누비는 그대, 참으로 멋있소. 진심이요. 사
는 게 뭐 그리 복잡하겠소.

'교도삼식'이라고, 들어는 보셨나?

아무 주저없이 딱 잘라서 무언가에 대해 단언한다는 것이 쉬운 일은 아니다. 예상하지 못한 변수가 항상 있기 때문이다. 만약에 누구나 다 아는 간단한 이치에 대해 단언을 한다면 그건 좀 거시기 하다. 내가 단언하는데 물은 50도에서 끓는다. 만약 이렇게 말한다면 이건 개그도 아니고 정신이 살짝 나간 상태다. 물은 100도에서 끓는다고 해도 결과는 마찬가지다. 대부분 사람들은 술에 취하면 단언을 남발한다. "제가요, 끄억, 회사에 진짜로 충성을 다하겠습니다. 부장님, 사랑합니다." 이 정도가 되었다면 택시를 불러주는 게 옳다. 곤경에 처한 사람은 그 사람의 국적, 신앙, 성별을 구분하지 말고 일단 도와줘야 하니까. 그러면 선한 사마리안이라는 칭송을 들을 수 있다.

나는 감히 맨정신으로 단언을 하건대, 인간에게는 먹는 것이 전부다. 돌려서 비유로 어렵게 말하지 않고 길을 걸어가는 초등학생도 알아들을 수 있는 쉬운 언어로 다시 말한다. 인간에게 의식주가 기본일진대, 이 세가지 중에 으뜸은 중간에 있는 식(食)이다. 먹는 것이 금메달이라는 말이다. 의(衣)와 주(住)는 은이나 동메달에 불과하다. 왜? 올림픽 시상식을 보라. 금메달이 좌우에 은과 동을 데리고 있지 않느냐? 과학을 들어 진

은퇴 후 7개월, 7개 도시 이야기

지하게 다시 설명하겠다. 옷 안 입는다고, 집이 없다고 죽지는 않지만 먹지 않으면 죽는다. 옷을 대충 입었다고, 집이 누추하다고 죽지 않지만 음식을 잘 못 먹으면 죽는다. 식(食)은 생명과 죽음을 관장하는 것이므로 다음과 같이 단언한다. 인간에게 먹는 것이 오메가요 알파다.

일상생활을 하면서 심오한 철학을 체험하고 싶다면, 혼자 식사를 하라. 장소는 군중이 바글거리는, 홀로 있음이 창피한 생각이 드는 곳일수록 체험의 농도는 진해진다. 식당에 들어갈 때도 가장 바쁜 시간을 선택하라. 들어갈 때 사람들이 다 쳐다볼 수 있게 큰 소리로 외쳐라.

"한 명이요!"

치사하게 혼밥 전용 좌석이 있는 식당을 찾는 꼼수는 쓰지 마라. 종업원들이 바빠 죽을 지경인 식당에서 혼자 밥을 먹는다면 정말로 눈물겨운 눈치밥을 경험할 것이다. 삶은 이토록 중한 것이다. 절대로 허겁지겁, 어영부영, 씹는 둥 마는 둥 하지마시라. 긴 수염이 달리고 하얀 옷을 입은 도인처럼 아주 천천히 식사를 하라. 계산을 하고 나올 때면 최소한 프리드리히 빌헬름 니체의 친구 정도는 되어 있을 것이다. 이런 철학 체험이 단방에 성공한다는 보장은 없다. 한 명이요, 라고 용기를 낸 외침에 이런 대답이 날아들 수 있다. 한 명은 안되는데요!

한 도시에서 한 달씩 돌아가며 사는 걸 보고 말하기 좋아하는 사람들은, 거참 팔자가 늘어졌다 라고 한다. 이런 사람들은 대개 어려서 부유하게 자랐으며, 지금도 서울 강남 언저리에 살며, 집은 아파트일 것이다. 단언한다. 왜? 말하기 좋아하는 사람들은 대충 다 그러고 살더라. 해외에서 말도 안 통하는데 식당 고르기가 어디 쉬운 줄 아시는가? 자기 입맛도 생각해야지. 주머니 사정도 계산해야지. 게다가 메뉴판에 사진도 없지, 산 넘어 산이다. 한두 끼도 아니고 매일 세 끼를 이러고 산다고 생각해 보시라. 집 떠나면 멍멍이 같은 고생을 한다는 말이 바로 여기서 나온 것이다. 자고 입는 거, 그거 배부른 걱정이다. 하여튼 하루 세 끼를 해결하는 게 참으로 고단하고 눈물나는 일인 것이다. 직장에서 우르르 몰려다니며 하하 호호, 저는 짬뽕이요, 아이구 탕수육도 시키죠. 이럴 때가 봄날이니 마음껏 즐기시라.

푸켓 나이양 비치에 단골 식당이 세 곳 있다. 교토삼굴(狡兔三窟)이라고 들어 보셨나? 아냐, 일본에 있는 교토 말고, 현명한 토끼는 만일을 대비하기 위해서 굴을 세 개를 판다는 말이다. 나도 마찬가지다. 교토삼식(狡兔三食)이라고, 단골 식당 세 곳을 만들었고 장악을 했다. 아무 때나 막 들어가도 반갑게, 어서 옵쇼, 한다. 이른바 단골이다. 단골 식당이 있으면 사는 것이 진짜로 단순하게 행복하다. 왜? 골치 아픈 먹는 것을 해결했으니 얼마나 사뿐사뿐 살 수 있겠는가? 단골로 만드는 법은 간단하다. 무조건 자주 간다, 진상짓 안 한다. 엄지척 자주 한다. 잔돈은 팁으로 남긴다. 갑자기 비가 마구 쏟아진다. 점심을 어찌 해결해야 하나? 이런 걱정을 하지 않는다. 세 곳 중에 거리가 가장 가까운 곳으로 가면 된다. 비를 피하는 방법이기도 하고, 비가 오는데도 왔다고 예쁨을 받을 수도 있다.

혹시 사는 것이 거시기 하다면, 일단 먹는 걸 잘 해결하시라. 나는 퇴직하기 전에 두 해를 한직에서 보내야 했다. 직급은 높고, 하는 일은 없고, 동료들은 나이가 어려서 나를 잘 껴주지도 않았다. 물에 섞인 기름 같은 신세였다. 그때 나는 점심 먹는 것에 최선을 다했다. 어차피 혼자 먹어야 하는 점심, 사무실 주변 맛집을 탐방하기로 했다. 아주 좋은 시도였다, 두 해 동안 내 미각은 발달했고, 나는 혼자 먹는 밥이 즐거웠다. 사는 것이 뭐 그리 수고스럽게 느껴지지 않았다. 나는 확실하게 단언한다. 혼자서 재밌게 편하게 먹을 수 있는 단골 식당을 아지트처럼 곳곳에 확보하시라. 삶이 많이 가벼워질 것이고, 자신감도 생길 것이며, 평안해질 것이다. 혹시 아는가? 덩달아 행복해질지.

미하일 from Moscow

이곳 나이양 비치에 자리를 잡으면서 어느 꼬마 녀석을 알게 되었다. 두 살 정도는 되었을라나. 참으로 귀여운 녀석이다. 시력 교정용 안경인지, 옛날 드라마에 고시생 단골 이미지로 나오는 두터운 뿔테안경 같은 걸 끼고 있었다. 두 살배기 아기에게 어울리지 않는 그 안경 때문에 더 귀엽게 보였을 수도 있었겠다. 하는 짓도 예뻤다. 해변에서 자기 식구들은 상관도 안 하고 혼자 이 테이블 저 테이블 돌아다니며 잘도 논다. 거참, 독립성이 강한 놈일세. 저 집은 아이를 풀어놓고 쉽게도 키우는구면. 이런 생각이 스치는 순간에도 뒤뚱뒤뚱 넘어질 듯하다가도 자세를 잡아가며 오뚝이처럼 휘청거리며 모래 위를 내달린다. 확실히 인간은 태어나면서부터 퇴화를 시작하는 게 맞다. 해변가 풍경을 보다 보면 어린아이 에너지가 가장 왕성하고 노인으로 갈수록 시들하다.

그때 그 귀여운 녀석을 처음 만난 날, 우리 둘은 해변에서 맥주를 마시고 있었다. 아니지. 나는 맥주, 최고 존엄은 코코넛이었네. 알고 보니 그 녀석 테이블이 바로 우리 옆이었다. 부모로 보이는 젊은 남자와 여자가 있었고, 말을 건네기는커녕 그가 쳐다보기라 해도 고개를 떨궈야 할 것 같은 강인한 인상을 한

러시아 마피아처럼 생긴 할아버지로 보이는 양반이 있었다. 음, 젊은 부부 요것들이 베이비시터로 자기 아버지를 데리고 와서 놀고 있구먼. 앙큼한 것들 같으니. 어머나, 저 여자는 시아버지 앞에서 맞담배를 피우는 구면. 아이는 밝게 노는데 세 사람은 뭐가 저리 심각하노. 하여튼 이 해변이란 곳은 참으로 요지경이다.

이튿날 그리고 그다음 날에도 귀여운 녀석을 해변에서 만났다. 덩달아 러시아 마피아 용모를 한 배 나온 베이비시터 할배와도 점차 안면이 트이기 시작했다. 어라, 우리가 묵고 있는 숙소에서 또 마주쳤다. 숙소 입구를 지나자마자 큰 수영장이 있는데 수영하는 꼬마들과 빤스 입고 선베드에 늘어져 있는 꼬마들의 엄마와 그 엄마들의 남편들이 항상 바글대는 나름 우리 숙소의 핫 플레이스에서 요 녀석이 러시아 마피아 할배와 깔깔대며 나 잡아 봐라를 하고 있었다. 저 할배는 생긴 것과는 달리 애를 잘 보네. 보기는 좋으나 우리의 미래는 아니 올시다. 여보, 그치? 응, 난 힘들어서 애 못 봐줘. 그건 나도 그렇다. 난 힘이 없어라기보다는 놀아야 해서 시간이 없을 것 같다. 우리는 행복해 보이는 할배와 손자를 보며 괜스레 노후 다짐을 하고 있었다.

퐁당퐁당 간헐적 음주 전략에 의해, 음주를 해야 하는 날이 왔다. 해변에 가서 원 코코넛, 원 비어를 주문하고 바다를 바라보고 있었다. 그때, 바다에서 막 나온 어떤 할아버지가 우리 테이블로 온다. 불룩 나온 배에서 바닷물이 뚝뚝 떨어진다. 아, 귀여운 꼬마의 베이비시터이며, 러시아 마피아 용모를 한 할배다. 안경을 벗고 다가오니 못 알아보겠네. 근데 왜, 왜 이리로 오는데, 뭐냐? 몇 마디 나눠도 되겠냐? 그러시라. 너희는 어디서 온 자들이냐? 사우스 코리아에서 왔는뎁쇼. 오우, 그러냐? 방해가 안 된다면 맥주 한잔 같이 마셔도 되겠느냐? 당연합지요. 둘이 있던 테이블이 갑자기 세 명으로 변했다. 러시아식 영어를 유창하게 구사한다. 그러면 뭐 하냐고, 미국식 영어도 못하는 나에게 러시아식 영어는 제주 방언이나 마찬가지인 것을.

내일 모스크바로 돌아간다고 한다. 지난번 우리 옆에 있을 때 보았던 젊은 여자는 딸이고, 그 옆에 남자는 사위라고 한다. 사위가 러시아와 우크라이나가 벌이고 있는 전쟁에 징집될 나이라서 일단 이곳 푸켓으로 데리고 왔다고 한다. 이곳에 사위와 딸 그리고 손주 이렇게 셋이 지낼 작은 거처를 마련해 주고 내일 자기만 고향 모스크바로 간다고 한다. 내가 손주가 참으로 귀엽다고 하니까 귀여운데 똑똑하기까지 하다고 한다. 손주에 대한 기대가 남달랐다. 러시아 우주 정거장을 관리하는 기관에서 24년 동안 일을 했고, 올 해 66세라고 한다. 우리 나이를 묻길래 나는 몇 살이고, 내 아내는 몇 살인지 알려줬더니 사기 치지 말라고 한다. 훨씬 젊어 보인다고 한다. 나 말고 내 옆에 있는 최고 존엄에게. 내 그럴 줄 알았다. 미국 놈들은 참 나쁘다고 화를 낸다. 전쟁을 일으킨 건 푸틴이 아니라 미국이라고 생각하는 것 같다. 아, 러시아 사람들은 이렇게 생각을 하는구나. 자기도 우리 부부를 눈여겨보았다고 한다. 하는 행실이 마음에 드니 모스크바에 올 일이 있으면 연락을 하라고 한다. 별장도 있으니 재워주겠다면서. 전쟁 총사령부인 모스크바에 우리가 갈 이유는 없지만 성의를 생각해서 알겠다고 대답을 하고 서로 연락처를 교환했다. 이름이 러시아어로 미하일이고 영어로는 미셸이라고 부르면 된다고 한다. 자기가 일했던 우주 정거장 동영상을 자랑스럽게 보여주었다.

미하일이 모스크바로 돌아가고 한 이틀 정도가 지났을 때 숙소 정문에서 이사를 가는 가족을 발견했다. 미하일 딸과 사위다. 둘은 승용차에 짐을 싣고 있었고, 뿔테안경을 낀 꼬마는 여전히 에너지가 충만한 상태로 부지런히 차 주변을 돌고 있다. 미하일이 말한 자그마한 거처로 이사를 가는 모양이다. 젊은 부부는 수심이 가득한 얼굴인데 꼬마는 아주 해맑다. 지구에 사는 모든 사람들이 서로 싸우지 말고 행복하게 살았으면 좋겠다. 아름다운 바다가 펼쳐진 휴양지 푸껫에서 러시아와 우크라이나 전쟁이 만든 이야기가 펼쳐질 줄이야.

어디 쥐구멍 못 보셨소?

"절약을 해야만 부자가 된다."

이것은 우리가 철석같이 믿고 있는 몇 안 되는 진리라고 생각한다. 돈을 아끼지 않고 낭비를 하면서 부자가 되기를 꿈꾸는 것은 돌을 깔고 앉아있으면서 그 돌이 병아리로 부화하기를 기대하는 것이나 마찬가지라고 생각한다. 과연 그럴까?

"자린고비처럼 절약하면서 살면 부자가 된다는 것이 정말 사실일까?"

콩나물 값 50원 아껴서 언제 부자가 될 것인가? 돈을 아끼면 먹고사는데 지장이 없는 삶을 살 수는 있다. 이 말은 시빗거리가 없는 진실이지만, 그게 곧 부자가 된다는 말은 아니다. 부자가 되려면 투자를 해야 하고, 투자를 하려면 돈에 대해 알아야하고, 돈을 알려면 공부를 하고 사람들을 만나야 한다. 아끼지 말고 잘 쓰면서 바쁘게 살아야 한다. 절약해서, 적금 들어서, 월세에서 전세로, 전세에서 18평 아파트를 사고, 18평에서 30평으로, 이러는 사이에 집값이 서너 배 뛰고, 이건 아껴서 부자가 된 것이 아니라 부동산에 투자를 한 것이다. 절약하는 습관이 필요하기는 하지만 투자 없이는 부자가 될 수 없다. 본질이 완전히 다르다.

지금 우리 사회에는 '듣기 좋은 말 하기' 유행이 번지고 있다. 엄중한 현실을 인정하지 않고 말이 옳고 틀림을 따지지 않고 그저 예쁘고 듣기 좋고 시비 걸리지 않는 말을 하는 것을 좋아한다. 착하게 살아라. 아이들에게 이리 말하지 마라. 착하다는 것이 도대체 무슨 의미인지 곱씹어 보고 말해야 한다. 일확천금을 꿈꾸지 마라. 이런 말을 하며 허황된 것을 쫓지 말라고 한다. 정작 자기가 사는 아파트가 일 년에 몇 억 오르는 건 일확천금이 아니고 착실하게 살아서 그런 거냐고. 열심히 살아야지. 뭘 열심히 사냐? 놀 땐 놀고 일은 요령껏 적당하게 하면서 살아야지. 부자들을 보라. 그들은 대개가 벼락부자다. 창업을 해서 기업을 상장하고 주가가 오르면 부자가 되는 것이다. 아니면 태어났더니 부자였던가. 절약은 개뿔, 부자도 아닌 사람이 꼭 자기가 부자인 것처럼 이런 말들을 막 하더라. 부자들은 전용기 타고, 고래 등 같은 집을 짓고 산다. 서울 한남동에 안 가봤냐고. 무슨 절약 타령은.

우리는 앞뒤가 맞지도 않는 듣기 좋은 말에 현혹되어 그 말을 따라서 사는 것이 습관이 되었다. 나는 그나마 천성이 반골인지라 일단 대들고 보는 스타일이다. 꼴 보기 싫으면 안 본다. 남 눈치 안 보고 내 뜻대로 살고 있다고 자부한다. 난 장손이지만 부모님 제사를 안 지낸다. 형제들 각자 자기 스타일대로 자기 부모이니 알아서 추모를 하라고 했다. 부모님께서 제사 안 지낸다고 속 좁게 나를 징벌하실 거면 그리하시던가. 제사는 이미 내 마음 아주 깊은 곳에 있다. 이것이 제사라는 사회 관습에 대한 나의 견해다. 돌아가신 부모가 이곳보다 백 배 더 좋은 천국이나 극락에 있다고 믿는 사람들이 제사는 무슨. 앞뒤가 맞지 않는다. 아니면 솔직히 그런 믿음이 없던가. 이처럼 쓸데없는 곳에 마음을 쓰는 걸 낭비라고 한다. 조기 은퇴? 아니 물고기도 아닌데 조기는 무슨. 하여튼 또래에 비해 일찍 은퇴를 했다. 일찍 은퇴를 해서 제주에서 세 달, 코타 키나발루, 쿠알라 룸푸르, 조호 바루, 방콕, 푸껫까지 떠돌고 있다. 가끔 최고 존엄에게 묻는다. 힘들지 않냐? 힘들면 언제든지 말하라. 바로 비행기 표 끊어주겠다. 돌아오는 대답이 시원하다. 왜 자꾸 물어? 좋다고! 실제로 좋다. 이 '좋음'도 사실 내가 은퇴를 관습 대로 해석하지 않고 내 입맛에 맞게 풀어내서 쟁취한 것이다. 은퇴를 할 수 있는데도 열심히 일하는 사람들을 보면 도시락 싸 들고 가서 말리고 싶다. 그러지 마라. 인생 짧다. 왜 그러고 사는 것인가? 우리 각자가 우주이고 타인의 우주가 어찌 돌아가는지 간섭 안 하는 게 자연의 섭리인지라 꾹 참고 있을 뿐이나 그런 사람들을 보면 답답하기는 하다.

그러니까 이리도 당당하고, 잘 났고, 관습을 뒤틀어 해석하는 내가 해외를 떠돌며 여행을 하다가 끔찍한 습관을 발견했다. 와, 이건 정말 대박이었다. 스스로 창피해서 어디 없나 막 찾았다니까. 뭐를? 쥐구멍을. 해변에 있는, 탁자 위에 빨간 천이 깔려 있고 그 위에 노란색 천이 한 장 더 깔려 있는 음식점에서 맥주를 주문하고는 맥주 가격을 편의점과 비교를 하더라니까. 그래서 60밧, 우리 돈으로 2,232.6원 더 비싸다는 것을 알아냈다. 아니, 이게 뭐냐고. 반골 기질 어쩌고 하면서 틈만 나면 잘난 척은 우주 최강으로 하더니만 분위기 있는 바닷가 식당 테이블에 앉아서 맥주를 마시면 당연히 편의점 보다 비싸겠지. 그게 싸겠냐고?

이게 다 '알뜰하게 살아야 한다'는 그놈의 '듣기 좋은 말 대잔치'에 길들여진 탓이리라. 슈퍼에서 뭘 사도 이 슈퍼 저 슈퍼 가격을 비교한다. 어머, 20밧이나 더 비싸네. 이런 말도 막 하고. 와, 정말이지. 남우세스러워서. 이런 못난 습관이 있다는 걸 여행을 하고 몇 달 지나서야 알았으니 이건 또 뭔 창피냐고. 알뜰하게 살면 그저 사는 것이 알뜰해질 뿐이다. 낭만도 없고, 여유도 없고, 부자도 못 되고. 은퇴가 풍성한 인생 2막이 되려면 무조건 아껴야 한다는 강박을 버려야 한다. 은퇴는 변화다. 은퇴하기 전에 가졌던 습관들도 변해야 한다. 돈은 쓰려고 모은 것인데. 쯧쯧.

치앙마이
Chiang Mai

초면에 잘 부탁드립니다

12시 20분에 치앙마이로 가는 고추장 색깔을 한 에어아시아 비행기에 올랐다. 푸껫에서 치앙마이로 가는 비행기, 다시 말하면 관광지에서 관광지로 가는 것이라 승객들 복장이 상당히 자유롭다. 반바지는 기본이고, 운동화를 신은 사람도 별로 없다. 이런 분위기 아주 좋다. 방콕에서 푸껫으로 올 때와 마찬가지로 정시 출발이다. 약속한 시간에 출발해서 약속한 시간에 도착하는 태국 에어아시아, 좋다. 칭찬한다. 쓰담쓰담. 가격이 비싼 앞좌석은 거의 비었고 그 뒤로는 빼곡하게 승객들이 앉아 있다. 비행기가 활주로를 달리자 어린아이들 몇몇이 칭얼댄다. 눈 감고 얼른 자라. 아저씨가 이놈 하기 전에. 조용해졌다. 사탕이라도 입에 물었겠구나.

나는 고개를 들어 비행기 안 이곳저곳을 살핀다. 오늘따라 승객들 중에 유난히 반짝반짝 빛나는 머리들이 많이 보이네. 내 앞에만 셋이다. 빡빡이, 이번 사표를 날리고 떠난 여행에서 내가 가장 잘 한 것 가운데 하나가 바로 이 두발 혁신이다. 더운데, 긴 머리로 다닌다고 생각해 봐. 한 달에 한 번은 이발을 해야 하는데, 그럼 여섯 번을 했어야 하는 건데 그게 쉽냐고. 샴푸 낭비하고, 드라이한다고 전기 낭비하고, 머리카락 여기저기 돌아다니고. 하여튼 두발 혁신은 참으로 참신했다. 삶에 혁신이 없다면, 그걸 두고 뭐라고 불러야 하나? 무미건조? 그 나물에 그 밥? 어제 같은 오늘? 다람쥐 쳇바퀴 돌리기 라고 해야 하나? 행복은 새벽에 우물에서 찬물을 길어 마시는 것 같은 상쾌함이다. 행복은 멀리 있지는 않고 우물가 정도 거리에 있는데, 새벽에 일어나야 하는 혁신이 있어야 한다. 머리에게 자유를! 이 세상 모든 빡빡이들에게 축복을! 행하지 못하는 자들에게는 격려를 보낸다.

12시 40분, 제시간에 활주로에 자리를 잡은 붉은 루주 색 에어아시아가 이제야 이륙을 한다. 이십 분 늦은 출발을 날아가는 동안 보충하는지 보자. 나는 통로, 최고 존엄은 중간, 창가에 어떤 아저씨가 앉았는데 핸드폰으로 비행기 날개와 하늘을 막 찍는다. 부럽네. 방콕에서 올 때처럼 창가 쪽 자리가 배정되기를 기대했는데, 아쉽네. 어제와 오늘, 그러니까 8월 1일과 2일은 태국에서 술을 마실 수 없다. 아니, 이런 일이 실제로 있더라니까. 어제 해변을 돌아다니는데 가게마다 안내문을 걸었길래 무슨 일인가 했더니, 부처의 날 연휴인 이틀 동안 술을 팔지 못한다는 것이다. 못하게 하면 하고 싶은 것이 사람의 습성인지라, 단골 슈퍼에 가서 와인을 슬쩍 구해 얼씨구나 마셨더니 머리가 지끈거린다. 모름지기 길 떠나기 전날에는 조신하게 보내야 하거늘 금주령에 괜히 발끈했다. 아니, 요즘 세상에 뭘 금주령이냐고. 국민들에게 부처의 해탈 같은 복지는 못해주면서 말이다.

고추장 색깔 옷을 입은 스튜어디스들이 밥차를 끌고 다니기 시작했다. 밥을 미리 주문한 승객들을 찾아다니며 배달을 한다. 오후 한 시다. 8시 반에 단골 카페에서 아침을 먹었으니 지금 내 심정이, 내 위장이 어떠하겠는가? 부처를 기념하는 휴일이니 보리수 아래에서 가부좌를 튼 고타마 싯다르타를 생각하며 평온한 명상이나 할까? 아니, 음식 냄새가 너무 진동하잖은가. 환풍기를 최대로 틀어라. 난기류는 도대체 어디로 간 것이냐? 이럴 때 한바탕 터뷸런스turbulence를 경험해 보자. 음식이 막 흔들리고 국물아 쏟아져라. 아침을 먹고 계산을 하고 나서 음식값 절반에 해당하는 300밧을 팁으로 주었다. 내년에 돈 많이 벌어서 다시 오면 더 주겠다고 했더니 감동을 받고 막 울려고 하더라. 석가家 가문의 성인인 석가 모니여, 나는 오늘 자비를 행하였으니 잊지 말고 공책에 적어 두었다가 내가 죽거든 다시 인간으로 환생시키시오. 당신이 설법을 전할 때보다 지구인이 더 늘어 기억하기 어려울 테니 꼭 적으시오.

기대는 반드시 실망을 낳는다. 기대하지 않고 사는 것이 행복으로 가는 KTX다. 특히 초면에 기대를 잔뜩 하는 건 백발 백중 낭패로 이어질 것이다. 나는 치앙마이에 대해 어떤 기대도 없다. 오늘 체크인할 숙소가 그저 비바람만 막아주는 그런 곳이기만 하면 된다. 치앙마이로 향하는 에어아시아 FD 3161편

비행기에서 마치 유배지로 끌려가는 마음가짐을 한다. 살벌한 곳일 거야. 볼 것도, 먹을 것도 변변치 않을 것이야. 나는 이렇게 내가 도착할 곳에 대한 모든 기대를 버림으로써 행복을 맞을 훈련을 하고 있다. 아직 한 시간이나 남았네. 빨간 옷을 입은 여인들이 김장 비닐 같은 큰 봉지를 들고 승객들이 다 먹은 밥을 회수하러 다닌다. 난기류는 개뿔.

치앙마이에 도착했다. 이곳에서 또 한 달을 살아보자. 아무 기대도 없는 치앙마이, 초면에 잘 부탁드립니다. 에어아시아 FD 3161, 와우 겨우 3분 늦었다. 아까 칭찬한 거, 쓰담쓰담한 거 모두 유효하다. 잘했다. 굿 잡! 얼른 숙소에 가서 체크인하고 밥 먹으러 가야겠다. 배고프다.

수탉과 올빼미

나는 닭이다. 어릴 때부터 그랬다. 레미콘 운전을 하셨던 아버지는 꼭두새벽에 일을 나가야 했고, 어머니는 그런 아버지를 위해 계란 노른자에 참기름 몇 방울을 떨어뜨린 접시를 쓰윽 들이밀었다. 확률은 반반이었다. 공손하게 받아서 드시는 날 반, 쳐다보지도 않고 일하러 나가버리는 날 반이었다. 나는 그 절반을 노렸다. 새벽에 일어나면 아버지가 남긴, 계란 노른자와 참기름이 섞인 참으로 비릿하면서도 달달한, 소년의 가슴에 불이 확 댕겨질 듯 말 듯한 야시시한 맛을 느낄 수 있었다. 내 기억으로는 그 계란을 주야장천 먹고 나서부터 닭이 된 것 같다. 물증은 없지만 심증은 확고하다. 새벽만 되면 닭처럼 벌떡 일어나는 습관은 그 어릴 때부터 육십에 몇 년 모자라는 지금 이 나이까지 변함이 없다. 자명종이라고 있다는데, 요즘은 알람이라고도 하던데, 도대체 그게 무엇에 쓰는 물건이요?

새벽에 그리 일찍 일어날 수 있는 비결이 무엇인지 묻는다면 내 대답은 단순하다. 일찍 잔다. 한국에 있을 때는 9시 저녁 뉴스가 끝날 즈음, 날씨가 어떻고요, 누가 슛을 때렸는데 그게 아니 하필이면 골대를 맞았어요, 이런 스포츠 뉴스를 전하는 아나운서 목소리가 들리면 취침 모드에 들어간다. 일찍 잤기에 일찍 일어나느냐? 일찍 일어나서 피곤하니 일찍 자는 거냐? 둘 중 무엇인지 확실히 모르겠지만 일찍 잤다고 꼭 일찍 일어나는 건 아닌 것 같다. 치앙마이에 새벽이 밝아 오니 새들이 울어대기 시작한다. 이 세상에서 가장 듣기 좋은 것이 새벽에 듣는 새소리다. 지금 방 안에서 쿨쿨 주무시고 있는 저분은 어제 내가 제조해 준 칵테일을 드시고 나보다 분명히 삼십 분 일찍 주무시기 시작했다. 그런데 아직도 자고 있다. 푸껫 나이양에서 새벽마다 닭이 울었다. 글쎄, 그리 지랄맞게 우는 닭소리를 한 번도 들어본 적이 없다고 한다. 보라, 일찍 잔다고 일찍 일어나는 건 아니다. 내가 닭이 된 것은 참기름 섞인 계란을 과다 복용한 탓이다. 분명하다.

여행자는 모름지기 나 같은 수탉보다는 밤늦은 시간까지 멀쩡하게 깨어 싸돌아다니는 올빼미이어야 한다. 낯선 곳 여행지에 와서 새벽에 할 게 도대체 뭐가 있단 말인가? 무려 새벽 세 시 반에 일어나서 글 쓰고, 명상하고, 소리 안 나게 방바닥 몇 번 닦고, 토마토 탕에 들어가는 마늘을 까고, 서서히 동이 터오는 풍경을 보다가, 새소리를 듣다가, 방문 열고 사랑하는 최고 존엄이 잘 주무시는지 숨소리를 체크하는 이런 허접스러운 일 말고 뭘 할 수 있단 말인가? 뉴스를 보니 미국 신용등급이 내려갔다고 하길래 내 노후자금이 잘 있는지 계좌를 슬쩍 들여다보았다. 그대로 있네. 그렇지, 새벽마다 엊저녁 미국 주식시장을 확인하는 것도 내가 일찍 일어나 새벽에 하는 일이네. 하여튼 수탉인 나는 관광지와는 전혀 상관없는 일을 이 새벽에 한다. 그럼 관광지인 여기에 왜 있냐고? 그러니까 내 말이.

치앙마이에 뭔 바자르가 있다고 해서 갔더니 저녁에만 연단다. 다시 오후 다섯 시에 갔더니 그제야 천막 치고 짐 나르고 장을 열 준비를 하더라. 시장을 새벽부터 열어야지, 뭔 한밤중 야시장이냐고. 코타 키나발루에서 이곳까지 6개월 동안 핵심 관광 코스인 야시장은 한 번도 못 갔다. 오늘은 치앙마이 핫 플레이스 님만해민으로 행차를 한다. 낮에도 볼만하다고 해서 가는 것이다. 숙소 앞에서 130밧을 내고 툭툭이를 탄다. 치앙마이 시내를 툭툭 내달린다. 님만해민에 있는 카페에 들러 커피 한잔을 마신다. 우와, 진한 것이 한약 저리 가라다. 이곳에는 나처럼 아침 일찍 일어나는 닭 같은 사람들이 많네. 카페에서 튼 음악이 옹기종기 모여 이야기꽃을 피우고 있는 아침형 인간들 사이로 강처럼 흐른다.

근처 국숫집에서 국수를 종류별로 네 개를 시켰다. 양이 적으니 골고루 주문해서 맛보는 재미도 좋다. 카오 소이도 맛있고 소면 같은 국수도 독특하면서도 감칠맛이 난다. 길 건너 빵집에 치즈가 늘어나는 메뉴 그림이 있길래 끌리듯 들어가서 먹는다. 볼트를 불러 숙소로 가는데 아침에 탔던 툭툭이 보다 거의 절반 가격이다. 볼트는 승용차이고 툭툭이는 오토바이에 승객용 좌석을 단 것인데, 왜 더 비싸지. 툭툭이한테 바가지를 쓴

건가. 숙소에 오니 비가 쏟아진다. 우기라고 하더니 하루에 한 번 이맘때가 되면 비가 내린다. 원래 새벽형 닭이니 일찍 자야 하는 데다 비까지 내리니 오늘도 밤 나들이는 틀렸다. 치앙마이 올드 타운은 밤에 가야 예쁘다던데, 한 달 안에 예쁜 밤경치를 볼 수는 있으려나. 다른 사람들은 서로 안 맞아 난리라는데 나는 그리고 보면 복이 많다. 나보다 일찍 자고 늦게 일어나는 사람과 살고 있으니. 한밤중에 야시장 가자고 보채는 사람과 살았으면, 어휴 생각만 해도 아찔하네. 오늘도 제시간인 무려 아홉 시에 잔다. 올빼미가 되어보려고도 했는데 그냥 닭으로, 그것도 알도 못 낳는 생산성 떨어지는 수탉으로 살아야겠다. 익숙해서 그런 것인가? 난 새벽이 언제나 좋더라.

와, 제비다

어릴 때 나는 새 잡는 걸 좋아했다. 이룰 수 없는 것에 도전하는 그야말로 환상의 즐거움이었다. 새를 어떻게 잡느냐? 여러 가지 방법이 있는데 가장 많이 썼지만 효과가 떨어졌던 건 쌀을 바닥에 놓고 망태기 같은 것에 작대기로 걸치고 그 작대기에 줄을 매달아 새가 들어가면 잡아당기는 방법이다. 새를 잡는다고 기다리는 것이 지루하기가 방학 동안에 안 쓴 일기를 한번에 몰아서 쓰는 것 같고, 새가 땅바닥에 먹을 것이 있다고 해도 막 주워 먹지도 않더라. 새총은 그럴듯해 보이지만 새 잡는 데는 꽝이다. 새총으로 까마귀를 잡을 거면 몰라도 정확도가 너무 떨어진다. 의외로 확률이 좋은 건 돌팔매질이다. 가을걷이가 끝난 이른 아침, 논 옆 나무에 참새들이 거짓말 조금 보태서 옥수수 알맹이 꽉 찬 모양으로 모여 있고는 했다. 대충 나무 중간으로 잘만 던지면 후드득 새가 한두 마리 떨어지기도 한다. 내 실력을 못 믿는가 본데, 보여줄 수가 없으니 안타까울 따름이다.

새 중에 나와 오랜 시간 혈투를 벌인 녀석들이 있는데 우리에게 착한 이미지로 각인되어 있는 제비다. 아니, 카바레에 서식했던 기생오라비 같은 인간 제비 말고. 어릴 때 골목길에 제비들이 무수히 날아다녔다. 빠르기도 엄청났다. 나는 그 제비들이 마음에 들지 않았다. 골목을 걸을 때면 낮게 날아다니며 나 잡아 봐라는 식으로 내 옆을 쌩쌩 지나다니는 그 녀석들이 마치 내게 도전을 하는 듯했다. 손을 쓱 뻗으면 날아오던 방향을 직각으로 틀어 하늘로 쑥 올라간다. 골목을 막아선다. 승부차기 순간에 골문을 등지고 비장하게 서 있는 골키퍼처럼 날아오는 제비를 노려본다. 와라, 오라고. 그래, 여러 놈이 한꺼번에 오는구나. 나는 딱 한 놈만 노린다. 맨 앞에 있는 너 이 녀석 조심해라. 결과는? 뻔하지 뭐. 제비는 그렇게 내 기억 속에만 있다. 언제부터인가 제비를 본 적이 없다. 스무 살에 서울로 올라온 뒤였나?

치앙마이 한 달 살이 숙소는 7층에 있다. 나름 뷰가 멋지다. 높은 건물이 별로 없는 치앙마이에서 이 정도 층수면 풍경 바라보기 좋다. 아침에 쌀죽 같은 색깔로 동이 트고, 토마토 탕을 먹고, 최고 존엄은 설거지를 하고, 나는 창을 통해 치앙마이를 보고 있는데 내 입에서 감탄 같은 말이 터져 나왔다.

"와, 제비다!"

그 녀석들이다. 골목길을 탑건 같은 최대 속도로 날아다니며 온갖 쇼를 보였던 바로 내 기억 속 그놈들이다. 아, 저놈들은 골목이라서 천방지축 요란을 떨며 요리조리 촐싹대며 날아다니는 줄 알았더니 원래 그렇게 나는 놈들이었네. 나와 골목길에서 혈투를 벌였던 제비의 후손들이 막힌 것 하나 없는, 7층 높이에 탁 트인 치앙마이 하늘을 세상 까불대며 날고 있다. 여전히 달그락대며 그릇을 정리하는 최고 존엄 귀에 들리라고 큰 소리로 말한다.

"우와, 제비야. 어릴 때 봤던 제비가 있네."

제비를 보고 있노라니 오랜 기억들이 서로 기어 나오려고 애를 쓴다. 내가 바닷가에서 오후 내내 바람과 씨름하며 갈매기 한 마리를 잡았다. 집에 돌아와서 닭장 같은 곳에 잘 가두어 두고 다음 날 학교에 가서 입에 근육경련이 올 정도로 자랑을 했다. 드디어 갈매기를 잡았다고, 집에 있다고 했더니 동네 친구들이 뻥치지 말라며 나와 하굣길에 집으로 갔다. 친구들은 압수수색하러 온 검찰처럼 집으로 들이닥쳐서는 닭장은 물론 온 집안을 뒤졌다. 한 친구가 입을 연다.

"야, 어디 있는데? 뻥쟁이."

없다, 왜 없지. 나는 붕어빵 장사를 하느라 한창 바쁜 어머니에게, 혹시 새를 못 보셨냐고 여쭈었다. 붕어빵 기계를 꼬챙이로 휙 뒤집으시고는, 그걸 어떻게 잡았냐, 잡았으니 잡는 재미는 이미 봤을 것이고, 날아다니는 놈을 키울 수는 없겠지, 해서 내가 바다로 돌려보냈다. 아니, 이게 무슨. 당신이 한 행위로 당신의 아들은 천하의 허풍쟁이가 되었단 말입니다, 어머니. 이런 생각을 하는데 붕어빵을 한 소쿠리 주시면서 친구들을 먹이라고 하신다. 씨, 팔아야 하는 붕어빵을 뭐 한다고 저런 것들한테 이리 많이 주라는 건지.

여행은 참으로 알다가도 모를 일이다. 바삐 평생을 살다가 사표를 날리고 이곳 치앙마이까지 왔는데 여기에서 내 기억 저편에 있던 추억들이 되살아날 줄이야. 이곳에서 제비를 만나게 될 줄이야. 희한한 일이 마구 벌어지는 게 인생이라더니, 앞으로 남은 인생 어느 구역에서 어떤 일이 일어날지 궁금해지는구나. 서울에 있었으면 평생 제비 구경도 못했을 것이고, 그러면 그 추억들은 비 맞은 은행잎처럼 바닥에 달라붙은 채로 그리 사멸되었을라나. 이곳에 온지 나흘이 되었다. 치앙마이는 수채화로 그린 듯 차분하게 매일 흐리다. 주말이면 제법 크게 열린다는 징짜이 마켓에 가서 주전부리로 배를 채우고 썽태우 뒤에 앉아 덜커덩 대며 숙소로 오는데, 길이, 전봇대들이 뒤로 막 도망가는 그 길들이 또 어디선가 본 듯하다. 내가 긴 세월을 살기는 했나 보네. 뭔 추억이 자꾸만 나올라고 하는 겨. 아니, 잠깐만. 내가 이미 늙는 건가.

치앙마이와 Archaeology

나는 학교 다닐 때부터 지금까지 줄곧 역사에 관심이 많았다. 역사에 관심을 가지게 된 계기는 학교 성적 때문이었다. 수학, 물리, 음악 같은 과목은 당최 이해가 되질 않았다. 그때는 공부 잘하는 애들이 모든 선생으로부터 사랑을 독차지했던 시절이어서 어중띠기는 선생에게 감히 가르침을 요청할 수 없었고, 수업에서 놓친 부분을 따로 보충할 수 있는 학원도 없었다. 진짜 없었나? 나만 몰랐던 건 아니고? 따로 과외 받는 애들이 있었나? 하여튼 수업 시간에 이해가 안 된 부분을 계속 놓치니 기본기가 약해졌고, 학년이 올라갈수록 모래 위에 점차 위험하게 성이 쌓아 올려지는 형국이었다. 성적을 유지하는 방법은 암기 과목에 집중하는 것이었고, 국사와 세계사는 거의 만점을 받아야지 그렇지 못하면 평균을 까먹을 수밖에 없게 되는 희한한 구조에 갇히게 되었다. 역사는 이렇게 나와 인연이 엮이게 된 것이다.

2008년에 미국 사람들이 탐욕을 부리는 바람에 대형 사고가 터졌다. 서브프라임 모기지 사태다. 전 세계가 얼어붙었다. 2009년에 나는 베이징 지점장이었는데 실적이 거의 개판에서 일보 더 들어간 상황이었다. 한두 해 지나서 경기가 회복되려는데 고객사들이 공장을 중국 동북쪽에서 남쪽인 심천으로 옮기기 시작했다. 큰 공장이 옮기니 협력사들이 따라가는 대이동이 시작된 것이다. 그렇게 이동해서 한국 기업들이 지금 베트남까지 간 것이다. 당연히 이동의 목적지에 있는 지점장은 그야말로 손님들이 문전성시를 이루는 것이고, 나처럼 떠나는 손님들을 배웅하는 지점장은 실적 못 올린다고 본사로부터 비 오는 날 먼지 나게 질책을 들어야 했다. 그때 도를 닦는 마음으로 세계사 책을 읽어대기 시작했다. 마음이 아주 평온해졌다. 아수라장이 된 현실을 떠나 한니발과 알렉산드로스와 클레오파트라 여사와 함께 지중해와 인도와 페르시아를 넘나들었다. 재미나더라.

역사에 관심을 가지다 보니 이상한 사실을 알게 되었다. 역사를 본업으로 공부하지 않은 아마추어 역사가들이 의외로 중요한 유적을 발굴한다는 것이다. 역사를 공부하고 박사과정까지 밟다 보면 이미 학계에 정평이 난 학설에 익숙해질 수밖에 없고, 학계에서 살아남으려면 잘나가는 저명한 교수에게 반발할 수도 없다. 자연스럽게 선배 학자들의 연구를 옹호하고 따르게 된다. 또한 교수들은 자기 이론을 입증하려는 욕심에 유적을 발굴하는 과정에서 이런저런 훼손 행위를 한다는 것이다. 이집트 피라미드 발굴 과정에서 이런 일이 수도 없이 일어났다. 학자들은 고매한 줄 알았다. 이 시대를 지탱하는 보루인 줄 알았는데, 회사 임원들이나 여의도 정치인들처럼 거기서 거기였다. 놀지 못하고 공부만 해서 그런 것일까? 교수 자리 얻으려고 이 눈치 저 눈치를 봐서 그런 것일까? 욕구 불만에 쌓인 사람들이 하는 이런저런 행위를 교수들도 많이 한다는 것도 알게 되었다. 고매한 연구는 무슨, 그냥 회사 월급쟁이 같았다.

역사와 친해지고 나서 깨달은 또 다른 것 한 가지는 내가 알고 있는 세상은 가짜일 수 있겠다는 것이었다. 역사의 기록은 그야말로 오류 투성이었다. 승자(勝者)와 권력자들은 자기 입맛대로 역사를 난도질했다. 이게 얼마나 희한한지 궁금하다면 기독교 역사에 나오는 '공의회'를 연구해 보라. 역대 로마 가톨릭의 교황들에 대해 공부해 보라. 불교의 역사를 되짚어 보고, 이슬람도 공부해 보라. 지금 우리가 알고 있는 모든 것은 초기 모습에서 완전히 달라져 있다. 고양이와 호랑이는 비슷한 구석이라도 있지. 거의 곰하고 사람이다. 곰한테 너는 지금부터 사람이야, 이리 말하는 것과 진배없다. 우리가 믿는 민주주의는 개뿔, 노인들만 있는 시골에서 몇 만 표 얻어서 국회의원이 되고 권력을 가지는 게 맞는가. 민주주의는 원래 시민이라면 누구나 공평한 발언권을 행사할 수 있는 제도다. 단 한 표 차이로 권력을 독점하는 것이 아니다. 나도 여의도에 가서 말 한마디라도 하자. 세금 내는 시민이니까.

치앙마이에 일주일을 있어 보니 이곳은 유적을 발굴하는 현장 같다. 잘 못 들어선 골목길에서 미슐랭 맛집을 발견하기도 한다. 어느 집 담장에 핀 꽃은 어찌 그리 예쁘던지. 학계의 정설 같은 여행 책자나 그 말이 그 말 같은 여행 블로거들의 글을 따르지 않아도 된다. 내 마음대로 돌아다니면 그날은 반드시 뭐가 하나 걸려든다. 자기만의 시선과 튼튼한 다리만 있다면 거칠 것이 없는 곳이다. 오늘 비가 추적추적 내리는데, 올드 타운 언저리를 맴맴 돌다가 카페에 들렀다. 여기도 대박이네. 내가 오늘 치앙마이에서 그럴듯한 것을 발굴한 그런 느낌이다.

고대와 현대, 동양과 서양, 사원과 쾌락, 강한 햇빛과 눅눅한 욕정이 서로 얽혀 있다. 이곳에서 무엇을 발굴할지는 온전히 자기 걸음에만 달렸다. 나는 요즘 길을 가다 보이는 무에타이 도장에 가서 무술을 연마할 생각까지 한다. 내가 보려고 하면 보이고 느끼려 하면 느낄 수 있는, 내 힘만으로 충분히 아름다움을 발굴할 수 있는 곳이 치앙마이인 것 같다. 치앙마이는 고고학(Archaeology) 발굴이 한창 진행되고 있는 현장 같은 곳이다.

치앙마이 핑 강을 걸으며

요 며칠 우리나라 장마처럼 비가 계속해서 내렸고, 어제는 빗줄기가 제법 굵었다. 치앙마이 우기를 제대로 경험하네. 오늘은 비가 올 것 같지는 않은데 그렇다고 해가 반짝하고 뜰 낌새도 없다. 그래도 비가 안 오는 게 어디냐. 치앙마이 산책을 나선다. 아직 한 번도 걸음을 하지 않은 핑 강(江)으로 방향을 잡는다. 핑 강으로 가는 길은 한적한데 걷기가 편하지는 않다. 치앙마이 시(市)는 우리나라 강남구 정도 크기라 걸으면서 돌아다닐 만한데 오래된 도시가 그렇듯 사람들이 다니는 인도는 좁고 게다가 차도와 수시로 교차를 하다 보니 걷기는 영 불편하고 신경이 쓰인다. 그래도 치앙마이 시내를 걸을 수 있다는 게 어디냐. 걸을 수 있는 건강이 있다는 것이고, 치앙마이까지 여행을 올 수 있는 여유도 있다는 반증 아닌가. 그러니까, 인간이 살아 있는 것이 어디냐고, 이리 생각하자고.

강가를 걷는데 썽태우 기사들이 자꾸 타라며 호객행위를 한다. 귀찮은 정도는 아니고, 탈래? 하며 가볍게 의향을 묻는 것이라 부담이 되지는 않는다. 치앙마이는 지하철이나 버스 같은 대중교통 시스템이 없다. 툭툭, 썽태우, 볼트, 그랩이 대중들의 왕래를 담당한다. 이러다 보니 작은 도시 치앙마이는 도로 정체가 많은 곳이기도 하다. 썽태우는 꾹꾹 눌러서 타면 여덟 명까지는 가능한데, 여섯 명이면 숨 좀 쉬면서 어깨도 옆 사람과 안 부딪히고 갈 수 있다. 요금은 한 사람에 30밧인데, 대여섯 명이 타야 출발하고, 탄 사람들 목적지까지 돌고 돌아서 간다. 한 대를 택시처럼 나 혼자 타고 가려면 흥정해서 150밧 내외가 시장 가격이다. 썽태우를 보면서 가격을 계산하다가 갑자기 나이양 비치에서 만났던 Mr. 캐슈너트가 생각났다. 캐슈너트 한 봉지가 160밧이었으니 썽태우 만(滿) 차 했을 때 가격이다. 하루에 20봉을 판다고 했으니 썽태우 운전하는 것보다 수익성이 좋은 비즈니스 같다. 치앙마이에 오니 캐슈너트를 비싸서 못 사 먹겠다. 한 열 봉 사 올 걸. Mr. 캐슈너트가 좋아했을 텐데. 아, 이놈의 좀생이 기질은 언제나 후회를 낳는다.

강가 시원한 곳에 그랩 기사들이 호출을 기다리면서 삼삼오오 모여 어떤 이들은 담배를 피우며 이야기를 하고, 어떤 부지런한 이들은 이 틈을 이용해 낚시를 한다. 가까이 가서 보니 낚시에 그리 열심은 아닌 듯하다. 나는 이런 풍경이 부럽다. 살아 있는 걸로, 그냥 내 몸 움직여 하루 세 끼 해결하는 걸로, 아등바등 삶에 목숨까지 걸어야 하는 우리 풍경과는 너무 다르다. 사법고시 합격한 초임 검사가 자살을 하고, 임용시험 합격한 선생님이 또 그러고, 부모를 미워해서 그 자식의 의사면허까지 취소시켜가며 한 집안을 쑥대밭을 만들고, 우리는 사는 것이 참으로 지랄맞다. 어쩌겠는가? 다 우리가 저지른 짓이거늘. 세상은 공평하다. 뿌린 대로 거두는 것이 맞다. 공짜는 없다. 반드시 대가를 치러야 한다. 급하게 선진국이 되겠다고 서둘렀으니 질질 흘린 국물은 누구라도 닦아야 하지 않겠는가? 악으로 깡으로 살았던 대한민국 아저씨가 핑 강가를 걷다가 느긋한 배달기사들을 보며 울컥한다. 대~한~민~국 짝짝짝 짝짝은 개뿔이다. 늙어가는 사람들이여, 우리가 정신을 차려야 당신과 내 아이들이 살 수 있지 않겠는가?

태양이 구름을 뚫고 나오려는지 더워지기 시작한다. 강가를 빠져나와 올드타운 방향으로 간다. 더워지기 전에 적당한 카페를 발굴하기 위해 고고학자처럼 사방을 두리번거리며 걷는다. 어느새 올드타운 정문이라 할 수 있는, 이 세상 비둘기는 다 모여 있는 듯한, 희한한 취향을 가진 사람들이 비둘기 모이를 돈 주고 사서 막 뿌리면서 사진을 찍는 타페 문(門)에 도착을 했다. 카페 이름이 'CHUNG DAM'이다. 청담, 그 청담동, 궁금하면 해결을 하려고 노력하는 것이 진정한 배움의 태도가 아니겠는가? 들어가서 커피를 시키고 기회를 봐서 번역 앱을 써 가며 직원하고 이야기를 나눴다. 사장이 한국 사람이라고 한다.

음, 그렇네. 청담동의 청담이 맞았네. 커피가 맛있다. 디카페인 아닌 커피는 안 마시는데 오늘은 술을 마실 계획이라 어차피 취해서 잘 것이니 커피를 마신다. 귀빠진 날은 한잔해야 하지 않겠는가?

날이 다시 흐려진다. 사람의 감정은 홀로 작동하는가, 아니면 타자(他者)에 의해 촉발되는가? 비 오는 날 우울하게 느낀다면, 그 우울은 나 때문인가 아니면 비 때문인가? 이것은 사는데 무지하게 중요한 문제다. 내 감정이 나 때문이라면 나를 다스리면 평안이 올 것이고, 남 때문이라면 그 원인 제공자인 남을 일일이 찾아다니며 따져야 한다. 지구인이 도대체 몇 명인데. 감정이 타자에 의해서 촉발되더라도 내가 다스리지 않으면 참으로 허망하다. 남이, 현실이, 상황이 나를 힘들게 하더라도 분노하거나 탓하지 말아야 한다. 비 온다고, 눈 온다고, 너 때문이라고 탓하는 건 비겁하다. 우기에 치앙마이 날씨가 오락가락하더라도 나는 날씨 탓을 하지 않고 변함없이 잘 놀란다. 비가 오든 말든 그건 내 영역의 문제가 아니다. 혹시 남 탓 많이 하는 사람들은 치앙마이가 일 년에 딱 두 달, 11월과 12월이 여행하기 제격이라니 그때 오시라. 괜히 다른 날 와서 덥니 비 오니 볼 게 없니 하지 마시라. 자기감정도 제대로 처리하지 못하는 어른들이 너무 많다. 젊은이들이여, 그래서 내가 미안하다.

불심이든 밥심이든 원통뿔이든

치앙마이 대학으로 간다. 대학도 구경하고, 근처에 동물원도 있고, 날씨 상황을 봐서 도이수텝에 있는 프라탓 사원에도 가볼 요량으로 볼트 앱으로 차를 불렀다. 치앙마이 대학에 거의 도착했을 때 날씨가 맑아지기 시작한다. 고민이 살짝 머리를 든다.

'매일 우중충한 날씨인데 오늘은 맑을 것 같잖아. 이럴 때 도이수텝에 있는 프라탓 사원에 먼저 가는 게 어때? 언제 다시 흐려질지 모르니까.'

이런 고민을 하던 차에 기사가 혹시 도이수텝에는 안 가냐고 묻는다. 얼마냐고 했더니 사원 입구까지 데려다 주고 기다렸다가 다시 치앙마이 대학까지 오는데 500밧을 내라고 한다. 비싸지 않네. 가자, 가자고. 도이 수텝(Doi Suthep)은 치앙마이 서쪽에 있는 해발 1,676m 산으로 시내 중심에서 15km 떨어져 있다.

차가 구불구불한 길을 올라간다. 올라가는 중간에 엉덩이를 하늘로 한껏 치켜올린 채로 자전거 페달을 죽어라 밟는 사람들이 보인다. 잠시 후에는 걸어서 올라가는 이들도 보인다. 각자 자기 취향에 맞는 방법으로 가는구나. 우리는 승용차로 간다. 도어 수텝에 등산이나 하이킹을 하러 가는 것이 아니라면 대부분 사람들은 우리처럼 산 중턱에 있는 프라탓 사원에 간다. 프라탓 사원에 들어가려면 신발을 벗어야 하고, 여자는 반바지 차림은 안 된다고 해서 최고 존엄은 입구에서 치마 하나를 걸친다. 음, 나름 잘 어울립니다요. 기분 좋으라고 립 서비스를 날린다. 사원은 온통 황금색이다. 탑 꼭대기에는 순금으로 칠해져 있다고 한다. 꽃을 바치고, 스님 앞에서 설법을 듣는 사람들도 많다. 고해 같은 세상을 불심(佛心)으로 견뎌내려는 사람들이다.

사원 뒤쪽으로 돌아가면 치앙마이 시내를 내려다볼 수 있는 곳이 있다. 구름 아래 평평한 치앙마이가 보인다. 산으로 둘러싸인 분지 지형이다. 이런 지형으로 인해 우리나라가 미세먼지에 시달릴 때 이곳도 미세먼지가 심하다고 한다. 이곳의 미세먼지는 치앙마이를 둘러싼 주변 산에 사는 화전민들이 농사를 짓기 위해 숲을 태우는 것도 한몫을 한다고 한다. 우리 겨울에 해당하는 계절이 동남아에서는 비가 안 내리는 건기라 여행하기 좋은데 유독 치앙마이는 미세먼지로 인해 그때는 안 오는 게 낫다. 외출을 못 할 정도라고 하는데 지금 날씨로는 잘 상상은 안 된다. 숲을 태워야 살아갈 수 있는 사람들이 아직도 있구나. 얼마나 많이 태우길래 외출도 못한다는 말인가. 살아가는 방식은 참 다양하다.

맨발로 사원 구경도 하고, 치앙마이 시내도 내려다봤으니 하산을 한다. 우리를 기다리고 있던 차를 타고 다시 구불구불한 길을 내려 간다. 기사와 이런 저런 이야기를 나누는데, 호주에서 요리사로 일하면서 십 년을 살다가 고향인 치앙마이로 돌아온 지 삼 개월이 지났고, 볼트 앱 기사를 한 지는 오늘이 나흘 째라고 한다. 그렇지, 그랬던 거야. 이제야 의문이 풀렸다. 차를 타고 오면서 줄곧 두 가지 의문이 있었다. 하나는 다른 기사들과 분위기가 달랐다는 것이었다. 서툰 듯 부드러웠다. 부업으로 하는 줄 알았다. 그래서 500밧이라고 했구나. 더 세게 불렀어도 됐는데. 두 번째는 영어를 능숙하게 하길래, 도대체 치앙마이 사람은 아무나 다 영어를 하냐고, 이리 생각했었다. 그랬구나, 십 년을 살다가 비자 문제로 어쩔 수 없이 고향으로 쫓기듯 왔구나. 셰프가 요리하는 칼을 놓고 운전하는 핸들을 잡았구나.

치앙마이 대학에 도착해서 기사와 서로 전화번호를 교환했다. 치앙마이에 있으면서 차 쓸 일 있으면 연락하라고 한다. 나는 혹시 한국에 올 일 있으면 연락하라고 했다. 내가 당신의 가이드가 되어주겠노라 약속을 했다. 언젠가, 핸들을 놓고 호주에서 다시 칼을 잡으며 산다는 소식이 전해졌으면 좋겠다. 대학을 잠깐 둘러보고 더워질 것 같아 얼른 나왔다. 걸어서 이십분, 치앙마이 쇼핑몰 중에 소문이 가장 많이 난 마야 쇼핑몰에서 돼지다리 덮밥과 새우만두 튀김을 먹는다.

누군가는 불심으로 살고, 우리는 밥심으로 산다. 어제 비둘기로 유명한 올드 타운에 갔다가, '공사 중이니 오지 마시오.' 라고 표시할 때 쓰는 플라스틱으로 만든 붉은 원통뿔을 마이크 삼아 비둘기를 향해 소리를 치며 돈을 버는 사내를 보았다. 숙소로 돌아오는데 그 사내를 또 보았다. 저이는 원통뿔로 사는구나. 저리 소리치면 목이 어디 남아나겠는가. 그럽시다. 다들 뭘로 살든 행복하면 되는 것 아닌가. 그리 삽시다.

은퇴 후 7개월, 7개 도시 이야기

치앙마이는 그러려니 해서 좋다

점심에 식당에 들어갔는데 분위기가 조금 낯설다. 메뉴가 양식도 있고 태국 요리도 있다. 게다가 손님이 모두 할아버지들인데, 미국 사람인지 유럽 사람인지는 몰라도 하여튼 동양인은 아니다. 거의 혼자 식사를 하는데 식사를 마치고 식당을 나가면서 다른 테이블에서 한창 음식을 먹고 있는 다른 손님에게 아는 체를 한다. 친하지는 않아도 서로 안면은 있는가 보다. 오토바이 한 대가 뭘 가득 싣고 식당 문으로 돌진하듯이 바짝 다가서더니 한 할아버지가 오토바이에서 내린다. 종업원들이 가서 물건을 받아 옮긴다. 식당 주인인가 본데, 역시 동양인은 아니다. 아마 이곳은 서양 할아버지들의 아지트 같은 곳인가 보다. 식사를 마칠 때까지 우리가 최연소 손님이었다.

길을 걷다가 로띠를 파는 곳을 발견했다. 계란 로띠와 플레인 로띠를 시켰다. 길가에 놓인 테이블에 앉아서 우걱우걱 맛있는 로띠를 먹는다. 이 집은 기름으로 일반 식용유 대신에 코코넛오일을 쓴다. 오우, 코코넛오일을 쓰냐고 엄지 척을 했더니 건강을 위해서 모든 요리에 쓴다며 어깨를 으쓱한다. 우리 테이블 앞으로 사람들이 지나다니면서 테이블에 놓인 로띠를 힐끔 쳐다본다. 그러거나 말거나, 우리는 로티 먹방에 충실히 몰입한다. 로띠 한 개에 천 원이 조금 안 되는데 만드는 걸 보면 참 손이 많이 간다. 반죽을 해서 피자를 만드는 것처럼 휙휙 돌리고 쭉쭉 핀 다음 기름에 굽는다. 로띠를 사지는 않고 만드는 걸 구경하는 사람도 있다. 거 얼마 한다고, 하나 사쇼. 이런 말을 하고 싶다. 참 서로 데면데면한 풍경이다.

치앙마이 시내를 다니다 보면 여기가 도대체 어디인지 헷갈린다. 유럽인가? 아시아인가? 외국 사람 절반에 태국 사람 절반인 듯한데 외국인도 동양 외국인 절반에 서양 외국인 절반인 듯하다. 지팡이 짚고 다니는 머리 하얀 외국 할아버지와 할머니에 예쁜 옷을 입고 하하 호호 다니는 젊은이들에 참으로 사람들의 용광로 같다. 지금 머물고 있는 숙소도 마치 뉴욕에 있는 UN 건물 같다. 온갖 나라 사람들이 온갖 언어를 쓰며 살아간다. 어느 오후에 심심하니 술이나 마실까 해서 시계를 보니 다섯 시네. 술을 사러 갈 수 있는 시간이다. 서양 할아버지와 둘이 엘리베이터에서 내려 숙소 정문으로 가는데 그 할아버지가 보안 직원에게 싸와디캅 인사를 한다. 정문 앞에 있는 툭툭이 기사와 태국어로 뭐라 뭐라 웃으면서 떠들더니 툭툭이를 타고 사라진다. 거 참, 태국어를 유창하게 하네. 아마도 저녁나절에 어디 한적한 바에 가서 스포츠 중계를 보며 맥주 한잔 마시러 가는가 보다.

어떤 이가 치앙마이에 살면 골프와 영어 실력이 는다고 하는 말을 들은 적이 있다. 골프는 그렇다고 치고, 태국어도 아닌 영어가 는다고? 그만큼 외국 사람들과 아주 편하게 서로 대화할 수 있는 기회가 많다는 말이다. 미국에 영어 공부를 하러 가면 학원이나 학교에서 수업이 끝나면 그걸로 그날 영어 공부도 끝이다. 어느 미국인이 영어를 뒤뚱뒤뚱 말하는 동양인과 맥없이 수다를 떨어주겠는가? 기껏해야 가게에서 주문하는 게 아마 영어를 말하는 전부일 것이다. 이런 비슷한 경험은 상하이에서 중국어를 배울 때 나도 경험했다. 중국어 배우기는 중국이 아니라 서울 종로에 있는 학원이 최고이더라. 치앙마이에 있는 외국인들은 서로가 여행객이다 보니 어느 정도 마음이 열려 있고, 카페나 식당에서도 서로 스스럼없이 대화를 하고 정보를 교환한다. 길도 외국인한테 물어보는 게 편하다. 친구 사귀기도 수월한데, 나는 영어로 대화를 하려면 온 신경을 써야 하니 피곤해서 아직은 설치지 않고 조용히 숨을 죽이고 있다. 영어 정복이 끝나면 치앙마이는 내가 접수한다.

치앙마이에서 열흘 정도 지나니 이런 분위기가 좋다. 진짜 남 신경 쓸 일이 없다. 슬리퍼를 질질 끌고 다니든, 빡빡이로 다니든, 몸 앞뒤로 빈틈없이 타투를 하든, 서양 할아버지가 젊은 동양 여자를 데리고 다니든, 큰 배낭을 메고 땀을 뻘뻘 흘리고 다니든, 동성 같은데 서로 손을 잡고 연인처럼 다니든, 여기에서는 그러거나 말거나 신경을 쓰지 않는다. 이 얼마나 편안한 분위기인가 말이다. 음식도 동서양 가릴 것 없이 다 있고, 어설픈 영어로 살아가는데 아무 지장이 없다.

푸껫 나이양 비치가 진정한 자유 공화국인 줄 알았는데 치앙마이도 더하면 더했지 뒤지지 않는다. 나는 서로 간섭하지 않고, 그러려니 하는 분위기를 사랑한다. 뭐 하나 이슈가 생기면 온 나라가 좀비들처럼 우르르 몰려다니는 그런 분위기는 싫다. 평소에는 축구의 축 자(字)에도 관심을 두지 않다가 한일전이나 월드컵에 흥분하는 그런 분위기는 재미없다. 치앙마이처럼 데면데면한 이런 분위기가 사람이 살기는 참으로 좋다는 말이다.

여행 155일째를 시작하며

2023년 3월 17일 코타 키나발루행 행 비행기를 탔으니 오늘이 여행을 시작한 지 155일째 되는 날이다. 하루하루 날을 세는 것은 아니고 문득 며칠이나 지났나 하는 궁금증이 들어 세

어 보니 어느새 그리되었더라. 여행을 시작하는 날부터 블로그에 빠지지 않고 글을 매일 한 편씩 올렸으니 오늘 이 글이 백오십다섯 번째 글이 되는가 보다. 역시 세지는 않았다. 산에 들어가 백일기도를 하면 신통술을 부릴 수 있는 머리 길고 수염 하얀 도인이 되기도 한다는데 그 백일 보다 오십 일하고도 오일 많은 날 동안에 기도하는 마음으로 여행도 하고 글도 썼으니 뭔 신령한 기운이라도 생겼을라나? 도 닦는 것처럼 술도 하루 건너 하루 마시고, 이곳 치앙마이에서는 더 정진하기 위해 이틀 건너 마시는 나름 강도 높은 규율 잡힌 생활을 했는데도 신통술이 안 생겼으면 말고.

비록 지구의 아주 작은 부분인 여섯 개 도시만 여행을 한 것이지만 발을 뗐다는 사실에 의미를 두고 싶다. 은퇴를 하기 전에 막연히 머릿속에만 있었던 계획을 실행했다는 것에 안도한다. 사실 출국하기 전날에도 속으로 긴가민가 했었다. 코타 키나발루에서 쿠알라 룸푸르로 갈 때는 한 달을 살았다는 사실이 신기했었다. 조호 바루에서부터는 안정감이 찾아왔고, 지금은 다음 여행을 준비하면서 다시 약간 들뜨는 그런 기분이다. 사람은 안 해서 그렇지 하기만 하면 뭐든 다 익숙해진다는 다소 식상한 진실을 재발견했다. 다른 건 몰라도 에어비앤비로 숙소 구하는 건 신통술까지는 아니더라도 어설픈 일가견(一家見)은 생긴 듯하다. 식당도 슬쩍 곁눈질로 봐서 맛집인지 정도는 반반 확률로 맞출 수 있다.

여자와 남자는 확실히 종(種)이 다르다. 155일 동안 서로 다른 종이 한 공간에서 살아갈 수 있는 기술을 터득했다. 이건 내 남은 인생 전부를 놓고 볼 때 참으로 귀한 배움이다. 은퇴를 이야기할 때 사람들이 부부지간에 생기는 불협화음을 자주 거론하던데 나에게는 이제 해당 사항이 없다. 고양이와 개가 평화롭게 지내는 것처럼 그리 지낼 수 있는 필살기를 장착했다. 물설고 낯설고 말설은 곳에서, 그것도 단칸방에서, 백일 하고도 오십오 일을 지내보라. 동굴에서 호랑이와 곰이 마늘과 쑥만 먹고 지낸 그 이야기에서 왜 호랑이가 뛰쳐나갔을까? 그 원인을 마늘과 쑥으로 돌리는 건 너무 밋밋하다. 나는 둘 사이의 불협화음이 주된 원인이었고, 성질 급한 호랑이 녀석이 가출한 것으로 해석한다. 부부지간에 이런저런 문제가 있는 분들은 백일짜리 여행을 떠나 보시라. 어쨌든 양단 간에 결말이 있을 것이다. 다소 극의 재미는 반감되기는 하겠지만 우리는 남은 인생을 비극이 아닌 해피엔딩으로 끝나는 희극으로 살기로 했다. 아, 더운데 우리는 치앙마이에서 연애하는 젊은이들처럼 손잡고 다닌다.

돈 이야기를 안 할 수는 없을 것 같다. 내 퇴직 일자가 2022년 12월 31일이니까 2023년 1월 1일부터 우리는 1/N 삶을 산다. 퇴직 전에 일 년 동안 우리가 얼마를 쓸지 적정 생활비 수준을 정했고, 그 비용의 절반씩 1월 1일에 각자 통장에 입금한다. 자기가 아끼면 그 돈은 자기 것이다. 노 터치다. 제주에서 세 달을 살 때는 매일 저녁 공동 비용을 정산했다. 해외로 와서는 매월 정산을 한다. 숙소를 구할 때도 반반씩 내는 것이니 서로 의향을 조정한다. 이리 살면 참으로 깔끔하다. 은퇴 자산도 은행 예금과 배당형 주식과 우상향 주식에 골고루 분산을 했다. 웬만한 흔들림에도 휩쓸리지 않게 설계를 했는데, 이것 또한 적절했다. 은퇴를 앞두고 있다면 반드시 돈 공부를 해야 한다는 것에 무조건 동의한다. 아직 은퇴를 안 한 사람들은 현직에 있을 때 은퇴한 것처럼 포트폴리오를 짜서 실제로 운영해 보기를 권한다. 돈은 치사한 면이 있으니 반드시 그 실체를 장악을 해야 한다. 절대 딴 주머니 차지 말고 투명하게 서로 공개해야 한다. 남길 재산도 많지 않으면서 꼬불치고 엉키고 복잡하게 만들지 말아야 한다.

여행을 계획한 날까지 15일 남았다. 여행을 시작한 지 170일째가 되는 날 귀국 행 비행기에 오른다. 남은 기간 동안 치앙마이에서 해야 할 일 몇 가지가 있다. 두 가지는 먹는 것과 관련된 것인데, 그중 하나는 단골 식당에 돼지 목살 구이에 곁들임으로 나오는 소스 레시피를 얻어 내는 것이고 다른 하나는 로띠 반죽하는 방법을 배우는 것이다. 식당에 부지런히 더 드나든 다음에 부탁을 해봐야지. 귀국하면 참으로 그리워질 맛이다. 지구의 다른 곳을 다 둘러보고 육십이 넘으면 이곳에 와서 몇 년 살 것 같은 느낌이다. 그러기 위해서 치앙마이 골목골목 돌아다니면서 마땅한 숙소나 생활 편의 시설에 대해 좀더 살펴야겠다. 최근에는 치앙마이에서 차로 서너 시간 떨어진 치앙라이가 두각을 나타낸다는데 바람도 쐴 겸 거기도 다녀와야 하나? 하여튼 지구 여행 155일째 아침이 짹짹짹 새소리와 함께 아주 활짝 열렸으니 또 하루를 살아보자. 오늘도 포장지로 예쁘게 싼 하루를 선물 받았다.

공짜라고 그러지 맙시다

남을 걱정하는 마음은 얼핏 보기에 참 예쁘다.

"아유, 술 조금만 드세요. 그러다가 건강 버리면 어쩌시려고 그러세요."

살갑고 따뜻하며 온기마저 느껴지지 않는가? 삭막한 세상에서 타인이 내게 건네는 걱정하는 말 한마디는 추운 겨울에 길거리에서 호호 불며 마시는 어묵 국물 같기도 하다. 이런 예쁜 말을 자주 잘 하는 사람들이 있다. 나는 그런 사람들이 부럽다. 남 걱정해 주는 말을 하고 싶다가도 사르르 닭살이 돋기도 하고, 내 취향은 아니라는 생각에 얼른 꺼내려 했던 말을 목구멍 뒤쪽으로 다시 급하게 밀어 넣는다. 내가 행동을 이리 하는 것은 타인에 대해 본시 큰 관심도 없거니와 남 걱정해 주는 말을 가짜라고 생각하기 때문이다. 남이 걱정되어 건네는 말이 왜 가짜인가? 하여튼 매사를 삐뚤어지게 보는 것도 참 중병이다.

"날이 추우니 옷을 잘 입어라. 사업 그렇게 하다가 큰 코 다치니 조심하라. 공부를 그리 안 하면 대학을 어찌 갈 것이며 번듯한 직장에는 들어갈 수 있겠느냐?"

사랑이 담긴 것 같은 이런 걱정하는 말은 사실 무지막지한 언어 폭력이다. 말이 좀 심한 것인가. 폭격 정도는 아닌가? 하여튼 그 정도로 안 좋은 말이라는 의미이다. 왜? 타인의 상황을 완전히 단정해버렸지 않은가. 내 생각으로 남을 몰아붙이고 있다. 그가 알아서 할 수 있다는 가능성을 애초에 차단하고 타인을 아무것도 할 수 없는 행위무능력자로 몰고 있는 것이다. 추우면 옷을 입겠지, 설마 벌거벗고 다니겠는가, 그걸 알지 못하는 사람이 어디 있는가. 걱정하는 언어를 가만히 들어보라. 언어 깊은 곳에 나는 잘 났고 타인은 멍청하다는 의식이 깔려 있다. 들어 보시라니까, 자기가 하는 말을.

걱정하는 말은 실상 마음을 쓰는 것이 아니라 핀잔이나 구박일 수 있다. 아유, 답답해. 이런 마음을 직접 표현하지 못하니까 에둘러 말하는 것뿐이다. 추운 겨울에 옷 얇게 입고 다니는 게 걱정이라면 비싼 오리털 옷을 사서 주면 되는 것이고, 술 자주 마시는 게 걱정이라면 수백만 원짜리 건강검진에 보약 한 재 지어주면 된다. 진짜 그 사람이 걱정이 된다면 그리 해결을 해주는 것이 옳다. 남 걱정을 입에 달고 다니는 사람은 절대 자기 지갑을 여는 행동을 하지 않는다. 걱정은 그냥 립 서비스였으니까. 입 몇 번 뻥긋하면 되는 돈 안 드는 쉬운 일이니 생색내며 걱정을 했다는 것에 내 재산을 다 걸겠다. 목마른 사람에게 물을 주면 그뿐이지 물도 안 주면서 목말라 보여 걱정스럽다는 말은 도대체 뭐냐? 약 올리는 겨?

우리는 남 걱정을 말로 한다. 언어는 힘을 가지고 있어 말하는 대로 되게 만든다. 말로 이 세상이 만들어졌다고 하지 않는가. 그러니 절대 나쁜 말, 힘 빠지는 말, 걱정과 근심이 담긴 말을 입 밖으로 꺼내서는 안 된다. 걱정은 불길한 마음이다. 그늘진 언어다. 그런 언어를 자기에게 해서도 안 되거늘 감히 타인에게 한다는 말인가. 그것도 예쁘게 포장까지 해서 말이다. 추운데 옷이 그게 뭐예요. 따숩게 입으셔요. 이리 말하면, 듣는 이는 내내 고민에 빠진다. 진짜 춥나? 안 추운데, 내가 없어 보이나? 그 사람이 왜 그런 말을 했을까? 당신이 입으로 돌멩이를 던졌고 그가 맞은 것이다. 걱정스러운 마음이 들더라도 마음만 그리 소중히 간직하고 절대 입을 열지 마라. 축복한다는 말도 어떨 때 들으면 뭔 말인가 싶고 내게 주문을 거는 건가 해서 기분이 나쁜데 하물며 부정한 뜻을 내포한 걱정을 발설하다니. 꽃으로도 때리지 말라고 했듯이 잠꼬대라도 걱정하는 어투로 남에게 말을 하지 마시라.

남을 걱정하는 행위는 자기 마음 편해지려는 좀 치사한 짓이다. 아유, 걱정돼서 전화를 했어. 간밤에 꿈자리가 뒤숭숭해서. 아무 일 없으면 된 거야. 만약, 누군가 이런 말을 한다면 이건 누구 좋자고 하는 것인가. 결국 자기 마음 편하자는 말이다. 그 개꿈을 꾼 이가 누구인가 말이다. 자기가 뭔 선지자야, 무당이여, 뜬금없는 꿈 타령은. 남 걱정이 진짜 무서운 건, 친한 사이에 이런 말이 오간다는 것이다. 치앙마이 길거리에서

어느 누가 나한테, 그 나이에 머리가 그게 뭡니까? 이런 말은
안 한다니까. 가족 중에, 친구 중에, 자주 만나는 사람 중에, 남
걱정을 아무렇지도 않게 하는 이가 있거든 조용히 헤어질 결심
을 하시라. 그 사람은 자기가 무슨 짓을 하고 있는지 모른다.
자기가 착한 사람인 줄 안다니까. 자, 알겠지요. 지금부터 돈
안 든다고 막 남 걱정하고 그러지 말자고요. 내 걱정하기도 바
쁘잖아요.

내 발가락을 해방시키자

치앙마이에 와서 처음 며칠은 운동화를 신고 돌아다녔다. 치앙마이 올드타운 이곳저곳을 구경하며 다니자니 슬리퍼를 신고서는 영 불편할 것 같아서였다. 오랜만에 운동화를 신으니 걸음에 속도가 붙고 두툼한 신발 밑창 덕분에 발바닥이 땅에 닿을 때 느낌이 폭신폭신한 카스텔라다. 맨발로 푸껫 나이양 해변을 마구 돌아다니다가 흰색 양말에 코타 키나발루에서 3만 원 주고 산 명품 나이키 신발을 신으니 대학 졸업하고 회사에 갓 입사해서 와이셔츠에 양복을 입고 다닐 때처럼 깔끔해 보이는구나. 치앙마이는 양복이 유명한가. 시내 곳곳에 양복 맞춤을 하는 옷 가게들이 많다. 특별가로 싸게 해주겠다, 옷을 맞추면 셔츠를 서비스로 주겠다는 광고가 눈에 많이 보인다.

지금은 많은 회사들이, 옛날 말이기는 하지만 '복장 자율화'를 하고 있어 와이셔츠에 넥타이를 잘 하지 않는 추세다. 중요한 미팅이나 귀한 행사라고 하더라도 드레스 코드를 정장이라고 못 박은 것이 아닌 이상 와이셔츠 대신 티셔츠를 입어도 되고 넥타이를 메지 않아도 된다. 돌이켜보면 흰색 와이셔츠, 그게 뭐라고 입고 다느라고 고생을 했다. 짬뽕 국물이라도 흘리면 새로 사야 했거나 잔소리를 작살나게 들어야 했었다. 아, 넥타이는 말해 뭐 하겠는가. 알록달록하고 기다랗기만 한 천 조각이 비싸기는 왜 그리 비싸고, 게다가 명품도 있고, 그 뭐야? 넥타이에 꽂는 보석 비슷한 애들이 박힌 핀 같은 거, 그건 왜 있어서 사람 기를 죽였는지. 목줄 같은 넥타이를 메야 출세했다며 행복해했던 그런 날들이 분명히 있었다. 기억이 가물거려 긴가민가 하지만 복장, 지위, 재산 같은 것이 행복이라고 느꼈던 아주 해괴한 시절이 있기는 했다.

구두는 또 어떤가. 우리는 예로부터 반짝거리는 구두에 환장을 한다. 군인들이 신는 신발을 전투화라고 하는데 지금은 그걸 닦아도 광이 나지 않는 재질이지만 옛날에는 그걸 얼마나 닦았으면 얼굴이 비칠 정도였다. 총 들고 전투하는 용도로 신는 신발을 그리 닦아서 어디에 쓰겠다고. 회사를 다니면서 보니 사람들이 구두를 그리 닦아대더라. 회사 근처 구두 닦는 아저씨에게 한 달 정액으로 요금을 내고 아예 신발을 두 켤레 맡기고 번갈아 가며 반짝반짝 빛나는 구두를 신고 다녔으니까. 내가 집에서 대충 솔질해서 신고 다니면 높은 양반이 보고서는 꼭 한 마디 했다.

"샐러리맨은 말이야, 구두와 서류 가방이 전부인데 자네 신발은 그게 뭔가?"

아니, 진짜 그랬다니까. 엘리베이터를 타면 내 양복 안에 손을 넣어 옷을 뒤집었다니까. 양복이 어떤 브랜드인지 보겠다고 말이야. 미친.

나이키 신발이든, 양복이든, 넥타이든, 반짝이는 명품 구두이든, 다 좋다 이거야. 근데, 그 속에 들어가 있는 것이 진짜 편안한지는 한번 생각해 봐야 한다. 신발 속에 구겨져 들어가 있는 발가락을 떠올려 보라. 여성들이 신는 하이힐을 보면 거의 발가락을 학대하는 수준이다. 아, 신발 안에 구겨져 있는 연약한 새끼발가락을 생각하면 슬픔에 눈물이 앞을 가린다. 와이셔츠 단추가 터질 듯 감금되어 있는 복부, 넥타이에 졸려서 사색이 된 모가지, 금빛 육중한 시계에 수갑처럼 답답하게 느끼는 손목, 젤을 바른 것인지 스프레이를 뿌린 것인지 하여튼 부러질 듯 빳빳하게 피곤한 모습으로 곤두선 머리카락. 이 모든 게 다 무엇이냐, 바로 내 몸이다. 내 몸을 학대해서 행복을, 예쁨을, 우월함을 얻으려 했고 지금도 그러고 있을 것이다.

심한 숙취에 자다 말고 물을 찾듯 행복을 허위허위 갈망하는 시대인데 그 추구하는 방법이 어쩌 어색하다. 번지수를 잘못 짚은 듯하다. 우선 발가락이 자유자재로 움직이게 해방을 시켜야 한다. 감옥에서 형틀을 끼고 앉아 있는 죄인을 사면하듯 내 몸을 풀어줘야 한다. 발가락이 다른 누구도 아닌 내 몸이고, 손목이 나고, 모가지가 다름 아닌 바로 나다. 그것들이 평안하지 않을진대 어찌 내가 편안하겠는가. 자기 신체를 어떤 명분을 들어서라도 감금하고 폭행하고 난도질하지 말자. 자기 신체를 사소한 곳까지 일일이 떠올려보라. 곰팡이 필 것 같은 습한 곳에 간힌 부위가 있다면 햇빛 좋은 날 바짝 말려주자. 묶인 곳은 풀어주고. 속옷이 명품이면 어쩔 것인가. 여전히 내 몸은 그 속에 갇힌 것을. 치앙마이에서 며칠 신었던 운동화를 한쪽으로 치우고 다시 슬리퍼를 신었다. 발가락들이 살겠다며 좋아한다. 내 몸뚱어리가 해방되어야 내가 행복해지는 것이다. 나를 풀어주자. 언젠가는 프랑스 누드 해변에도 꼭 가리라. 내 몸을 해방시키기 위해서!

그림자, 네 이놈!

태국 푸껫 나이양 해변에서 한 달 살기를 할 때였다. 평소처럼 새벽에 일어났다. 나는 아내를 '최고 존엄'이라고 부르는데 호칭 하나만 바꿨을 뿐인데 사는 것이 꽤 호사스러워졌다. 사랑은 간단하다. '누구 엄마'라고 부르지 않으면 된다. 곤히 주무시는 최고 존엄이 깨지 않게 까치발로 거실로 나가다가 깜짝 놀라 얼음이 되어버렸다. 누가 거실 맞은편 벽에 서서 보고 있는 것이 아닌가. 강도다. 아, 순간 발이 바닥에 붙은 듯 움직이질 않는다.

'어떻게 해야 하는가? 온 동네 사람들이 잠에서 다 깰 정도로 큰소리를 지를까? 아니면 최대한 빠른 속도로 돌진해서 부딪혀버릴까? 잠깐, 여길 어떻게 들어온 거지? 숙소가 2층이라 창문으로 들어온 건가?'

이런 생각을 하는데 강도로 추정되는 거실 맞은편 물체가 미동도 하지 않는다.

'왜 가만히 있느냐? 아하, 너도 나와 마주칠 줄 몰랐구나. 새벽 세 시에 갑자기 거실 문이 열리면서 사람이 나올 것이라고 전혀 예상하지 못했구나.'

새벽에 뜬금없이 나와 대치했던 녀석은 다름 아닌 냉장고와 냉장고 위 전자레인지와 전자레인지 위에 있는 빵 굽는 토스트기였다. 숙소 커튼을 반쯤 열어 놓았는데 그곳으로 가로등 불빛이 거실로 들어와서 냉장고와 전자레인지와 토스트기를 비춘 것이다. 딱 사람 모습이었다. 정말 놀랐다. 씨.

치앙마이에서 한 달 살기를 할 때 숙소는 7층이었다. 고급 호텔 샹그릴라가 숙소와 붙어있고 침실에서 샹그릴라 호텔 수영장이 내려다보였다. 은퇴하고 노는 사람이라 맨날 한가하지만, 그중 유난히 한가했던 어느 오후에, 점심 배부르게 먹고 침대에 누워 글을 쓸까 영상을 만들까 고민을 하다가 깜박 잠이 들었다. 잠결에 아이들 떠드는 소리와 아이를 부르는 소리가 들렸다. 서울에 있는 집 옆에 학교가 있어서 늘 듣던 소리였다. 나는 잠결에 내가 벌써 여행을 마치고 집에 돌아와서 낮잠을 자고 있는 줄로 알았다.

나는 분명히 꼬마들이 떠드는 소리와 그 꼬마들 엄마로 추정되는 여자가 뭐라고 소리를 지르는 소리를 들었다. 영어나 태국어였으면 서울 내 집이라고 착각을 하지 않았을 것이다. 나는 분명히 한국어를 들었다. 눈을 비비고 일어나 커튼을 걷고 수영장을 내려다봤다. 한국 관광객 일가족이 물놀이를 하고 있네. 치앙마이에서 낮잠을 자다가 창문 밖으로 한국어를 들을 확률이 얼마나 될까? 뭘 그리도 시끄럽게 노세요. 참 나.

여섯 도시를 여행하는 동안 모든 숙소에 수영장이 있었다. 방콕 숙소에도 무려 16층에 수영장이 있었는데 수영을 전혀 못하는 최고 존엄이 몇 번 수영을 하고 싶다는 의사표시를 했다. 거의 99% 수영복을 살 뻔한 적도 있었다. 인피니트 풀이라고 부르는, 수영장 물과 하늘이 맞닿아 무한대로 펼쳐져 있는 것 같은 착시현상을 주는 곳에서 도시를 내려다보며 수영을 하는 모습을 상상해 보라. 낭만이 마구마구 흘러넘친다. 물이 무서워서 수영장에 들어가지도 못해 매일 남들 첨벙거리며 하하 호호 노는 모습을 보다가 급기야 최고 존엄이 수영을 가르쳐 달라고 진지하게 말했다.

부부 금기 중에 첫 번째가 그 어떤 것도 서로 가르치지 말라는 것이지만, 안 가르쳐 주면 그것 또한 후일이 두렵기도 하고, 게다가 내가 울산 바닷가에서 자란 일명 물개라는 것도 익히 알고 있어 이러지도 저러지도 못하는 상황이었다. 우선, 수영에 입문하기 전에 수영장을 관찰해 보자고 제안했다.

"야외 수영장이 아무리 관리를 잘 한다고 해도 이물질이 많다. 낙엽도 있고, 어쩌다 길 잃은 개구리도 있다. 보라고, 저기 안 보이는 게요? 게다가 물에 들어가기 전에 몸을 씻어야 하거늘, 저기 저 예쁜 여자들을 보라. 그냥 쑥 들어가 버렸다. 저 물에 들어가서 첨벙대고 싶은 것이요? 자, 수영을 배우시겠습니까?"

수영은 안 배우고 안 가르쳐 주기로 했다. 휴.

한 달 살이, 이거 아무나 하는 것이 아니다. 제주에서도 해 보고 동남아 여섯 도시에서 했지만 현혹되면 안 된다. 블로그나 유튜브를 보면 한 달 살이 하면서 유명 맛집도 가고, 경치 좋은 곳도 간다. 인생에 딱 한 번만 한 달 살이 하거나 돈을 쌓아 놓고 산다면 몰라도 그리하다가 살림 거덜 난다. 가랑비에도 옷은 젖고, 물가 싸다고 천방지축 다니다가 쪽박 찬다. 그러지 않으면 심심해 죽는다. 그러니까, 한 달 살이는 적성에 맞아야 한다는 말이다. 나와 최고 존엄은 운동 삼아 하루에 10km를 땡볕에도 걷는 사람들이다. 할 일 없으면 동네를 돌면 된다. 햇빛 싫고, 걷는 거 싫고, 땀나는 거 싫다면, 한 달 살이는 곤욕일 것이다. 남이 한다고 다 할 수 있는 것이 아니다.

사물에는 두 가지 모습이 있다. 실상과 허상이다. 실상은 좀처럼 드러나지 않는다. 우리가 볼 수 있는 건 허상일 확률이 높다. 주변에 있는 사람들에게 물어보시라.

"지금 살고 있는 동네 어떠세요?"

"아유, 말해 뭐해? 정말 좋지."

다들 이렇게 말한다. 침 튀기며 나쁘다고 말하는 사람은 없다. 그러다가 큰돈을 벌면 조용히 다른 동네로 이사를 갈 뿐이다. 이것이 허상이 생기는 원리다. 자기 속내, 그것도 안 좋은 속내를 누가 남에게 다 드러내는가? 이래저래 진짜 같은 가짜들이 많은 세상이다. 그것이 새벽녘에 마주친 그림자이든, 잠결에 들은 소리이든, 인피니트 수영장에서 찍은 비키니 입은 사진이든, 한 달 살이든, 내가 생각했던 것과 다른 면은 없는지 잘 살펴야 한다. 요즘은 나이 많다고, 뭐 좀 안다고 함부로 호통치고 그러면 큰일 나는 세상이다. 그래도 사람한테 말고, 어른어른 보였다 안 보였다, 앞에 있다가 뒤에도 있는, 실상을 못 보게 해서 사는 걸 힘들게 하는 녀석에게 치는 호통은 괜찮을 성싶다. 암시랑토 않을 것이다.

"안 그러냐? 그림자, 네 이놈!

세부
Cebu

세부 막탄 섬 어느 외진 곳에서

정선 산골에서 허망하게 하산을 하고, 집에서 참으로 달달한 추석 연휴를 보내고, 이곳 세부 막탄 섬에 온 지 나흘이 되었다. 두문불출. 아침에 산책 한 번, 점심에 밥 먹으러 외출 한 번, 오후에 운동하러 한 번. 이렇게 하루 세 번 집 밖으로 나가는 걸 제외하고는 단칸방에 틀어박혀 글만 쓴다. 글이란 게 참 희한한 것이, 어차피 백지 위에 내가 거짓부렁으로 쓴 것인데도 고칠 게 뭐 그리도 많은지 모르겠다. 그래도 고치고 또 고치니 내용이야 그렇다고 치고 모양은 잡히니 다행이다.

이곳은 세부 막탄 섬에서도 관광지와는 단 하나도 연결되는 게 없는 외곽지다. 허름한 집들 사이에 생뚱맞게 아파트 두 동이 있고, 그 두 동 중에 내 숙소가 있다. 이곳은 당연히 있어야 하는 것들이 없는 동네다. 세탁기가 없어 집집마다 빨래하는 오래된 풍경이 보이고, 아무리 보아도 에어컨 실외기가 보이지 않으니 안 들어가 봐도 에어컨이 없다는 것을 알 수 있다. 또 오해할라, 내 숙소가 그렇다는 것이 아니라 내 숙소가 있는 동네 이야기다. 그래도 저녁이면 노랫소리에, 애들 떠드는 소리에, 고기 굽는 연기가 정겹다.

바다도 손바닥만 하다. 아름답고 멋진 바다는 고급 리조트들이 차지하고 있어서일까. 이곳 바다는 좁고 지저분하다. 그나마 그 바다로 가려면 더운 아스팔트 길을 따라 걷다가 해군 부대를 지나서 좁은 골목을 거쳐야 한다. 하루 두세 번 산책 삼아 좁고 지저분한 이곳 바다로 가면 꼭 사람들이 있다. 나름 이곳에서는 잘 알려진 휴양지인가 보다. 가족끼리 수영을 하고 낚시를 한다. 얼마 만에 보는 익숙한 풍경인가. 내가 딱 저러고 놀았다. 세월이 그새 후딱 지나갔기는 했구나.

낮에는 덥지만 밤에는 에어컨과 선풍기를 끄고 잘 수 있다. 숙소 방음이 역대 최악이다. 그런데도 꿀잠을 잔다. 들리는 소음이란 게 아기들 우는소리와 사람들 슬리퍼 끄는 소리와 경비 아저씨가 무전기로 뭐라 떠드는 소리다. 정선 산골에서 느꼈던 그 지독했던 조용함에 비하면 자장가다. 하루 두세 번 천둥번개를 동반한 비가 내리고, 언제 그랬느냐는 듯이 뭉게구름이 마구 피어오른다. 낮에는 다들 일하러 가서 조용한데, 오늘은 토요일이라 그런지 복도에 아이들 떠드는 소리가 유난히 크게 들린다. 나가서 같이 놀고 싶지만 애들은 한 번 놀아주면 끝장을 보기 때문에 그냥 귀로 논다.

글쓰기, 참으로 고단한 작업이다.

'괜히 뛰어들어서 도망가지도 못하고 뭐 하는 짓인가?'

이런 생각이 들 때도 있지만 지금 같은 몰입이 좋다. 언제였던 가? 이렇게 혼신의 힘을 다해 진지하게 살았던 것이. 은퇴하고 이런 열정이 생길 줄이야. 비록 정선 산골이 아닌 세부 막탄 섬 외진 곳이지만 이곳에서 다시 도전하고 있는 것도 스스로 생각하니 기특하다. 냉장고 안에 생수만 들어있는 것도 뿌듯하고. 찬바람이 불 때 우체국에 가서 신문사에 내 글을 보내는 모습을 상상하며 세종대왕이 만드신 글자와 필리핀 세부 막탄 섬 어느 동네에서 씨름을 한다. 혹시라도 이런 질문은 하지 마세요. 아는 게 하나도 없으니까요.

"깍두기 씨, 세부 어때요?"

* 원래 여섯 달 동안 여섯 도시를 여행하는 것이 계획이었다. 여행을 마치고 무사히 귀국해서 강원도 정선 산골에서 보름을 지내다가 나 혼자 필리핀 세부에서 다시 한 달을 살았다. 이렇게 해서 일곱 달 일곱 도시 여행이 된 것이다.

열심히 일한 자, 떠나라

은퇴를 하고 제주에서 세 달, 말레이시아에서 세 달, 태국에서 세 달, 정선 산골에서 보름을 보내고, 지금은 필리핀에서 한 달 살기를 하고 있다. 여행 기간 동안에 공교롭게도 공통되는 골치 아픈 일이 있다. 그것은 바로 냉장고다. 냉장고가 무슨 잘못을 했느냐? 무지막지한 소음을 일으키는 주범이다. 소음이 얼마나 크길래 이 야단인지 궁금하다면, 주방에 있는 냉장고를 침실로 옮겨 딱 하루만 같이 잠을 자 보면 안다. 코 고는 남편은 진짜 아무것도 아니었구나, 내가 괜한 사람을 구박했구나, 이렇게 반성을 할 것이다. 늦었지만, 때아닌 사랑이 스멀거리며 피어날 수도 있으리라.

단칸방 한 달 살이 여행 전문가인 나는 냉장고 전문가이기도 하다. 냉장고 구조를 잘 알고 고장이 나면 뚝딱 고치는 그런 전문가는 아니고, 냉장고에 대해 깊은 성찰을 한 사람이란 말이다. 냉장고 소음에 오죽 시달렸으면 이 경지까지 왔을지 상상을 해 보시라. 보름 동안 강원도 정선 산골에서 살 때, 전등을 끄면 정말이지 새까만 어둠밖에 없었다. 별이 마구 쏟아지는 고요한 밤에, 밖에서 들리는 바람 소리와 나뭇가지들이 바람에 흔들리며 부딪히는 소리를 들으며 잠에 드는 낭만은 개뿔,

냉장고 돌아가는 소리에 진저리를 쳤다. 냉장고 소음이 이 정도다.

나는 내 행복지수를 올리는 방법을 알고 있다. 행복하자고, 정년보다 일찍 은퇴를 해서 여행을 다니고 있는데 당연히 행복해야 하지 않겠는가? 행복은 멀리 있지 않다. 아주 가까이 있다. 행복은 잠이다. 인간은 잠을 푹 자면 이유 불문하고 온순해지고 더불어 행복해진다. 숙면을 위해 따뜻한 물 샤워, 우유 한 잔, 불빛 조절 등과 같은 여러 비책들이 있지만 그중 제일은 소음 소거다. 여행지 숙소에 들어가는 첫날에 가장 먼저 무엇을 하느냐, 냉장고를 가만히 노려보다가 냉장고에 생기를 불어넣고 있는 전선 줄을 찾아서 그 코드를 사정없이 뽑아버린다. 고요가 찾아온다.

제주를 떠나 동남아를 여행하면서도 냉장고 뽑기 신공은 계속되고 있다.

"진짜? 더운 동남아에서 냉장고 코드를 뽑았다면, 냉장고 없이 산다고? 에이, 그게 말이 됩니까?"

네. 말이 됩니다. 아, 이런 천기누설을 한다는 것이 좀 거시기하지만 할 말은 하는 성격이니 잘 들어 보시라. 냉장고가 그동안 우리를 속였다. 사람들은 차가우면 신선하다는 이상한 편견을 가지고 있다. 사실 차갑고, 뜨겁고, 매운 것은 맛을 느끼지 못하게 만든다. 겨울에 중국 하얼빈에 갔었다. 맥주를 시켰는데 차갑지가 않아 찬 맥주를 달라고 했더니 문밖에 한 십여 초 내놨다가 주면서 눈총을 주더라. 우리는 이 정도로 찬 것을 사랑하는 민족인데, 이게 다 냉장고가 부린 농간에 익숙해진 탓이다. 추석에 동네 떡집에서 송편과 절편과 꿀떡을 샀다. 보들보들한 떡 몇 개를 냠냠 맛있게 먹고 남은 떡들은 자연스레 냉동실에 넣었다. 이게 뭔가? 신선한 떡을 냉동했다가 그걸 다시 해동해서 먹는 참으로 희귀한 민족이다. 만두도 냉동, 고기도 냉동, 밥도 냉동, 육개장도 냉동, 생선도 냉동, 뭐든지 죄 얼린다. 그리고 전자레인지로 해동을 한다. 아니, 이게 뭐하는 시츄에이션이지?

냉장고가 귀했던 시절로 되돌아가보자. 그때는 쿠팡도, 이마트 24도, GS25도, CU도, 새벽 배송도 없었다. 지금은 슬리퍼 신고 집 밖에 나가면 온통 가게 천지다. 대한민국에서 반도체 다음으로 잘나가는 게 배달 문화다. 냉장고가 없어도 불편하지 않은 환경이 된 것이다. 냉장고 이야기를 하면 빠지지 않는 것이 김치다.

"김치는 어떡합니까? 쉬어 꼬부라지게 놔두란 말입니까?"

살려고 노력하면 살수 있고, 행복하겠다고 작정하면 행복할 수 있다. 아, 김장은 언제 적 이야기인가? 먹을 것 아무것도 없던 겨울을 나기 위해 조상들이 개발한 지혜는 맞지만, 그걸 아직도 부여잡고 있으면 어쩌자는 것인가? 온갖 것을, 그럴듯한 이유를 다 대면서 붙들고 있으니 사는 게 무거운 것이 아닐까? 먹을 만큼 적당히 사서 먹어도 된다. 집에서 김치를 안 담그면 압수수색이라도 들어온 단 말인가? 찬물을 이야기하는 분도 있겠지. 이가 시릴 정도로 차가운 물이 건강에 좋다는 보장은 없다. 그냥 오래 하면 그저 습관이 되고, 습관은 옳은 것이라는 착각을 하게 되고, 그 습관을 떠받들고 사느라 고귀한 인생을 낭비하는 것이다. 민들레 홀씨처럼 연약하고, 붉은 장미처럼 아름답고, 여름 소나기처럼 통통 튀는 예쁜 딸이 김장 비닐 깔고 빨간 장갑 끼고 쭈그리고 앉아 배추를 버무리며 살아야 마땅하다는 말인가? 진짜로?

냉장고는 변절했다. 냉장고를 사느라 돈 들어가고, 신선 제품을 냉동하느라 전기세 들어가고, 냉동된 것 해동하느라 전자레인지 사게 만든 냉장고를 보고 있으면, 스치는 생각이 있다. 약간 오버하는 것으로 들릴 수도 있겠지만, 내 눈에 그렇게 보이는 걸 어찌하겠는가?

"냉장고는 말이야. 아주 비싸고, 폼 나고, 뭐 좀 있어 보이는 쓰레기통 같아. 뭐든지 집어삼키는 입 큰 하마 같기도 하고."

필리핀 세부 막탄 섬에서 일주일이 지났다. 여전히 이곳 냉장고 코드는 뽑혀 있다. 이곳에 있는 가게는 입구를 철망으로 다 막고 조그만 구멍으로 물건을 사고 내준다. 나는 매일 그 구멍에 머리를 디밀고 일용할 양식을 딱 하루치만 산다.

"물 두 병하고요, 맥주 한 병 하고요, 여기 이 과자 하고요."

결단이 필요한 세상이다. 세상은 자기 욕망에 의지해 빠르게 돌아간다. 바삐 돌아가는 세상을 차분하게 들여다볼 필요가 있다. 사는 게 아무리 중해도, 세상 돌아가는 걸 관찰할 수 있을 만큼 여유는 있어야 한다. 집에 있는 가전제품을 가만히 관찰해 보면, 냉장고는 과로사 직전까지 와 있다. 우리에게 별 시답지 않은 냉동식품을 제공하느라 24시간 365일 안 쉬고 돌아간다.

"아, 몰라. 나는 지금부터 무조건 행복할 거야."

결단을 내렸을 때, 행복은 비로소 내 집 문을 두드릴 것이다. 오라고 해야 오는 것이다. 행복이 뭐 천덕꾸러기 불청객도 아니고 오지 말라는데 막 오고 그러진 않는다. 이제 수고한 냉장고를 그만 보내주자. 이젠 세상을 좀 다르게 보자.

"열심히 일한 자, 그대 이름은 냉장고여, 이제 그만 떠나라."

하늘과 땅만큼

세부 막탄 섬에 자리를 잡은 지 보름 만에 외출을 한다. 숙제 같은 글쓰기도 어느 정도 끝났고, 여기 온 후로 숙소 주변만 맴돌았더니 지루하기도 해서 세부 시티로 바람을 쐬러 간다. 한국에서 세부로 오면 공항이 있는 이곳 막탄 섬에 도착한다. 막탄 섬은 우리나라로 치면 인천공항이 있는 영종도 정도 되겠다. 이곳에서 세부 시티로 가는 방법은 차로 다리를 건너거나 페리를 타고 바다를 건너는 두 가지인데 오늘은 배로 간다. 숙소에서 걸어서 십분 정도 거리에 마침 세부 시티로 가는 선착장이 있다.

"Good Morning, Sir."

숙소가 있는 101동 현관을 나가는데 가드 아저씨가 인사를 한다. 나보다 나이도 많아 보이고, 머리숱도 더 없는 아저씨가 볼 때마다 깍듯하다. 아파트 정문을 나가는데 이번에는 젊고 얼굴 새까만 가드들이 인사를 한다. 우리로 치면 경비 아저씨를 이곳에서는 가드라고 부른다.

정문을 나서자마자 오른쪽에 빨래방이 있다. 두 번 빨래를 했는데, 아주머니가 내가 가져온 빨래를 보더니 너무 양이 적다고 깎아서 170페소(4,035원)에 해준다. 맡겨 놓고 가면 건조까지 해서 비닐에 넣어준다. 세탁소를 지나 왼쪽으로 길을 잡으면 노점 식당들이 있다. 볶은 야채와 튀긴 생선과 치킨을 주로 판다. 중간중간에 '사리사리 스토어'가 있다. 우리로 치면 간이 슈퍼다. 입구를 창살로 다 막아서 물건을 보고 고를 수는 없고 창살 밖에서 무슨 물건을 달라고 하면 내주고 돈을 받는 식이다. 낮고, 낡고, 양철로 덧댄 집들 위로 오전 뜨거운 태양이 쏟아진다.

'저 양철은 햇빛을 받으면 달아올라 더울 것이고, 지붕에 비가 떨어지면 소리도 무지 시끄러울 것인데.'

오래 보고 있으면 행여라도 누가 자기 사는 거 쳐다봐서 기분 나쁘다고 할 것 같아 얼른 길을 다시 나선다.

세부 시티로 가는 선착장에 도착했다. 페리 운임과 선착장 이용료를 합쳐 37페소(878원)다. 슬리퍼 신고 에코백을 맨 나를 포함해 가을 단풍처럼 각양각색 사람들로 배는 만원이다. 빈자리를 찾아 궁뎅이를 밀어 넣는다. 이층 배도 보이던데 내가 탄 배는 큰 통통배에 지붕이 있는 형태다. 배가 출발하자 저가 항공사 비행기를 탔을 때처럼 접시에 물과 과자를 들고 다니며 판다. 배는 뭉게구름들이 가득한 바다를 가로지른다. 막탄 섬과 세부 시티를 연결하는 다리들도 보이고, 바다도 은근 깨끗하다. 보홀 섬으로 가는 큰 배가 지나가니 파도가 몰려온다. 나뭇잎처럼 내가 탄 배는 출렁거린다. 바다를 건너가니 기분은 좋다. 한 이십 분 정도 지나서 세부 시티 PIER 3에 도착했다.

세부 시티 선착장에서 십오 분 정도 걸어가면 오늘 내가 가고

자 하는 목적지 로빈슨 몰이 있다. 바다 건너 막탄에서 세부 시티를 볼 때는 높은 빌딩들이 많아서 번화한 줄 알았는데, 와서 보니 빌딩들은 듬성듬성 있고, 그 사이로는 지독한 가난들이 자리를 잡고 있다. 막탄에서도 동네 사람들 사는 모습이 내 눈에는 짠하게 보였는데, 이곳은 더 심한 것 같다. 세부 시티가 필리핀에서 두 번째로 큰 도시라 사람들이 더 많이 몰려 있어서 그런가 보다. 로빈슨 몰까지 가는데 내 눈을 의심할 정도로 낡고 위험한 집들이 도로를 따라 길게 이어진다.

나는 판자집들이 많이 있던 바닷가 빈촌에서 자랐다. 그곳에서 살았던 기억은 세월이 지나면서 점차 소멸되었다. 오늘 로빈슨 몰까지 걸어가는데 그때 기억이 하나 둘 깨어나서 꿈틀거린다. 내가 기억하는 그때, 다른 동네 사람들은 어떤 시선으로 봤는지는 모르지만, 우리는 항상 즐거웠다. 싸움도 있고, 누군가는 소리를 지르기도 했지만, 정이 있었고 나눔이 있었고 무엇보다 사람들이 있었다. 위험하게 쌓은 집들 사이로 빨래가 널려 있고, 집 앞에는 테이블을 놓고 장사를 하는 사람들이 보인다. 미로 같은 골목에서 오토바이 한 대가 나온다. 어느 집 앞에 있는 화분에 예쁜 꽃이 피었다. 반 벌거숭이 아이가 지나가는 나를 신기한 듯 쳐다본다.

로빈슨 몰에 도착했다. 아, 이곳은 신세계로구나. 시원한 에어컨이 쏟아지고, 크리스마스 캐럴이 울린다. 세부에 와서 보름

만에 스타벅스 커피를 마신다. 디카페인 핫 아메리카노 한 잔이 150페소(3,561원)다. 스타벅스 직원이 큰 소리로 외친다.

"아메리카노 포 킹콩"

사람들이 킹콩이 궁금한지 쳐다본다, 나는 개의치 않고 가슴을 펴고 가서 커피를 받아서 자리로 온다. 보름 사이에 스타벅스 커피 맛은 변하지 않았구나. 스타벅스 풍경도 그대로다. 누군가는 노트북으로 뭔가 열심히 작업을 하고, 누군가는 누군가를 기다리고 있고, 어떤 이들은 뭐라고 재미나게 이야기를 한다. 큰 창을 통해 거리를 내다본다. 쇼핑몰 앞에 지프니가 서고 사람들이 내린다. 잠시 후에 오토바이가 서고 뒤에 탄 사람이 내리더니 헬멧을 기사에게 반납한다. 택시가 서고 사람이 내리고, 뒤이어 승용차가 선다. 이곳 로빈슨 몰까지 오는 방법이 사람들마다 다 다르구나. 나는 배 타고, 걸어서 왔는데.

막탄 섬으로 돌아간다. 올 때보다 구름이 더 풍성하다. 돌아가는 배도 여전히 만원이다. 한 열 명은 족히 되는 사람들이 손에 가방을 두세 개씩 들고 탄다. 생김새와 서로 떨어져 앉지 않으려고 붙어있는 자리를 찾는 것을 보니 일가친척인가 보다. 간식을 나눠 먹으며 서로를 챙긴다. 타지로 갔다가 돌아오는 것일까? 타지로 들어가는 것일까? 하늘과 땅만큼 빈부 차이가 큰 세상에 여전히 사람들이 서로 보듬고 살아간다. 내 옆에 앉은 젊은이가 엄마로 보이는 여자에게서 간식을 받는다. 내게 먹어보라는 말도 없이 혼자 다 먹네. 단내가 바다 위에 진동을 한다.

지프니 속 사람들이 옳다

세부 대중교통을 소개하자면 이렇다. 승객 한 명이 탈 수 있는 '하발하발'이 있다. 하발하발은 오토바이 뒤에 타는 것인데 차가 많이 막힐 때 유용하다. 앱으로 예약해서 탈 수도 있고, 길에 서 있는 오토바이 기사와 가격을 흥정하고 탈 수도 있다. 한 번 타 봤는데, 가격 흥정이야 그렇다고 치더라도 여러 사람들이 번갈아 쓰는 땀에 젖은 승객용 헬멧이 영 찜찜했다. 트라이시클은 오토바이 옆에 사람이 앉을 수 있게 만든 것으로 서너 명이 탈 수 있다. 지프니는 2차 대전이 끝나고 미군이 놓고 간 지프를 개조해서 사람을 태우는 차로 만든 것이다. 지금은 트럭으로 만드는데, 운전석 옆과 차 맨 뒤에 서서 가는 사람까지 하면 스무 명 정도가 탈 수 있을 것 같다. 이것 말고도 당연히 택시도 있고, 버스도 있는데 현지 사람들이 애용하는 흔한 교통수단은 아니다.

요즘 지프니를 자주 탄다. 지프니만 골라서 타는 건 아니고 가장 흔하면서도 편리하고 저렴하기 때문이다. 지프니는 버스처럼 자기 노선을 가지고 있다. 그 노선만 알면 이용하는데 큰 어려움은 없다. 지나가는 지프니를 손을 들고 세울 수도 있고, 아무 곳에나 내릴 수 있다. 웬만한 번화가나 쇼핑몰에 지프니들이 모이기 때문에 환승을 하면 번거롭기는 해도 가고 싶은 곳까지 갈 수 있다. 숙소에서 선착장으로 가서 배를 타고 세부 시티로 간다. 세부 시티에는 쇼핑몰이 몇 개 있는데, 로빈슨 몰과 SM과 아얄라 몰 같은 곳이 유명하다. 세부 시티 선착장에서 지프니를 타면 로빈슨 몰을 거쳐 SM까지 가고, 거기서 다른 지프니를 이용하면 아얄라 몰까지 갈 수 있다.

"얼마나 한다고? 그냥 택시 타고 다니면 되는 되지?"

당연한 말씀이다. 사는 것은 다 자기 생각에 달린 것이니 그건 각자 알아서 할 몫이다. 대한민국 국민 중에 자가용만 타고 다녀서 지하철이나 버스를 탈 줄 모른다는 사람도 봤다. 그야말로 대한 외국인이다. 여행은 그러면 안 된다. 그럴 바에는 여행 올 비용을 다른 곳에 알차게 쓰는 게 맞다. 아니면 고급 리조트 안에서만 보내든지. 모름지기 여행자란 스스로 이방인이 될 수 있어야 한다. 해외가 아니라 혹여 제주라도 가거든 꼭 버스로 다녀 보시라. 찬밥과 갓 지은 따뜻한 밥처럼 맛이 다를 것이다.

지프니를 보면 늘 궁금했던 것이 있었다. 사람들이 차에서 내려 운전석 옆으로 가서 차비를 내고 거스름돈을 받는 것을 본 적이 없다. 당연히 이런 의문이 들었다.

'차에 돈 받는 사람이 따로 있는 것도 아니고, 기사와 승객만 있고, 승객들이 저리 꽉 차게 앉아 있는데 차비는 어떻게 내는 거지?"

지프니를 처음 탄 날이었다. 사람이 없어서 내가 운전석과 가장 멀리 있는 곳에 앉았다. 사람들이 타기 시작하면서 나는 점점 안쪽으로 밀려 들어가기 시작했고, 급기야 만원이 되었을 때 나는 운전기사 바로 뒤에 앉는 형국이 되었다. 문제는 그다음이었다. 사람들이 차비를 꺼내더니 자기 옆 사람에게 주고, 그 옆 사람은 다시 옆 사람에게 준다. 내가 운전석과 가장 가까우니 그 돈이 모두 나에게 모이는 것이었다. 나는 돈을 기사에게 주고, 거스름돈을 받아 내 옆 사람에게 준다. 차비는 옆 사람에게 전달하는 방식으로 지불하는 시스템이었다. 알고 보니 내가 처음 앉았던 곳, 기사와 가장 먼 지프니 꽁무니 자리가 명당이었다. 슬금슬금 밀려 들어가서 앉은 곳인 운전석 바로 뒤는 팔자에 없는 지프니 차장 노릇도 해야 하고, 내릴라 치면 고개를 숙이고 엉거주춤한 자세로 승객들 무릎 사이를 뚫어야 하는 회피 일 순위 자리였다.

몇 번 지프니를 타다 보니 대충 이해가 되었다. 나름 규칙이 있었다. 지프니 꽁지에 탄 사람은 절대 안 움직이더라. 이 말은 이렇게 해석하면 된다. 늦게 탄 사람이 지프니를 타면서 이런 말을 하면 안 된다는 것이다.

"아유, 거 참. 안쪽으로 들어가 보세요. 타는 사람 불편하게 왜 입구에 이리 떡 하니 버티고 앉아 있어요?"

언뜻 듣기에 사리가 분별되고 앞뒤가 맞는 말인데, 승복하기는 어렵다. 이 사람들은 이리 생각하는 듯하다.

"늦게 탔으니 안쪽으로 기어들어가듯 가서 불편한 자리에 앉으세요."

문득, 아내에게 손을 잡힌 채 교회를 다니던 시절이 생각났다. 내가 생각하는 명당인 뒷자리 구석에 있는 기둥 뒤에 앉으면 목사님이 꼭 초를 쳤다. 나중에 오는 사람들 생각해서 빈 앞좌석으로 사람들을 모는 것이었다. 참으로 부당한 처사였다. 아니, 씨. 이 자리를 잡느라 일찍 나왔는데.

한 줄에 대략 아홉 명, 두 줄이니 열여덟 명이 만석인 창문도 없고, 하차 벨도 없고, 돈을 받는 이도 없고, 고개를 숙이고 서로 살을 스치며 지나가야 하는 불편하기 그지없는 지프니가 세부 시내를 누비고 다닌다. 지프니 속에 앉아 있는 사람들은 아무 불평도 없다. 아무리 봐도 더 이상 탈 자리가 없는데도 서로 엉덩이를 좌우로 밀착해 공간을 만들어 준다. 차비를 내느라 지폐와 동전이 막 왔다 갔다 한다. 마치 도가 높은 경지에 오른 흰 수염에 지팡이를 짚은 도인 같은 사람들이 지프니를 타고 다닌다. 내가 내릴 곳을 보느라 빡빡 머리를 밖으로 내밀고 이리저리 살피고 있는데, 문신 있고 덩치 크고 심각하게 생긴 앞에 앉은 아저씨가 나를 보고 고개를 끄덕한다. 내릴 곳이 맞다는 말이다.

'내가 타면서 기사한테 어디 간다고 하는 걸 아저씨가 기억했구나.'

나는 엉덩이를 흔들며 사람들 속을 헤치고 지프니 꽁무니로 가서 겨우 내렸다. 아저씨에게 땡큐! 하며 손을 들어주었다. 와, 무섭게 생긴 아저씨가 환하게 웃는다. 햇빛이 쏟아지는 길을 걸으며 세상 사는 것 별거 없다는 생각을 한다. 지프니 속 사람들이 옳다. 서로에게 침묵하되 서로를 의지하면서 살면 되는 것이다.

가성비 최고인 구경거리

모름지기 '거리'가 풍성해야 한다. 시간은 많고, 마땅한 '거리'가 없을 때 사람은 주로 중독으로 향한다. 예를 들어 보겠다. 일요일 오후, 소파에 드러누워 TV 리모컨을 쥐고 온갖 채널을 탐색한다. 재미있는 것이 없으면 TV를 끄고 벌떡 일어나 다른 무언가를 하면 되는데 그러질 못한다. 매주 일요일 비슷한 자세로 리모컨 놀이 중독에 빠진 이 사람은 마땅히 놀 거리가 없는 것이다. 냉장고를 연다. 마땅히 먹을거리가 없다. 곰곰이 생각해 보고 먹을거리를 만들면 되는데, 그냥 대충 아무거나 먹는다. 식욕은 그리 간단한 욕망이 아니다. 채워지지 않으니 또 아무거나 먹는다. 먹을거리가 없는 사람들 대개가 이렇게 서서히 먹을 것에 중독이 되는 것이다. 유튜브를 하루 종일 끼고 사는 사람이 있다면 스스로 물어볼 필요가 있다.

"아, 나는 볼 거리를 찾느라 이리 유튜브를 헤매고 다니는 것인가?"

할 거리도 없고, 구경거리도 없는데 잘 지내는 사람도 있다. 예를 들어 보겠다. 태양이 뜨거운 어느 해변 선베드에 선글라스를 끼고 태양을 향해 누워있는 사람이 있다. 지루하지도 않은가 보다. 몇 시간을 꼼짝 않는다. 이런 사람은 아마도 생각거리가 많을 것이다. 다른 사람이 보기에는 가만히 있는 것 같아도 머릿속으로 무언가 생각을 하거나, 집중하거나, 아니면 아예 생각을 하지 않는 경지에 올랐을 수도 있다. 명상처럼 말이다. 명상 이야기가 나왔으니 몇 마디 덧붙이자면, 사람들은 명상이라고 하면 가부좌를 틀고 양손을 무릎 위에 올리고 눈을 감은 자세를 떠올린다. 그것도 명상은 맞지만 그것만이 명상은 아니다. 생각을 집중하는 모든 행위는 다 명상이다. 누워서 하는 것을 와선(臥禪), 앉아서 하는 걸 좌선(坐禪), 몸을 움직이며 하는 걸 행선(行禪)이라 한다. 요가는 사실 운동이 아니라 명상이다.

여행은 별거 아니다. 볼 거리를 찾아다니는 것이다. 자기가 사는 동네와 나라는 이미 익숙하니까 다른 동네나 다른 나라 사람들 사는데 가서, 뭐 볼 거리 없나 하고 기웃거리는 것을 두 글자로 여행이라고 부르는 것이다. 여행 중에 가장 좋은 여행은 볼 거리가 풍성한 것이요, 여행 중에 최악은 볼 거리가 형편없는 것이다.

"아니, 거기 뭐 볼 게 있다고 간단 말이요?"

이 말은 여행을 다니는 사람에게는 가슴에 꽂히는 비수와 같다. 여행을 다녀온 사람이 입에 거품을 뿜으며 뭘 봤고 뭘 먹었고 뭔 일이 있었고 이리 일일이 소상하게 고해바치는 것은 아마도 이런 심리 때문일 것이다. 안 그러면, 짱구도 아니고 거긴 왜 갔냐는 핀잔을 들을 확률이 100%니까.

"아니, 제가 거기 그러니까 참으로 볼 거리 많은 곳을 다녀왔거든요."

선착장에서 보트를 타고 세부 시티로 가면서 멍하게 바다를 바라보는데 바다 위로 구름이 아주 풍성하게 펼쳐져 있는 것을 발견했다. 아, 구름이다! 한 이십여 분을 가는데 전혀 지루하지가 않다. 그러고 보니 동남아 일곱 도시를 일곱 달 동안 여행을 하면서 내가 중독된 것이 있었는데, 그게 바로 구름이었다. 코타 키나발루 석양도 구름이 있어야 제맛이었다. 쿠알라 룸프르 숙소 루프탑에서 내가 매일 서너 시간을 앉아 있을 수 있었던 것도 구름 덕분이었다. 조호 바루와 푸껫은 말하면 입 아프고, 방콕 헬스장에서는 트레드밀을 막 뛰다가 핸드폰을 들고 뛰쳐나가기도 했고, 치앙마이는 침대에 드러누워 맛보는 구름 맛집이었다.

필리핀으로 한 달 살이를 하러 간다고 하니 볼 것도 없고 위험한 곳에 간다고 사람들마다 걱정이란 걱정을 죄다 쏟아냈었다. 나는 잠깐 멈칫했다. 다들 한 입으로 한목소리를 내니 가랑비에 옷 젖는다고, 내가 뭐 용가리통뼈도 아니고, 견딜 재간이 있겠는가? 지금 생각해 보면 잠시 이런 고민을 한 것 같다.

'아, 포탄이 수없이 날아드는 가자지구로 가는 것인가? 살아서 올 수는 있고?'

헬스장에서 운동을 끝내고 숙소 근처에 있는 SARI SARI STORE에서 생수 두 병을 사 들고 오는데, 허허벌판에 생뚱맞은 모습으로 서 있는 내가 머물고 있는 두 동짜리 아파트 뒤로 구름이 마구 빨개지고 있었다. 가슴이 뛰었다. 발걸음이 빨라졌다. 내가 101동 1층에 사는 사람이란 것을 가드 아저씨는 알고 있다. 내가 엘리베이터 앞에서 버튼을 누르자 가드 아저씨가 이상한 눈으로 본다. 아파트에서 제일 높은 18층으로 가서 붉은 구름을 향해 갤럭시 핸드폰을 들이댔다. 아, 확실히 사진은 눈으로 보는 것을 담아내지 못하는구나.

"이것 좀 보세요? 내가 18층에서 찍은 겁니다."

나를 이상하게 바라본 가드 아저씨에게 해명을 할 필요도 있고, 내 사진을 자랑하고 싶은 마음도 없지 않아 있어서 보여드렸다. 짧지만 확실한 반응을 보인다.

"오우, 굿!"

세부 시티에 관광을 오면 들르는 쇼핑몰이 몇 군데 있다. 그중에 나는 아얄라 몰이 제일 좋다. 입점해 있는 브랜드나 뭐 이런건 잘 모르겠고, 내가 굳이 배를 타고 세부시티로 가서 다시 지프니를 갈아타면서까지 아얄라 몰로 가는 이유는 스타벅스 때문이다. 스타벅스가 쇼핑몰 제일 높은 층에 있는데, 커피 한 잔을 앞에 두고 창밖에 떠다니는 구름을 구경하기에 아주 딱이다.

동남아 여행을 오시거든, 구름 바라보기 좋은 곳에 자리를 잡고 구름 놀이에 한 번 빠져 보시라. 참으로 좋다. 중독이 된 들 두려울 게 있겠는가? 돈이 들기를 하나? 건강을 해치기를 하나? 게다가 시간도 잘 간다. 살아보니, 어떤 심각한 문제들은 지루함이 낳은 것이더라. 지루함을 없애는 건강하고 풍성한 거리가 필요한 세상이다.

콩깍지

사람 눈은 바보다. 우리 눈이 나무를 나무로, 바위를 바위로 보는 것은 그저 이미 그것을 알고 있기 때문이다. 보는 눈이 정확하다고 믿는 건 익숙한 것을 보는 것에 속고 있다는 말이기도 하다. 처음 보는 것에 대해서는 눈은 전혀 기능을 발휘하지 못한다. 까막눈이라는 표현을 떠올리면 된다.

이곳에 도착한 첫날에 참으로 당황했다. 그 시작은 세부 공항이었다. 그랩으로 부른 차를 기다리고 있는데 얼굴 까맣고 근육질 팔을 가진 택시 기사가 성큼성큼 다가오더니 자기 차를 타라며 온갖 감언이설을 쏟아낸다.

"어디로 가느냐?"

기사가 이리 물었을 때 그냥 미소를 지으며 아무 말도 하지 말았어야 했다. 내가 누구인가? 말하기를 숨쉬기보다 즐기는 나는 목적지를 발설해 버렸다.

"당신 아내가 필리핀 사람이냐?"

무슨 이런 엉뚱한 질문을 하지? 나는 한국인이고, 한국에 있는 와이프도 한국인이다. 게다가 미모도 매우 아름답다고 덧붙였다. 기사가 이리 말한 이유는 다름이 아니라 내가 가고자 하는 숙소를 어떻게 알고 구했냐는 말이었다.

그랩으로 부른 차를 타고 숙소로 간다. 공항을 빠져나간 차는 뻥 뚫린 도로를 잠시 달리더니 골목길로 접어든다. 지름길인가 보다. 웬걸. 차는 점점 필리핀 로컬 속으로 깊게 들어가는 것이다. 언뜻 보기에도 이 층 정도가 제일 높고, 지저분한 집들이 무슨 파노라마처럼 연속해서 펼쳐져 있다. 설마? 역시 우려는 틀리지 않는 법이다. 잠시 후 아파트 두 동이 내 눈에 들어왔다. 기사는 손가락으로 아파트를 가리키며 곧 도착한다고 씩 웃으며 말한다.

숙소에 도착해서 방을 둘러보는데 영 마음에 들지 않는다. 없는 것 없이 다 있는데 사용하기는 좀 거시기 할 정도로 깔끔하지는 않다. 게다가 일 층이라니. 시간이 오후 두 시를 지나고 있어서 일단 점심을 먹으러 나간다. 와, 뭐 이런 동네가 다 있지? 걸어서 한 십여 분을 갔는데도 꾀죄죄한 길거리 노점이 전부다. 아기들은 발가벗고 막 길을 돌아다니고, 주름 많은 할머니는 그늘에 앉아 허기에 지쳐 씩씩거리며 지나가는 나를 신기하게 바라본다. 결단을 요구하는 목소리가 들리는 듯했다.

'아직 하룻밤도 안 잤으니까 집 주인한테 잘 이야기해서 숙박비 일부라도 돌려받고 지금이라도 다른 곳으로 갈까?'

이곳에 온 지 스무 날이 지났다. 다음 주에 귀국이다. 에어비앤비는 퇴실을 하고 나면 후기를 쓰라고 재촉을 한다. 에어비앤비 숙소를 구하는데 후기는 사실 중요하다. 나는 숙소가 마음에 들면 후기를 남기고, 마음에 들지 않으면 남기지 않는다. 마음에 안 드는 점을 미주알고주알 떠들고, 평점을 낮게 주게 되면 집 주인 생계가 달린 영업을 방해하는 꼴이 되기 때문이다.

어제는 날씨가 참으로 대단했다. 바다를 건너 세부 시티로 가면서도 푸른 바다 위에 떠다니는 구름들이 아주 난리였는데, 오후에 라푸라푸 시티로 돌아오는 배에서 보는 풍경은 아예 내 말문을 막아버렸다. 풍경을 바라보던 나는 어느새 에어비앤비 후기를 마음으로 작성하고 있었다. 나처럼 첫눈에 콩깍지가 씌인 사람을 위해서.

"이곳에서 한 달을 살았습니다. 필리핀 로컬 사람들 숨결을 느끼기 정말 좋은 곳입니다. 동네 사람들 다 친절해요. 걸어서 십여 분을 가면 라파라푸 퍼블릭 마켓이 있고요. 그곳에서 지프니나 버스를 타면 그랜드 몰이나 시티 스퀘어로 갈 수 있어요. 선착장에서 배를 타고 세부 시티로 가면 즐길 것이 많습니다. 배를 타고 가면서 보는 풍경이 아주 그만입니다. 방은 일 층인데 베란다 쪽 커튼을 열어도 밖에서 안 보입니다. 깨끗하지는 않지만, 없는 것 없이 다 갖추어져 있으니까 그냥 내 집이라고 생각하고 쓸고 닦으면서 살면 정말 편하게 지낼 수 있어요. 석양이 멋진 날에는 18층에 올라가서 사진을 찍어보세요. 수영장은 9시 오픈이고, 헬스장은 유료인데 한 달에 600페소 (14,000원)로 부담은 없어요. 이상 내 돈 내고 살아본 솔직 후기였습니다."

혐오도 사랑도 다 첫눈에 생기고 싹튼다. 잘 모르면서 진저리를 치며 싫어하고, 잘 모르면서 평생을 어쩌고저쩌고하며 간이든 콩팥이든 다 내줄 것처럼 언약을 맹세하기도 한다. 내가 만약 이곳에 온 첫날에 짐을 싸서 다른 숙소로 갔다면, 그런 내 행위를 정당하게 만들어야 하니 이곳 나쁜 점을 더 부각시켰을 것이다. 그러지 않으면, 나만 이상한 놈이 되는 것이니까. 휴, 얼마나 다행인가! 진득하게 스무 날을 보냈더니 내 눈에 착 달라붙었던 콩깍지가 벗겨지고 제대로 보이는 것이다.

"노! 산 미구엘? 하하, 산 미구엘이라니? 따라 해봐. 산 미겔! 그렇지. 굿"

며칠 전에 숙소 앞에 있는 필리핀에서 흔히 볼 수 있는 슈퍼인 사리사리 스토어에 머리를 디밀고 San Miguel 맥주를 달라고 했다가 언쟁이 붙었다. 나는 맥주에 붙은 상표를 보여주면 또박또박 읽었다.

"보라고! 산 미구엘. 맞지?"

만약 다시 와서 그리 발음하면 맥주 안 팔겠다고 웃으면서 타이른다. 왜? 산 미구엘이라는 맥주는 없으니까. 오늘은 해만 지면 신기하게도 시원해지는 저녁나절에 목을 가다듬고 발음 연습 몇 번 해보고 맥주나 사러 가야겠다. 지금 한 번 해볼까? 산 미겔, 산 미겔, 산 미겔.

바닷길이 막혔다

하늘은 맑고 공기는 시원하다. 필리핀에서 이게 웬 횡재인가 싶어 기분은 룰루랄라 상쾌하고 발걸음은 가볍다. 어젯밤에 비가 억수로 쏟아지더니 요런 날씨를 선사하려고 그랬구나. 오늘도 바다를 건너며 구름 구경이나 실컷 하자. 선착장에 가까워지는데 어째 거리가 한산한 느낌이다. 이 시간이면 나처럼 선착장으로 걸어가는 사람들과 트라이 시클을 타고 가는 사람들과 지프니를 타고 가는 사람들로 북적거려야 정상인데, 월요일이라 그런 것인가 하는 생각을 하며 코너를 돌았다.

헐. 선착장 문이 굳게 닫혔네. 뭐지? 주변을 황망한 시선으로 돌아보다가 그런 나를 희한한 눈으로 보고 있는 한 아저씨에게 물었다.

"왜 선착장이 닫힌 것입니까?"

아저씨는 '일렉션'을 몇 번 반복한다. 언뜻 듣기로는 전기에 문제가 있는 줄로 생각했다. 하여튼 무슨 말인지는 자세히 모르겠고, 다음 질문을 이어갔다.

"그럼 언제 여는데요?"

What? 금요일에 오픈한다고 한다. 참 나. 이게 뭔 일이래. 귀국까지 일주일 남아서 집중해서 잘 놀다가 가려고 했는데 일이 야릇하게 꼬인다. 상황상 후퇴를 해서 숙소로 돌아가 조신하게 방에 콕 박혀 있어야 하나?

모름지기 아름답고 대단한 모든 일들은 관찰로 만들어진다. 가만히 바라보고 있는 행위는 아무것도 안 하고 있는 무(無)가 아니라 치열한 행(行)이다. 창작은 영감에서 비롯되고 영감은 가만히 서서 무언가를 관찰하는 엉덩이 근육에서 나오는 것이다. 막 바삐 움직이는 것은 뭔가를 하고 있는 것처럼 보일지라도 실상은 에너지를 낭비하는 소모일 뿐이다. 나는 그 자리에 서서 한 삼십여 분을 관찰했다. 눈에 무언가 들어왔다. 발견이었다. 지프니들이 왔다 갔다 마구 움직이는데 버스 터미널 표지를 단 차들이 유난히 많았다. 그렇지! 동서고금을 막론하고 모든 길은 터미널에서 시작해야 하는 법이지.

지프니 최저 요금 13페소(308원)를 내고 터미널에 도착했다.

"나는 세부 시시티로갑니다. 버스 어디에 있어요?"

뚱뚱하고 까만데 눈은 동그랗고 예쁜 아주머니가 손가락으로 사람들이 길게 줄 선 곳을 가리킨다. 잠시 후 창문도 있고 에어컨도 있고 요금을 받는 차장도 있는 하얀색 버스가 왔고, 길게 늘어선 줄이 갑자기 막 뒤엉키더니 우르르 사람들이 버스에 탄다. 순식간에 버스는 발 디딜 틈도 없게 되었다. 버스는 라푸라푸 시티와 세부 시티를 연결하는 Mactan Bridge를 건너간다. 다리 저 너머로 멀리 푸른 바다와 뭉게구름이 보인다.

오늘은 삼겹살을 먹는 날이다. 한국 사장님이 운영하는 〈대가〉라는 삼겹살 무한리필 식당이 있는데 삼겹살은 물론이고 여러 반찬들도 아주 좋다. 게다가 얼마나 듣기 좋은 단어인가? 무한 리필. 한 사람에 499페소(12,000원)인데 혼자 가면 100페소를 더 내야 하지만 충분히 지불할 가치가 있고 다시 방문할 의사도 있는 식당이다. 버스에서 내려 지프니를 갈아타고 식당에 도착했다.

헐. 휴무다. 오늘은 참으로 이상한 날이다. 뭐지? 월요일에 문을 닫는 것인가? 허탈한 마음을 겨우 진정시키고 발길을 돌리려고 하다가 식당 유리창에 붙은 종이가 보였다. 아, 이런 것이었구나. 월요일인 오늘은 필리핀 지방선거가 있는 날이다. '바랑가이'라고, 우리로 치면 읍면동에 해당하는 지방 단위인데 그 장을 뽑는 선거일이다. 선착장에서 만난 아저씨가 말한 일렉션이 전기가 아니고 선거였구나. 화요일은 정상 근무일이고, 수요일과 목요일은 천주교 성인과 관련된 공휴일이다. 쉽게 말하면, 화요일 하루만 휴가를 내면 지난 토요일부터 이번 주 목요일까지 6일 황금연휴가 되는 것이다. 선거와 황금연휴가 겹치니 사업장마다 제각각 휴무일이 달랐던 것이다. 게다가 선거가 있는 날은 선거 전날까지 해서 이틀 동안 필리핀 전국에 금주령까지 내려지고, 선거 결과를 두고 도박을 하는 것을 금지하는 등 여러 조치가 취해진다. 모든 일은 이유가 있는 것이야. 지난 주말에 세부 시티 선착장에서 어마어마한 인파가 보홀 섬으로 가는 배를 타느라 난리를 친 것이 다 이런 이유 때문이었어.

삼겹살 먹을 생각에 한껏 부풀었을 위장 속에 이것저것 대충 넣어주고 다시 숙소로 돌아간다. 버스를 타고 갈지 택시로 가야 할지 고민에 빠졌다. 이유는 주변에 라푸라푸로 가는 버스를 어디에서 타느냐고 물었더니 대답들이 다 달랐다. 심지어 거기로 가는 버스는 없다고 말하는 사람도 있었다. 구글 맵에게 물어보니 두 번을 갈아타라고 한다. 난감하다. 택시를 타는 아주 쉬운 방법은 여행자 입장에서 선택하기는 싫었다. 다시 차분히 관찰을 했다.

길가에서 노점을 하는 할머니가 눈에 보였다. 뭔가 지혜를 가지고 있는 분위기가 풍긴다. 역시 옳았다. 할머니가 말보다는 행동으로 보여 주신다. 지나가는 버스를 세우더니 나를 가리키며 라푸라푸 어쩌고 한다. 그 버스를 타고 어느 몰 앞에 내리니 숙소 근처까지 가는 지프니가 떡 하니 있는 것이다. 지프니가 덜컹덜컹 경쾌하게 달린다. 다리를 건너더니 눈 감고도 다닐 수 있는 우리 동네 퍼블릭 마켓 앞에 선다. 참 나. 오십 중반에 이게 뭐라고 뿌듯하다. 바닷길이 막히면 육로를 찾으면 될 것이고, 길이 없으면 그까짓 것 만들면 될 것이다. 사는 것이 소소한데 재미는 쏠쏠하다.

오랫동안 더 잘 놀기 위한 시도

은퇴한 사람에게 가장 중요한 것은 무엇일까? 이에 대한 해답을 찾으러 동남아 여섯 도시 여행을 끝내고 강원도 정선으로 갔다가 다시 필리핀 세부로 온 것이다. 만약 정선 산골에서 하산을 하지 않았다면 아마 그곳이 해답을 찾는 치열한 도량이 되었을 텐데.

이곳에 온 첫 번째 이유는 평평한 배 만들기다. 제주를 포함해 동남아 여섯 도시를 여행하는 근 아홉 달 동안 신체에 변화가 생겼다. 여행을 하면 눈이 즐거울까? 아니면 입이 더 즐거울까? 아마도 입일 것이다. 여행은 곧 먹방이다. 그 결과로 배가 볼록해졌다. 세부에서 볼록 배를 왕(王) 자(字)가 보이는 건 언감생심이고 일단 평평하게 만들기로 했다.

하루에 점심 한 끼만 먹었다. 처음 일주일은 가끔 하늘에 노란 별이 보이기도 했다. 헬스장에 하루도 안 빠지고 갔다. 유산소보다는 근력 운동에 집중했다. 사실, 정선에서 하산해서 정형외과 치료를 받았었다. 의사 선생님 말에 의하면, 종아리 근육이 너무 혹사를 당했다고 한다. 원래 하루 한 끼에 하루 10km 달리기를 계획했으나 예상하지 못했던 종아리 근육 문제로 근력운동만 해야 했다. 열흘이 지나자 볼록한 부분이 점차 무너지기 시작하더니 스무 날이 되자 자세히 보면 미세한 오르막은 있으나 언뜻 보기에 평평해 보이는 배가 만들어졌다.

이곳에 온 두 번째 목적은 영어였다. 영어가 막 돌아다니는 환경에 나를 노출시켜 내가 어떤 상태인지 확인하고 싶었다. 확인을 하나 마나 영어 공부가 시급한 상태였다. 사실, 영어로 누군가와 오 분 이상 대화를 나눈 적이 평생 없었으니 당연한 결과이리라. 학원 두 곳을 방문해서 내년 1월에 수업이 가능한지 상담을 했다. 한 곳은 유학원을 통해서만 입학이 가능하고 이미 예약도 끝났다고 했다. 다른 한 곳은 수업은 가능한데 수업료가 상상하지 못할 정도로 비쌌다. 내가 영어를 잘 못 알아들은 것일 수도 있어 이메일로 다시 문의를 한다고 했다. 겨울방학 기간이라 한국, 대만, 일본에서 많은 학생들이 오기 때문에 빈 자리를 잡기가 쉽지 않을 것이라고 했다. 수소문 끝에 세부 말고 필리핀 바기오에 있는 학원을 한 곳 섭외를 했다. 일단 내년 1월에 기숙사에서 먹고 자면서 하루 종일 영어만 공부하는 '스파르타 영어과정 4주'를 신청했다.

세 번째 이유는 신춘문예 응모 준비였다. 신춘문예 응모는 어릴 때부터 가지고 있던 부러움이었다. 은퇴를 하고 나니 그 욕망이 되살아났다. 일 년 동안 이곳저곳을 다니면서 글을 쓰고 연말에 그 글 가운데 몇 개를 골라 신춘문예에 응모하자는 계획을 세우게 된 것이다. 응모 분야는 소설과 에세이다. 사실 이 것을 위해 정선을 간 것이기도 했다. 이곳에 와서 거의 보름 동 안 숙소에서 두문불출하고 응모할 글을 다듬었다.

고단한 작업이었지만 행복했다. 아침저녁으로 닭들이 울고, 비 만 오면 길이 물에 잠기고, 양철 지붕과 판자로 벽을 댄 집들이 널려 있고, 오전이면 수도도 아닌 펌프로 물을 길어 빨래를 하 는 풍경이 일상인 막탄 섬 외진 곳에서 글에만 매달렸다. 쓴 글 을 고치고 또 고치는데, 무슨 목욕탕에서 때를 미는 것도 아니 고 고칠 곳이 한없이 나왔다. 다행히 얼추 완성을 했다. 중편 소설 하나, 단편 소설 넷, 에세이 일곱, 올해는 이렇게 응모를 할 작정이다. 시월 마지막 날이 되니 신문에 2024년 신춘문예 응모를 알리는 기사가 나오기 시작한다. 두둥, 가슴이 뛴다. 이 번 주말에 귀국해서 다음 주부터는 쓴 글을 프린트해서 보면 서 고치고, 우체국으로 가야겠다.

은퇴한 지 일 년이 저물어 간다. 은퇴하고 일 년은 마냥 좋기 만 한 허니문이라고 하던데, 일 년이 지나면 그제서야 비로소 현실을 깨닫게 된다고 하던데, 골프도 여행도 등산도 하여튼 무슨 취미이든 간에 일 년만 하고 나면 질린다고 하던데, 그러 거나 말거나 나는 더 신나게 놀기로 한다.

뜬금없는 이야기지만 나는 축구를 좋아한다. 우리 K1 리그를 보다가 한 팀에 마음을 빼앗겨버렸다. 프로구단 중에서 가장 가난한 곳이다. 축구장도 제일 거시기하고, 연습하는 운동장 잔디가 썩어서 선수들이 눈병도 나고 한다는 말을 들었다. 바로 광주 FC다. 이 팀을 보면 축구에 있어 전략과 전술이 얼마나 중요한지를 알게 된다. 더불어 다른 팀들을 보면 돈 많고, 잘나가는 선수들이 많은 것이 또 얼마나 허망한 것인지도 깨닫게 된다. 광주 FC는 지금 무려 2위와 3위를 오르락거리고 있다. 사는 것도 마찬가지다. 그냥 살면 사는 대로 살아지는 것이고, 전략과 전술을 펼치면 그 방향대로 살 수도 있는 것이다.

집중해서 잘 놀기 위해서 나는 이렇게 할 것이다. 배는 항상 평평한 상태로 유지를 할 것이며, 지구에 사는 많은 사람과 유익한 대화를 나누기 위해 영어를 쉬지 않고 공부할 것이며, 보고 듣고 느낀 것을 글로 잡아서 활자로 만들어 낙방 거사가 되더라도 굴하지 않고 신춘문예에 응모를 할 것이다.

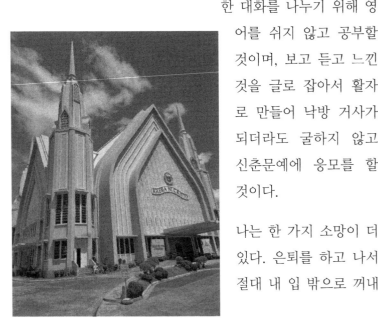

나는 한 가지 소망이 더 있다. 은퇴를 하고 나서 절대 내 입 밖으로 꺼내

고 싶지 않은 단어를 꺼내지 않는 것이 바로 그것이다. 삶은 말 하는 대로 이루어진다. 믿든 말든 그건 상관이 없다. 믿으라고 등을 떠밀고 싶지도 않다. 이건 엄연한 진리이니까.

"아유. 정말. 사는 것이 뭐 이리도 지루해."

나는 지루함을 느끼지 않는 삶을 이어가기를 아주 간절하게 소망한다.

일곱 색깔 다른 도시

무지개는 항상 그렇더라. 자기 혼자 오지 않고 꼭 해를 데리고 다녀. 비가 그치고 먼 산에 무지개가 걸쳐지면 사람들은 친구를 부르는 듯한 탄성을 지르지.

"와, 무지개다."

29년 직장 생활은 마치 여름 장마 같았다. 장마는 비가 계속해서 내리는 날씨이지만 중간중간 비가 그치기도 하고 어떨 때는 언뜻언뜻 해가 보이기도 해. 비가 잠시 쉬어 가는 소강상태와 8월 초가 되면 끝날 것이라는 확신이 있어서 장마를 견딜 수 있는 것이지. 직장 생활도 그랬지. 대체로 힘들고 피곤한 날들이었어. 눅눅한 장마처럼 말이야. 다행히 그런 날들 사이사이에 즐겁고 재미난 일들이 쿠키에 있는 초코처럼 듬성듬성 박혀 있어서 겨우 버틴 거지. 그래도 일등 공신은 뭐니 뭐니 해도 직장 생활이 영원하지 않을 것이라는 믿음이었지. 장마 끝에 태양을 데리고 찾아올 무지개 같은 은퇴를 기다린 거지.

은퇴하고 동남아 일곱 도시에서 일곱 달, 나는 무지개를 보는 것처럼 매일 감탄하는 날들을 보냈다. 어떤 사람들은 은퇴가 두

렵고 아쉽고 뭐 그렇다고 하대? 이별을 통보하고 떠나려는 애인 앞에서 무릎이라도 꿇고 애걸복걸하며 잡고 싶은 그런 마음 같은 것인가? 나는 앓던 이가 쏙 빠지고, 진탕 퍼마셨는데도 다음날 숙취가 전혀 느껴지지 않을 때처럼 아주 상쾌하던데.

지금 돌이켜보면 은퇴하고 보낸 몇 달이 참 꿈같은 시간이었어. 코타 키나발루 워터 프론트에서 매일 바라본 붉은 노을은 아직도 눈에 선해. 노을을 보고 숙소로 돌아오면서 소심하게 환율 계산해 가며 맥주 두 캔을 사고는 했지. 쿠알라 룸푸르에서는 숙소가 좋았어. 코타 키나발루 집 주인인 크리스티나 여사가 와이파이와 에어컨을 제때 안 고쳐주는 바람에 그런 거 신경 안 쓰는 호텔을 예약했는데, 그 호텔 루프탑은 말 그대로 탑이었지. 조호 바루는 한 달 살기 진수를 느낀 곳이었지. 작은 동네에 살아서 동네 사람들이 다 우리를 알아보고 서로 인사하며 지냈지. 단골 식당 그 젊은이들은 잘 있는지 모르겠네.

방콕은 내가 태국어 글자 공부를 시작한 도시였지. 한 달 동안 거의 노트 한 권을 다 쓸 정도로 열심히 썼는데. 아, 푸껫 나이양 해변은 정말 아름다운 곳이었어. 바닷가에서 오전에 커피를 마시고, 점심을 먹고, 저녁나절에 다시 바닷가로 가서 코코넛 워터나 맥주를 마시고는 했지. 만약 어디가 제일 좋았냐고 묻는다면 다른 도시들에게는 미안하지만 푸껫이야. 치앙마이는 명불허전이더군. 품질 좋고, 가격 싸고, 친절하기까지 한 백

화점 같았지. 지금 내가 이 글을 쓰고 있는 세부는 말이야. 참 오묘해. 뒤죽박죽인데 질서가 있고, 무서운데 친절하고, 불쌍한데 행복해.

빨주노초파남보. 일곱 색깔 무지개를 일곱 달 동안 관통해서 걸은 느낌이다. 사람은 추억으로 사는 것이 맞는가 보다. 지난 아름다운 날들을 회상하는 게 그리 기분이 좋을 수가 없다. 앞 날이야 기껏해야 상상하는 정도이니 뭐 얼마나 실감이 나겠어? 오늘을 잘 살아서 예쁜 과거로 만드는 것, 산다는 건 이런 것이 아닐까? 뿌듯함, 이 단어도 참 좋아. 뿌듯하다는 건 도전을 했다는 말이니까. 자랑은 하고 나면 허망해. 내가 그 진실을 아니까 말이야. 전날 저녁에 과식을 했는데도 염치없이 찾아오는 그다음 날 허기와 닮았어. 뿌듯함은 혼자 실실 웃는 것이지. 자기가 생각해도 웃기거든. 그걸 해냈다는 것이 말이야.

나는 은퇴하고 동남아 태양을 사랑하게 되었다. 진짜 태양이다. 우리나라 태양은 약간 사기성이 농후하다. 맨날 진다. 겨울에는 비실거리고, 봄에는 황사에 가려 제대로 얼굴 구경도 못하고, 여름에는 말해 뭐해? 구름도 이기지 못하면서. 가을에 잠깐 그나마 태양 비스름하지. 태양계에서 그것도 한가운데 중심에 꼼짝하지 않고 있다는 항성이 그게 뭐냐고? 동남아 태양은 아주 깔끔해. 군더더기가 없지. 그냥 쨍하다니까. 음흉하지 않으니까 그늘에 있으면 시원해.

원적외선 살균기 같은 태양 아래에 서 있으면 사람은 순수해진다. 사람을 감싸고 있는 여러 겹 포장들이 다 무용지물이 되지. 시원한 물 한 병, 에어컨은 고사하고 그늘 한 조각이면 행복하다니까. 와우, 양산이면 그야말로 서울 강남에 있는 타워팰리스 안 부럽지. 웅덩이에 고여 있는 것 같은 쓰잘데기없는 너저분한 욕망들은 모조리 증발해버린다니까.

지금 한국은 가을이겠지. 단풍이 물들었을 것이고. 사람들은 환호하며 온 나라를 돌아다닐 거야. 이런 말들을 하면서 말이야.

"와, 절정이다."

절정, 쾌감이 고조에 이른 상태. 나는 29년 직장 생활을 끝내고 일곱 달 동안 무지개 같은 일곱 도시를 여행하면서 절정을 살았다. 그날들은 내가 찍은 사진과 영상처럼 내 기억에 추억으로 박제되었다. 기억 속 액자에 단단히 잘 넣어두었다. 더 나이가 들어서 추억이 필요해지면 그때 꺼내서 봐야지. 햇살이 들어오는 창가에 앉아 추억들을 보면서 혼자 실실 웃고 그럴건가? 뿌듯해서 말이야.

은퇴 후 7개월, 7개 도시 이야기

오십 중반에 떠난 유쾌한 퇴사 여행 동남아 편

발행일 ㅣ 2024년 5월 13일

지은이 ㅣ 박경식
펴낸이 ㅣ 마형민
기 획 ㅣ 강채영
펴낸곳 ㅣ (주)페스트북
주 소 ㅣ 경기도 안양시 안양판교로 20
홈페이지 ㅣ festbook.co.kr

ISBN 979-11-6929-492-8 03810
값 23,500원

* (주)페스트북은 '작가중심주의'를 고수합니다. 누구나 인생의 새로운 챕터를 쓰
도록 돕습니다. Creative@festbook.co.kr로 자신만의 목소리를 보내주세요.